W9-BUA-682

Rich Dad Poor Dad

부자 아빠 가난한 아빠

부자들이 들려주는 〈돈〉과 〈투자〉의 비밀

Rich Dad Poor Dad

What the rich teach their kids about money that the poor and middle class do not

by Robert T. Kiyosaki with Sharon L. Lechter

Copyright © 1997, 1998 by Robert T. Kiyosaki with Sharon L. Lechter.

All rights reserved.

Korean Translation Copyright © 2000 GoldenBough Publishing Co., Ltd.

Korean translation edition is published by arrangement with GoldPress, Inc.

이 책의 한국어판 저작권은 GoldPress, Inc. 와
독점 계약한 **(주)황금가지** 에 있습니다.

저작권법에 의해 한국 내에서 보호를 받는 저작물이므로
무단 전재와 무단 복제를 금합니다.

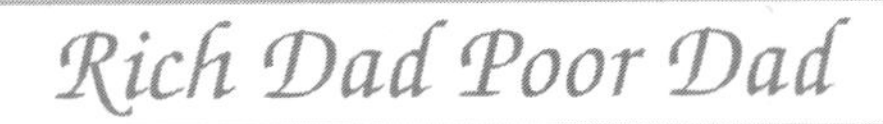

부자 아빠 가난한 아빠

부자들이 들려주는 〈돈〉과 〈투자〉의 비밀

로버트 기요사키 · 샤론 레흐트
형선호 옮김

차례

머리말

제1부

부자들이 가는 길, 부자가 아닌 사람들이 가는 길

제2부

부자들에게서 배우는 여섯 가지 교훈

제3부

부자가 되기 위해 아직도 더 알아야 할 것들

글을 마치며

머리말

학교에서는 부자들이 알고 있는 것을 가르치지 않습니다

우리 부모가 예전에 내게 했던 말을
나 역시 내 아들에게 하고 있다는 생각이 들었다.
세상은 변했건만, 부모들의 말은 변하지 않은 것이다.
좋은 교육을 받고 좋은 성적을 올린다고
성공이 보장되는 때는 지났다. 그리고 누구도
그것을 인식하지 못하고 있는 것 같다.
하지만 우리 아이들은 알고 있었다.

학교는 우리 아이들에게 자신들이 살아가고 있는 지금의 현실 세계를 제대로 가르치고 있을까? 「네가 열심히 공부해서 좋은 성적을 올리면 좋은 직장에 들어갈 수 있단다」 우리 부모님은 그렇게 말하곤 했다. 그분들의 인생 목표는 언니와 나를 대학에 보내 인생에서 성공하도록 만드는 것이었다. 나는 1976년에 대학 졸업장을 받았다. 나는 플로리다 주립 대학에서 회계학을 전공했고 학과에서도 거의 수석을 차지했으며, 우등생으로 졸업했다. 그리고 부모님은 이런 나를 통해 당신들의 목표를 달성했다. 그것은 당신들의 삶에서 가장 훌륭한 업적이었다. 졸업 후 나는 〈원대한 계획〉에 따라 유명한 회계 법인에 취직했다. 그리고 멋진 경력을 쌓은 후에 일찍 은퇴할 생각이었다.

남편인 마이클도 비슷한 길을 밟았다. 우리는 모두 건실하고 근면한 중산층 가정 출신이었다. 남편도 우등생으로 대학을 졸업했는데, 그는 대학을 두 군데나 졸업했다. 처음에는 공대를, 그리고 다음에는 법대를 졸업했다. 남편은 곧 특허법을 전문으로 하는 워싱턴 시의 유수한 법률 회사에 채용되었다. 이제 남편의 앞길은 밝아 보였고, 좋은 직장에서 일하다가 일찍 은퇴할 수 있을 것 같았다.

하지만 우리의 직장 생활은 성공적이었지만, 그 결과는 예상과는 다소 달랐다. 우리 모두 여러 차례 승진을 했지만, 우리를 위한 퇴직 후의 연금 계획은 보장되지 않았다. 우리의 퇴직금은 우리 자신의 노력으로만 늘고 있을 뿐이다.

남편과 나는 행복한 결혼 속에서 멋진 세 아이를 두고 있다. 이 글을 쓰는 지금, 둘은 대학에 다니고 있고 하나는 막 고등학교에 들어갔다. 우리는 아이들이 최상의 교육을 받도록 심혈을 기울였다.

1996년의 어느 날, 우리 아이 하나가 불만에 찬 표정으로 학교에서 돌아왔다. 그 녀석은 공부에 흥미를 잃고 있었다. 「내가 왜 현실 세계에서는 쓰지도 못할 내용을 공부하느라 시간을 허비해야 하죠?」 녀석이 그렇게 투덜거렸다.

나는 아무 생각 없이 이렇게 대답했다. 「왜냐하면 성적이 좋지 않으면 대학에 진학하지 못하기 때문이지」

아이가 대답했다. 「대학에 가건 안 가건, 나는 부자가 될 거야」

「대학을 나오지 않으면 좋은 직장에 들어갈 수가 없어」 내가 당황하며 근심스럽게 대답했다. 「그리고 좋은 직장에 못 가면 어떻게 부자가 될 수 있겠니?」

아들녀석은 능글맞게 웃으며 다소 지루한 표정으로 고개를 가로 저었다. 우리는 그런 얘기를 여러 차례 한 적은 있었다. 녀석은 고개를 숙이고 눈을 굴렸다. 어머니의 지혜로 한 내 얘기가 다시 쇠귀에 경 읽기가 되고 있었다.

아들녀석은 고집이 세고 영민하지만 늘 예의 바르고 존경심이 많은 학생이었다.

「엄마」 녀석이 입을 열었다. 이번에는 내가 아들의 잔소리를 들을 차례였다. 「시대를 따라가세요! 주위를 둘러보세요. 진짜 부자들은 교육을 잘 받아서 부자가 되진 않았어요. 마이클 조던과 마돈나를 보세요. 빌 게이츠도 하버드를 중퇴하고 마이크로소프트를 차렸어요. 그 사람은 이제 미국 최고의 부자인데 아직도 40대 초반이에요. 어떤 야구 선수는 〈정신적으로 문제가 있다〉는 말을 듣지만 일 년에 4백만 달러 이상을 벌어요」

우리 사이에 긴 침묵이 흘렀다. 점차 내가 내 아들에게 우리 부모가 내게 했던 말을 반복해서 하고 있다는 생각이 들었다. 세상은 변했건만, 부모들의 말은 변하지 않은 것이다.

좋은 교육을 받고 좋은 성적을 올린다고 성공이 보장되는 때는 지났다. 그리고 누구도 그것을 인식하지 못하고 있는 것 같다. 하지만 우리 아이들은 알고 있었다.

「엄마」 다시 아들녀석이 얘기를 했다. 「나는 엄마와 아빠처럼 열심히 일하고 싶지 않아요. 엄마와 아빠는 돈을 많이 벌고, 그 덕분에 우리는 장난감이 많은 큰 집에서 살아요. 내가 엄마의 말을 들으면 나도 그렇게 되고 말 거예요. 더욱더 열심히 일하지만 더 많은 세금을 내고 빚을 지게 된다구요. 이제 안정된 직장은 없어요. 나도 구조 조정이나 인원 감축을 잘 알아요. 또 요즘의 대학 졸업생들이 옛날 졸업생들보다 수입이 적다는 것도 잘 알아요. 의사들을 보세요. 그들은 이제 예전처럼 많은 돈을 벌지 못한다구요. 이제는 사회보장이나 회사의 퇴직 연금에 기댈 수는 없어요. 나에게는 새로운 대답이 필요하다구요」

맞는 말이었다. 녀석에게는 새로운 대답이 필요했다. 그리고 나 역시 마찬가지였다. 우리 부모들이 해준 얘기는 1945년 이전에 태어난 사람들에게는 맞을 수도 있다. 하지만 빠르게 변하는 세상에서 태어난 우리에게는 그것이 끔찍할 수도 있다. 나는 이제 아이들에게 이렇게 말할 수가 없다. 「학교에 가서 공부 잘해라. 그래서 안전하고 안정된 직장을 찾아라」

나는 아이들의 교육을 인도할 새 방법들을 찾아야만 했다.

나는 어머니이자 회계사로서 우리 아이들이 학교에서 받는 금융 혹은 재정 문제에 관한 교육이 턱없이 부족하다는 것을 걱정하고 있었다. 요즘에는 많은 아이들이 고등학교도 졸업하기 전에 신용카드를 발급받는다. 그럼에도 아이들은 돈이나 투자 방법에 대해서는 어떤 교육도 받지 않는다. 신용 카드에 복리 이자가 어떻게 붙는지는 말할 것도 없다. 쉽게 말해서, 금융 재정 분야와 돈에 대한 지식이 없는 상태에서, 아이들은 현실 세계에 대한 준비를 못하고 있다. 현실 세계에서는 저축보다 소비가 강조되고 있다.

우리 큰아들이 대학교 1학년 때 신용 카드로 빚을 잔뜩 졌다. 그때 나는 신용 카드를 없애도록 했음은 물론, 우리 아이들의 돈에 관한 교육을 도울 수 있는 프로그램을 찾으려 했다.

작년 어느 날, 남편이 사무실에서 내게 전화를 걸었다. 「당신이 만났으면 하는 사람이 있소」 남편이 말했다. 「이름이 로버트 기요사키인데, 사업도 하고 투자도 하는 사람이오. 그 사람이 지금 교육 상품에 관한 특허를 신청하고 있소. 아마 이것이 당신이 찾던 그것인 것 같소」

부자들이 따르는 돈의 규칙이 따로 있고,
부자가 아닌 사람들이 따르는 돈의 규칙이 따로 있다.

내 남편은 로버트 기요사키가 개발하고 있던 〈캐시플로CASH-FLOW〉란 새 교육 상품에 큰 감명을 받았다. 그래서 남편이 시제품 테스트에 함께 참여할 수 있도록 조치를 취했다. 그것은 교육용 게임이었기 때문에, 나는 열아홉 살 된 딸아이도 같이 가자고 했다. 딸아이는 그때 대학 1학년이었는데, 내 제안에 동의했다.

대략 열다섯 명이 세 그룹으로 나뉘어 그 테스트에 참여했다.

남편의 말이 옳았다. 그것은 내가 찾던 교육용 상품이었다. 하지만 다소 색다른 것이었다. 그것은 화려한 색상의 모노폴리 게임판* 같았으며, 가운데 잘 차려입은 큰 쥐가 있었다. 그러나 모노폴리와 달리 길은 두 갈래가 있었다. 안과 밖에 각각 길이 있었다. 그 게임의 목표는 안쪽 길에서 나오는 것이다. 로버트는 그것을 〈쥐 경주〉라고 불렀다. 그러고는 바깥쪽의 〈빠른 길〉에 도달하는 것이다. 로

---

* 놀이판에서 일정 구역을 취득하는 게임으로, 상표명이다.

버트의 설명에 따르면, 그 〈빠른 길〉은 현실 속에서 부자들이 행동하는 것과 비슷한 것이다.

이어서 로버트가 우리에게 〈쥐 경주〉를 설명했다.

「평균적인 교육을 받고 열심히 일하는 대개의 사람들의 삶은 비슷합니다. 아이가 태어나고 그 아이는 학교에 갑니다. 부모는 아이가 공부 잘해서 좋은 성적을 받아 대학에 가는 것을 기뻐합니다. 아이는 졸업을 하고 때로는 대학원에 간 후 예정된 길을 밟습니다. 즉, 안전하고 안정된 직장이나 직업을 찾습니다. 아이는 의사나 변호사 같은 그런 직업을 갖게 되거나, 혹은 군인이 되거나 공무원이 됩니다. 일반적으로 아이는 돈을 벌기 시작하며, 신용 카드가 무더기로 도착하고, 마침내 쇼핑이 시작됩니다.

돈이 두둑해진 아이는 자기들 같은 젊은 사람들이 가는 곳을 가고, 사람들을 만나고, 데이트를 시작하고, 때로는 결혼도 합니다. 이제는 인생이 멋져 보입니다. 왜냐하면 요즘에는 남자와 여자 모두가 일을 하기 때문입니다. 맞벌이는 환상적이죠. 이제는 성공한 것 같고, 미래는 밝아 보이고, 두 사람은 집과 자동차, 그리고 TV를 사게 됩니다. 휴가도 가고 아이도 낳습니다. 행복한 가정이 시작되는 거죠. 그러면서 현금의 수요가 크게 늡니다. 행복한 부부는 직장 생활이 극히 중요하다는 것을 인식하며 더 열심히 일합니다. 승진도 해야 하고 보수도 더 받아야 하죠. 보수가 높아지고, 아이가 더 생김에 따라 더 큰 집이 필요합니다. 두 사람은 더 열심히 일하고, 더 착한 직원이 되고, 회사를 위해 더 헌신적으로 일합니다. 다시 학교에 가서 더 전문적인 기술도 습득합니다. 이것도 더 많은 돈을 벌기 위해서죠. 일부는 다른 부업도 갖습니다. 그래서 수입이 점차 올라갑니다. 하지만 그럴수록 세금도 더 내야 하고, 새로 산 큰 집의 재산세도 내야 합니다. 사회 보장 세금도 올라가며, 그 밖에 이런 저런 세금이 더 붙습니다. 보수는 높아졌는데 돈은 다 어디로 갔는지 궁금합니다. 이제는 뮤추얼 펀드를 사고 신용 카드로 식료품을 삽니다. 아이들은 대여섯 살이 되며, 미래에 자녀들을 위해 쓸 대학 학자금과 자신들의 퇴직 연금을 미리 마련해야 할 필요성이 높아집니다.

35년 전에 태어난 이 행복한 부부는 이제 〈쥐 경주〉에 갇힌 채 평생 동안 일에 몰두합니다. 이들은 회사의 주인을 위해서, 세금을 내야 하는 정부를 위해서, 그리고 융자금과 신용 카드를 갚아야 하는 은행을 위해서 일합니다.

그러고는 아이들에게 이렇게 얘기합니다. 〈열심히 공부해서 좋은 성적을 받고 안정된 직장이나 직업을 찾아라.〉 이들은 돈에 대해서는 아무것도 배우지 않습니다. 다만 자신들의 순진함으로 득을 보는 사람들에게서만 배웁니다. 그러고는 평생 열심히 일합니다. 이런 과정이 열심히 일하는 또다른 세대에게 전달됩니다. 이것이 바로 〈쥐 경주〉입니다」

〈쥐 경주〉에서 벗어나는 유일한 길은 회계와 투자 모두에서 능력을 발휘하는 것이다. 아마도 이것이 습득해야 할 가장 어려운 두 가지 과제일 것이다. 나는 공인 회계사로서 한때 유명한 회계 법인에서 근무했다. 그래서 로버트가 이 두 가지의 학습 과정을 재밌고도 흥미롭게 만든 것에 놀랐다. 우리는 〈쥐 경주〉에서 부지런히 빠져나오는 동안 그것이 학습임을 잊고 말았다.

결국에는 이 테스트 덕분에 내 딸과 나는 즐거운 오후를 보내게 되었다. 우리는 한번도 얘기하지 않았던 것에 대해 함께 얘기했다. 회계사인 나에게는 손익 계산서와 대차 대조표에 관한 게임이 쉬운 것이었다. 그래서 나는 여유 시간에 내 딸과, 같은 탁자에 있는 선수들이 까다로운 개념을 이해하도록 도왔다. 그날 나는 제일 먼저, 그리고 모든 선수들 중에서 유일하게 〈쥐 경주〉에서 빠져나왔다. 나는 50분 만에 나왔지만, 게임은 거의 세 시간이나 계속되었다.

내 탁자에는 은행가, 사업가, 그리고 컴퓨터 프로그래머가 있었다. 내가 당황한 것은 이들이 회계나 투자에 대해 거의 아무것도 모른다는 점이었다. 그것들이 그들의 삶에서 아주 중요한 것임에도 불구하고 말이다. 나는 그들이 현실 속에서 자신의 재정적인 문제를 어떻게 다루는지 궁금했다. 나는 열아홉 살 된 내 딸이 어려움을 겪는 것은 이해할 수 있었다. 하지만 이들은 어른이었고 적어도 내 딸보다 나이가 배는 많았다.

나는 〈쥐 경주〉에서 빠져나온 후 두 시간 동안, 내 딸과 그들이 주사위를 굴리면서 말을 움직이는 것을 지켜보았다. 모두가 많은 것을 배우고 있다는 점은 나를 기쁘게 했지만, 어른들이 간단한 회계와 투자의 기본조차 모른다는 사실에는 당혹감을 느꼈다. 그들은 손익 계산서와 대차 대조표의 관련성을 제대로 이해하지 못했다. 그들은 자산을 사고 팔면서 각각의 거래가 현금 수입에 영향을 준다는 점을 잊곤 했다. 나는 이렇게 생각했다. 〈얼마나 많은 사람들이 이것들을 배우지 못했다는 이유만으로 현실 세계에서 경제적인 어려움을 겪고 있을까?〉

다행히 그들은 재미있는 시간을 보내며 게임에서 이기려고 애를 썼다. 로버트가 게임을 끝낸 후에 15분 동안 캐시플로에 대한 우리의 의견을 말해 달라고 했다.

내 탁자의 사업가는 기분이 좋지 않았다. 그는 그 게임을 좋아하지 않았다. 「내가 왜 이런 것을 알아야 하죠?」 그가 큰 소리로 말했다. 「내가 고용하고 있는 회계사, 은행가, 그리고 변호사들이 이런 것을 알려줍니다」

그 말에 로버트가 이렇게 대꾸했다. 「회계사 중에 부자가 아닌 사람들이 무척 많다는 것을 알고 있나요? 은행가, 변호사, 그리고 증권 중개인과 부동산 중개인도 그렇죠. 그들은 아는 것이 많으며 대체로 영민합니다. 하지만 그들 대부분은 부자가 아닙니다. 학교에서는 부자들이 알고 있는 것을 사람들에게 가르치지 않습니다. 그래서 우리는 그런 사람들로부터 조언을 듣죠. 하지만 어느 날, 당신이 자동차를 운전하다가 도로에 갇힌 채 일터로 가려고 애를 쓸 때, 우연히 몸을 돌려 오른쪽을 보면 당신의 회계사도 똑같이 도로에 갇힌 걸 보게 되죠. 그리고 왼쪽을 보면 당신의 은행가가 있습니다. 이것이 무언가를 말해 주는 겁니다」

컴퓨터 프로그래머도 그 게임에 감명을 받지 못했다. 「나는 이런 것을 나에게 가르쳐주는 소프트웨어를 살 수 있어요」

그러나 은행가는 감명을 받았다. 「학교에서 이것을 배웠습니다. 그러니까 회계 부분이죠. 하지만 그것을 실생활에 적용시키는 법은 몰랐습니다. 이제는 알겠습니다. 나는 이제 이 〈쥐 경주〉에서 빠져나와야 하겠습니다」

하지만 나를 가장 감동시킨 것은 내 딸의 말이었다. 「정말 재미있게 배웠어요」 딸이 말했다. 「돈이 움직이는 방식과 투자 방식에 대해 많은 것을 배웠어요」

그러고는 이렇게 덧붙였다. 「이제 나는 내가 하고 싶은 일을 직업으로 택할 수 있게 되었어요. 직업의 안정성이나 보상, 혹은 내가 받는 보수에 얽매이지 않고 말이에요. 이 게임이 가르치는 것을 내가 배울 수만 있다면 내가 정말로 원하는 것을 자유롭게 할 수 있을 것 같아요. 사회에서 원하는 특정한 기술을 억지로 배우는 것이 아니라 말이에요. 이것을 배우면 직업의 안정성이나 사회 보장에 대해서 걱정할 필요가 없을 거예요」

나는 게임이 끝난 후에 로버트와 함께 얘기할 시간이 없었다. 하지만 우리는 다시 만나 그 문제에 대해 더 얘기하기로 합의했다. 나는 그가 그 게임으로 사람들이 재정적으로 더 현명해지도록 돕고 싶어한다는 것을 알았다. 그리고 나는 그의 계획에 대해서 더 많은 얘기를 듣고 싶었다.

남편과 내가 그 다음 주에 로버트 부부를 위한 저녁 모임을 마련했다. 처음으로 갖는 사교적 모임이었음에도, 우리는 마치 여러 해 동안 잘 알고 지낸 것 같았다.

알고 보니 우리에게는 많은 공통점이 있었다. 우리는 여러 가지 얘기를 나누었다. 스포츠, 연극, 식당, 그리고 사회 경제적 문제에 이르기까지. 또 빠르게 변하는 세상에 대해서도 얘기를 했다. 우리는 대부분의 사람들이 정년 퇴직 이후를 대비한 저축이 거의 없음을, 그리고 사회 보장과 의료 보험 제도가 거의 파산지경에 이르렀음을 진지하게 토론했다. 내 아이들이 수천만이 넘는 전후 세대의 퇴직 연금을 지불해야만 하는가? 연금 제도에 의존하는 것이 얼마나 위험한지 사람들은 알고나 있는가?

로버트의 주요 관심사는 미국은 물론 전세계에서 점점 벌어지는 빈부 격차였다. 자기 힘으로 창업가가 되어 전세계에 투자 여행을 다니는 로버트는 마흔일곱 살에 은퇴를 할 수 있었다. 그가 은퇴를 끝낸 것은 내가 내 아이들에게 갖고 있는 걱정과 같은 이유 때문이었다. 그는 세상이 변했음에도 교육은 변하지 않고 있음을 잘 알고 있다. 로버트는 아이들이 낡은 교육 제도 속에서 여러 해를 보내며 써먹지도 못할 것들을 공부하면서 있지도 않은 세상에 대비한다고 생각한다.

「오늘날 우리가 아이들에게 해주는 가장 위험한 조언은 이런 것입니다. 〈학교 가서 공부 잘하고 안정적인 직장을 찾거라.〉 이것은 너무나 낡고 나쁜 조언입니다. 지금 아시아와 유럽, 그리고 남미에서 어떤 일이 일어나고 있습니까? 그것을 안다면 당신도 나처럼 걱정할 거예요.

그것이 나쁜 조언이라고 생각하는 이유는 아이들이 재정적으로 안정적인 미래를 살려면 낡은 규칙을 버려야 하기 때문입니다. 그 낡은 규칙들은 너무도 위험한 것입니다」

내가 물었다. 「〈낡은 규칙〉이 무엇을 의미하는 거죠?」

「나 같은 사람들은 남들과는 다른 규칙에 맞춰 행동을 합니다」 로버트가 말했다. 「어떤 기업체가 구조 조정을 발표하면 어떻게 될까요?」

「사람들이 일자리를 잃지요」 내가 말했다. 「가족들은 상처를 입게 되고, 실업자가 늘어나겠지요」

「그렇습니다. 하지만 회사는 어떻게 될까요? 특히 주식이 상장되어 있는 공개 기업은요?」

「구조 조정이 발표되면 대개는 주가가 올라가죠」 내가 말했다.

「어떤 회사가 자동화 같은 방식으로 인건비를 줄이면 시장은 환영하죠」

「바로 그렇습니다」 로버트가 말했다. 「그리고 주가가 올라가면 나 같은 사람들, 그러니까 주주들은 더 부자가 되죠. 이것이 내가 의미하는 다른 규칙입니다. 직원들은 패배하고, 기업주와 투자가는 승리하죠」

로버트가 말하는 것은 직원과 기업주의 차이뿐 아니라, 자신의 운명을 스스로 통제하는 것과 자신의 운명을 남에게 맡기는 것의 차이이기도 했다.

「하지만 대부분의 사람들은 왜 그렇게 되는지 잘 알지 못하죠」 내가 말했다. 「사람들은 그것이 공평치 못하다고 생각할 뿐이죠」

「그렇기 때문에 아이들에게 좋은 교육을 받으라고만 말하는 것은 어리석은 일입니다」 로버트가 말했다. 「학교 교육이 아이들이 졸업 후에 직면하는 세상에 대비해 아이들을 제대로 준비시킬 것이라고 생각하는 것은 어리석은 일입니다. 아이들은 각자 더 많은 교육을 필요로 합니다. 그것은 일반적인 교육과는 다른 교육이죠. 그리고 아이들은 학교에서 가르치는 것 이외의 규칙을 알아야 합니다. 다른 종류의 규칙 말입니다」

「부자들이 따르는 돈의 규칙이 따로 있고, 부자가 아닌 나머지 대부분의 사람들이 따르는 규칙이 따로 있습니다」 로버트가 계속 말했다. 「그리고 부자가 아닌 대부분의 사람들은 그런 규칙을 가정과 학교에서 배웁니다. 그렇기 때문에 이제는 아이들에게 〈열심히 공부해서 좋은 직장에 가거라〉라고만 말하는 것은 위험한 일입니다. 이제는 아이들이 새로운 교육을 더 많이 받아야 합니다. 그리고 기존의 제도는 이런 교육을 제공하지 않습니다. 그들이 교실에 얼마나 많은 컴퓨터를 설치하는지, 혹은 학교가 얼마나 많은 돈을 지출하는지 나는 상관하지 않습니다. 교육 제도가 자신도 모르는 것들을 어떻게 아이들에게 가르칠 수 있습니까?」

그렇다면 학교에서 가르치지 않는 것을 부모가 아이들에게 어떻게 가르쳐야 할까? 아이들에게 회계를 어떻게 가르쳐야 할까? 아이들이 싫증을 내지는 않을까? 그리고 위험을 싫어하는 부모들이 어떻게 투자의 원리를 가르칠 수 있을까? 나는 아이들에게 안전하게 살라고만 가르치는 대신 영리하게 살라고 가르치는 것이 훨씬 더 낫다고 결심했다.

「그러면 우리가 아이들에게 돈이나 그 밖에 우리가 지금 얘기한 그 모든 것을 어떻게 가르쳐야 하죠?」 내가 로버트에게 물었다. 「자신들도 자세히 모르는 부모들에게 어떻게 그것을 쉽게 이해시킬 수 있을까요?」

「내가 그것과 관련한 책을 한 권 썼습니다」 로버트가 말했다.

「그 책이 어디 있는데요?」

「내 컴퓨터에 있습니다. 그 속에 오랫동안 조각글들로 들어가 있습니다. 때때로 내용을 추가하지만 조각을 짜맞추지는 못했습니다. 내가 썼던 다른 책이 베스트셀러가 된 후에 그 책을 쓰기 시작했습니다. 하지만 새 책을 완성하지는 못했습니다. 그냥 조각글로만 있죠」

정말로 그랬다. 나는 흩어진 조각글들을 읽어본 후에, 그 책에는 무언가가 있으며 출판할 가치가 있다고 생각했다. 그래서 우리는 로버트의 그 책을 함께 쓰기로 합의했다.

내가 그에게 물었다. 「아이들에게 필요한 금융이나 재정에 관한 정보가 얼마만큼이라고 생각하나요?」 로버트가 말했다. 「아이마다 다르지요」 그는 어렸을 때 부자가 되고 싶어했으며, 다행히도 그에게는 부자로서 기꺼이 조언을 해주었던 아버지가 있었다. 로버트는 부모들의 교육이야말로 성공의 초석이라고 말한다. 학문적 지식이 극히 중요한 것처럼, 돈에 관한 지식과 의사 소통 기술도 아주 중요하다.

이제부터는 로버트의 두 아버지, 〈부자 아버지와 가난한 아버지〉의 이야기이다. 이 이야기는 그가 오랫동안 갈고 닦은 기술을 자세히 설명한다. 두 아버지의 대비가 중요한 관점을 제시한다. 이 책은 내가 협조하고, 편집하고, 엮었다. 이 책을 읽는 회계사들은 학구적인 지식을 잠시 접어두고 열린 마음으로 로버트의 이론을 경청하라. 로버트가 주장하는 이론 중에서 많은 것은 일반적으로 인정되는 회계 원칙의 근본 바탕을 흔드는 것이다. 하지만 로버트의 이론은 진짜 투자가들이 투자 결정을 분석하는 방식에 소중한 통찰력을 제공한다.

부모인 우리가 아이들에게 〈학교 가서 공부 열심히 하고 좋은 직장을 얻거라〉라고 말할 때, 우리는 종종 문화적인 습관에서 그렇게 얘기한다. 그것이 늘 올바른 행동 방식이었던 것이다. 내가 로버트와 만났을 때, 그의 생각은 처음에 나를 놀라게 했다. 두 아버지의 양육을 받은 그는 두 가지 다른 목표를 달성하라고 교육을 받았다. 교육을 많이 받은 그의 아버지는 기업체에 가서 일하라고 조언했다. 부자인 그의 아버지는 로버트 스스로 기업체를 세우라고 조언했다. 두 가지 삶의 방식 모두 교육을 요구했다. 하지만 공부하는 주제는 전혀 달랐다. 교육을 많이 받은 그의 아버지는 똑똑한 사람이 되라고 얘기했다. 반면 부자 아버지는 똑똑한 사람들을 채용하라고 얘기했다.

로버트에게는 아버지가 둘이어서 많은 문제가 발생했다. 로버트의 진짜 아버지는 하와이 주에서 교육감으로 일했다. 로버트가 열여섯 살이 되었을 때, 〈성적이 나쁘면 좋은 직장을 못 얻는다〉는 협박은 이미 효과를 발휘하지 못했다. 로버트는 이미 자신의 사회 생활이 기업체를 위해 일하는 것이 아니라 스스로 기업체를 세우는 것임을 잘 알았다. 사실 그는 현명하고 끈질긴 그의 고등학교 진학 상담 선생님만 아니었다면 대학엔 안 갔을지도 모른다. 로버트도 그것을 인정한다. 그는 자신의 자산을 만드는 데 큰 관심을 갖고 있었다. 하지만 결국에는 대학 교육도 덕이 될 것이라고 동의했다.

솔직히 말해서, 이 책에 담긴 내용은 대부분의 요즘 부모들에게는 너무 지나치고 과격한 것일지도 모르겠다. 많은 부모들이 아이들을 학교에 가게 하는 데만도 골치를 썩이고 있다. 하지만 급격히 변하는 시대 속에서 부모인 우리는 새롭고 과감한 생각에 마음을 열어야 한다. 아이들에게 한 회사의 직원이 되라고 얘기하는 것은 평생 자기 몫 이상의 세금을 내고 연금 혜택은 받지 말라고 얘기하는 것이다. 그리고 실제로 세금은 각 개인이 지불해야 할 가장 큰 지출이다. 사실 대부분의 가정은 1월부터 5월 중순까지 세금을 내기 위해 정부를 위해 일하는 것이나 마찬가지이다. 따라서 이제는 새로운 사고가 필요한 때이며 이 책이 그것을 제시한다.

로버트는 부자들은 보통의 부모들과는 다르게 아이들을 가르친다고 주장한다. 그들은 집에서, 저녁 식사 자리에서 아이들을 가르친다. 이런 생각들이 당신이 아이들과 얘기하고 싶은 생각들이 아닐 수도 있다. 하지만 이것들을 보는 것만에도 고마움을 표한다. 그리고 나는 여러분에게 계속 찾아보라고 얘기한다. 어머니로서 회계사인 내가 볼 때, 그냥 좋은 성적을 얻어 좋은 직장을 얻으라는 조언은 낡은 조언이다. 우리는 아이들에게 더 다양한 지식을 가르칠 필요가 있다. 우리에게는 새로운 생각과 색다른 교육이 필요하다. 아이들에게 좋은 직원이 되면서 동시에 자신의 투자 회사를 만들라고 얘기하는 것이 그렇게 나쁜 조언은 아닐 것이다.

어머니로서 나는 이 책이 다른 부모들에게도 도움이 되기를 바란다. 로버트는 누구든지 선택만 하면 부자가 될 수 있음을 사람들에게 알리고 싶어한다. 당신이 지금 정원사나 청소부나 혹은 실직자라 해도 자신을 교육시키고, 사랑하는 사람들에게 스스로 돈 문제를 해결하도록 가르칠 수 있다. 금융 지능은 우리가 금융 문제를 해결하는 정신적 과정임을 명심하길 바란다.

오늘날 우리는 과거 어느 때보다 더 큰 세계적 내지 기술적 변화에 직면해 있다. 어떤 사람도 수정 구슬을 갖고 있지는 않다. 하지만 한 가지는 분명하다. 즉, 우리의 현실을 뛰어넘는 변화들이 늘어서 있다. 미래가 어떻게 될지 누가 아는가? 그러나 어떤 일이 일어나건, 우리에게는 두 가지 기본적인 선택이 있다. 즉, 안전하게 살거나 현명하게 사는 것이다. 현명하게 살기 위해서는 미래를 준비하고, 교육을 받고, 당신과 당신 아이들의 금융 재능을 일깨워야 한다.

——샤론 레흐트

제1부

부자들이 가는 길, 부자가 아닌 사람들이 가는 길

부자 아버지 vs. 가난한 아버지

가난한 아버지 : 돈을 좋아하는 것은 모든 악의 근원이다.
공부 열심히 해서 좋은 직장을 구해야 한다.
돈은 안전하게 사용하고 위험은 피해라.
똑똑한 사람이 되어야 한다.
부자 아버지 : 돈이 부족한 것은 모든 악의 근원이다.
공부 열심히 해서 좋은 회사를 차려야 한다.
무엇보다 위험을 관리하는 법을 배워라.
네가 똑똑한 사람을 고용해야 한다.

나에게는 아버지가 두 분 계셨다. 한 분은 부자였고, 한 분은 가난했다. 한 분은 교육을 많이 받은 지적인 분이셨다. 그분은 박사 학위까지 받았으며, 대학 4년 과정을 2년 만에 끝마쳤다. 그 후에 그분은 스탠포드 대학, 시카고 대학, 그리고 노스웨스턴 대학에 가서 더 많은 공부를 하셨다. 그 모든 과정을 장학금으로 끝마치셨다. 다른 한 분의 아버지는 초등학교도 졸업하지 못했다.

두 분 모두 사회 생활에서 성공하셨으며, 평생 동안 열심히 일을 했다. 또 두 분 모두 상당한 수입을 올렸다. 하지만 한 분은 평생 금전적으로 고생했다. 반면에 다른 아버지는 엄청난 부자가 되었다. 부자가 된 아버지는 자신의 가족과 자선 단체, 그리고 교회에 수천만 달러를 남겨주었다. 반면 다른 분은 자식들에게 지불해야 할 청구서를 남겨주었다.

두 분 모두 강한 분이셨고 나에게는 특별한 영향력을 행사했다. 또 두 분 모두 나에게 많은 가르침을 주었다. 그러나 두 분이 똑같은 가르침을 주지는 않았다. 두 분 모두 자녀 교육을 무척 중요하게 여겼지만 똑같은 교육을 강조하지는 않았다.

아버지가 한 분뿐이었다면, 나는 그분의 가르침을 받아들이거나 거부해야만 했을 것이다. 그러나 두 분의 아버지는 나에게 서로 상반되는 관점을 제시했다. 한 분은 부자의 관점을, 다른 한 분은 가난한 사람의 관점을 내게 보여주셨다.

그래서 나는 어느 한 분의 의견이나 관점을 일방적으로 받아들이거나 거부하는 대신에 스스로 더 많이 생각하고, 양쪽을 비교하고, 그런 후에 선택을 했다.

문제는 부자 아버지는 아직 부자가 아니었고 가난한 아버지도 아직 가난하지 않았다는 것이다. 두 분 모두 막 사회 생활을 시작했으며, 두 분 모두 돈과 가족을 위해 애를 쓰고 있었다. 그러나 그분들은 돈에 관해 전혀 다른 관점을 갖고 있었다.

예를 들어, 가난한 아버지는 이렇게 말씀하셨다. 「돈을 좋아하는 것은 모든 악의 근원이다」 반면 부자 아버지는 이렇게 말씀하셨다. 「돈이 부족하다는 것은 모든 악의 근원이다」

어렸을 때 이런 상황은 나에게는 힘든 것이었다. 두 분의 강한 아버지 모두 나에게 영향을 주고 있었다.

나는 착한 아들로 아버지 말씀을 경청하고 싶었다. 그러나 두 분의 아버지는 같은 말을 하지 않았다. 특히 돈에 관해서 그분들의 관점 차이는 너무도 컸다. 그래서 나는 점점 더 궁금증과 호기심을 느꼈으며, 오랜 기간 동안 두 분의 말씀을 곰곰이 생각했다.

나는 혼자 있을 때 생각에 잠겨 이런 질문을 하곤 했다.「그분이 왜 그런 말을 했을까?」그러면서 다른 아버지의 말에 대해서도 같은 질문을 했다. 그냥 이렇게만 생각했다면 훨씬 더 쉬웠을 것이다.「그래, 그분의 말이 맞아. 나도 그 말에 동의해」혹은 그런 관점을 거부하면서 이렇게 생각할 수도 있었다.「그분의 얘기는 이치에 닿지 않아」하지만 나를 사랑하는 두 분의 아버지가 있었기 때문에, 나는 깊이 생각하면서 스스로 선택을 하려고 했다. 이런 식으로 스스로 선택을 하는 것이 어떤 한 분의 관점을 받아들이거나 거부하는 것보다 결국에는 훨씬 더 소중한 배움으로 이어졌다.

부자가 더 부자가 되고 가난한 사람이 더 가난해지고 중산층이 빚에 억눌리는 한 가지 이유는, 돈 문제가 학교가 아닌 가정에서 다루어지기 때문이다. 대부분의 사람들은 부모에게서 돈 문제를 배운다. 그런데 가난한 부모는 돈에 대해 무엇을 가르칠 수 있을까? 그분들은 이렇게만 얘기한다.「학교에서 공부 열심히 하거라」이런 집의 아이는 우수한 성적으로 졸업하고도 가난한 사람의 금전적 계획과 태도를 갖게 될 수 있다. 배움은 아이가 어렸을 때 이루어진다.

학교에서는 돈 문제를 가르치지 않는다. 학교는 학문적 혹은 직업적 지식만 강조하고 금융 지식은 등한시한다. 이런 이유로 우수한 성적으로 졸업한 은행가, 의사, 혹은 회계사가 평생 동안 금전적으로 고생을 할 수도 있다. 우리의 끔찍한 국가 부채는 부분적으로 교육을 많이 받은 정치인과 공무원들이 돈에 대해서는 거의 모른 채 재정적 결정을 내리기 때문이다.

나는 종종 21세기를 바라보면서 앞으로 수백만의 인구가 금융 지원 혹은 의료 지원을 원하게 될 때 어떤 일이 일어날지 우려를 한다. 그들은 가족이나 정부에 의존해서 금전적 문제를 해결해야 할 것이다. 그런데 사회 보장이나 의료 보호의 재정이 바닥나면 어떻게 될까? 돈에 대한 교육이 여전히 부모들에게만 맡겨질 때 우리는 어떻게 생존할 수 있을까? 그들 대부분이 앞으로, 혹은 벌써 가난한 사람들인데 말이다.

두 분의 강력한 아버지가 있었던 나는 두 분 모두에게서 많은 가르침을 받았다. 나는 두 분의 가르침을 곰곰이 생각하면서 삶에 대한 소중한 배움을 얻을 수 있었다. 예를 들어, 한 분의 아버지는 이렇게 말씀하시곤 했다. 「나로서는 그것을 살 여유가 없다」 다른 아버지는 그런 얘기를 하지 못하게 했다. 그분은 내가 이렇게 말하도록 했다. 「내가 어떻게 하면 그것을 살 수 있을까?」 하나는 진술이었고, 다른 하나는 질문이었다. 하나는 부정적인 생각이었고, 다른 하나는 긍정적인 도전이었다. 곧 부자가 될 내 아버지는 〈나에게는 그것을 살 여유가 없다〉라고 말할 때 우리의 사고는 멈춘다고 얘기했다. 반면에 〈내가 어떻게 하면 그것을 살 수 있을까?〉라고 질문하면 우리의 사고는 움직이기 시작한다고 했다. 그렇다고 원하는 모든 것을 사라는 말은 아니었다. 다만 그분은 가장 강력한 컴퓨터인 두뇌를 활용하라고 말한 것뿐이었다. 「우리의 머리는 쓰면 쓸수록 더 강해진다. 그리고 그것이 강해질수록 우리는 더 많은 돈을 번단다」 그분은 〈나에게는 그것을 살 만한 여유가 없다〉는 말이 정신적인 게으름의 신호라고 굳게 믿었다.

두 분 아버지 모두 열심히 일했지만, 한 분의 아버지는 돈에 관한 한 머리가 잠을 자게 만들었고, 다른 아버지는 머리를 사용하기 시작했다. 그 결과 한 분의 아버지는 경제적으로 더 어려워졌고, 다른 아버지는 더 강해졌다. 이것은 정기적으로 운동을 하는 사람과 그냥 소파에 앉아 TV나 보는 사람과의 차이와 비슷하다. 적절한 육체적 운동은 건강을 향상시키며, 적절한 정신적 운동은 재산을 증식시킨다. 게으름은 건강과 재산 모두를 감소시킨다.

나의 두 아버지는 서로 다른 사고 방식을 갖고 있었다. 한 분의 아버지는 부자들이 더 많은 세금을 내서 그렇지 못한 사람들을 도와야 한다고 생각했다. 반면에 다른 아버지는 이렇게 얘기했다. 「세금은 적극적으로 생산 활동에 참여하는 사람들에게는 벌을 주고 그렇지 않은 사람들에게는 상을 주는 것이다」

한 분의 아버지는 이렇게 충고했다. 「공부 열심히 해서 좋은 직장을 구해야 한다」 다른 아버지는 이렇게 충고했다. 「공부 열심히 해서 좋은 회사를 차려야 한다」

한 분의 아버지는 이렇게 얘기했다. 「나는 너희들 키우는 데 돈이 많이 들어 부자가 될 수 없단다」 반면에 다른 아버지는 이렇게 얘기했다. 「나는 너희들 때문에 부자가 되어야 한다」

한 분은 식탁에서 돈과 사업에 대해 얘기하는 것을 권장했다. 다른 한 분은 식사 시간에 돈에 대해 얘기하는 것을 금지했다.

한 분은 이렇게 얘기했다. 「돈은 안전하게 사용하고 위험은 피해라」 다른 한 분은 이렇게 얘기했다. 「무엇보다 위험을 관리하는 법을 배워라」

한 분은 이렇게 생각했다. 「우리 집이 나에게는 가장 큰 투자이고 가장 큰 자산이다」 다른 한 분은 이렇게 생각했다. 「우리 집은 부채이며, 자기 집이 가장 큰 투자라고 생각하는 사람은 문제 있는 사람이다」

두 분 아버지 모두 제때에 청구서를 처리했다. 하지만 한 분은 그것을 가장 먼저 처리했고, 다른 한 분은 그것을 가장 나중에 처리했다.

한 분의 아버지는 회사나 정부가 우리의 욕구를 해결해야 한다고 생각했다. 그분의 관심은 늘 봉급 인상, 은퇴 계획, 의료 혜택, 병가, 휴가, 그 밖에 이런 저런 보상이었다. 그분은 자신의 삼촌 두 분이 20년 동안의 군 복무를 마치고 퇴직한 후에 평생 연금 혜택을 받은 것에 감명을 받았다. 그분은 군대가 퇴직 군인에게 제공하는 의료 혜택과 PX 특권을 아주 좋게 생각했다. 그분은 또 대학의 종신 교수제를 아주 좋게 생각했다. 평생 고용 보장과 직업 혜택이 때로는 직업 자체보다 더 중요한 것으로 보았다. 그분은 종종 이렇게 얘기했다. 「나는 정부를 위해 열심히 일했다. 그래서 이런 혜택은 당연한 거다」

다른 아버지는 완전한 재정적 자립을 믿었다. 그분은 정부의 〈당연한 보상〉을 비판했고, 그것이 사람들을 허약하고 금전적으로 취약하게 만든다고 생각했다. 그분은 재정적으로 자립해야 한다는 점을 강조했다.

한 분의 아버지는 몇 푼이라도 아끼려고 노력했고, 다른 아버지는 투자하는 쪽에 관심을 기울였다.

한 분의 아버지는 내가 이력서를 잘 만들어 좋은 직장을 얻도록 가르쳤다. 다른 아버지는 강력한 사업 및 재정 계획을 짜서 내 스스로 일자리를 만들도록 가르쳤다.

두 강력한 아버지의 영향을 받은 나는 사고의 차이가 삶에 끼치는 결과를 잘 볼 수 있었다. 나는 사람들이 정말로 사고를 통해 삶을 만든다는 것을 목격했다.

예를 들어, 내 가난한 아버지는 언제나 이렇게 얘기했다. 「나는 절대로 부자가 되지 못할 거야」 그리고 그런 예언은 현실로 나타났다. 반면에 내 부자 아버지는 언제나 자신을 부자라고 얘기했다. 그는 이런 식으로 얘기했다. 「나는 부자이고, 부자들은 이런 일을 하지 않는다」 그분은 큰 실패 후에 알거지가 된 뒤에도 여전히 자신을 부자라고 얘기했다. 그분은 이렇게 말을 하며 자신을 격려했다. 「가난한 것과 알거지가 되는 것은 서로 다르다. 알거지는 일시적이지만, 가난은 영원한 것이다」

내 가난한 아버지는 또 이렇게 얘기했다. 「나는 돈에는 관심이 없다」 혹은 「돈은 중요하지 않다」 하지만 내 부자 아버지는 늘 이렇게 얘기했다. 「돈이야말로 정말 힘이다」

물론 우리 사고의 힘을 결코 측정하거나 평가할 수 없을지도 모른다. 하지만 나는 어렸을 때부터 내 사고와, 내가 자신을 표현하는 방식에 조심했다. 내 가난한 아버지가 가난한 것은 돈을 적게 벌었기 때문이 아니라 부정적인 사고와 행동 때문이었다. 어렸을 때 아버지가 둘이었던 나는 어떤 사고를 선택해야 하는지 깊이 생각했다. 나는 누구 말을 들어야 하는 걸까? 부자 아버지인가, 아니면 가난한 아버지인가?

두 분 모두 교육과 배움을 아주 높이 평가했다. 하지만 무엇을 배워야 하는지에 대해서는 의견이 달랐다. 한 분은 내가 열심히 공부해서 교수나 변호사, 혹은 회계사가 되거나, 혹은 경영 대학원에 가서 MBA를 취득하기를 원했다. 다른 분은 내가 열심히 공부해서 부자가 되고, 돈이 어떻게 움직이는지와 돈이 나를 위해 일하도록 하는 방식을 알기를 원했다. 「나는 돈을 위해서 일하지 않는다!」 그 분은 여러 차례 그런 얘기를 했다. 「돈이 나를 위해 일한다!」

나는 아홉 살 때 부자 아버지의 말을 듣고 그분에게서 돈에 대해 배우기로 결심했다. 그래서 나는 학위는 많았어도 여전히 가난한 아버지의 말은 듣지 않기로 했다.

부자가 가는 길

로버트 프로스트는 내가 가장 좋아하는 시인이다. 특히 나는 그의 시 가운데 「가지 않은 길」을 가장 좋아한다. 나는 그 시의 교훈을 거의 매일 사용한다.

가지 않은 길

노란 숲속에 두 갈래 길이 있었지.
나는 양쪽 모두를 갈 수는 없었지.
오랫동안 서서 곰곰이 생각했지.
한쪽 길을 멀리까지 바라보았지.
그 길이 덤불 속에서 굽어져 있는 곳까지.

그러다가 똑같이 좋은 다른 길을 택했지.

어쩌면 그 길이 더 나은 것도 같았지.
풀이 더 많았고 발길을 기다리는 듯싶었기에.
그 길도 다른 길처럼
비슷하게 닳아 있었긴 했지만.

그날 아침 그 두 길 모두
아무도 밟지 않은 나뭇잎들에 덮혀 있었지.
오, 나는 하나는 다음날을 위해 남겨두었지!
하지만 길이 어떻게 길로 이어지는지 알았기에
다시 돌아올 수 있으리라고는 생각하지 않았지.

한숨을 지며 이 얘기를 할 수밖에.
수많은 세월이 흐르고 흐른 후에
숲속에 두 갈래 길이 있었노라고,
그리고 나는 사람들이 덜 간 길을 택했노라고,
그리고 그것이 내 운명을 정했노라고.

──로버트 프로스트(1916년)

그리고 그것이 내 운명을 결정지었다.

나는 곧잘 프로스트의 그 시를 생각하곤 했다. 학식이 높은 내 아버지의 조언과 그 아버지의 돈에 대한 태도를 경청하지 않기로 한 결정은 아픈 결정이었다. 하지만 그것은 내 삶을 규정할 결정이었다.

그렇게 결정을 한 후에 돈에 대한 내 배움이 시작되었다. 부자 아버지는 나에게 30년 동안 내 나이 서른아홉이 될 때까지 배움을 주었다. 그리고 내가 그분이 애써 내게 가르치려 한 그 모든 것을 완전히 이해한 것 같았을 때, 그분의 가르침은 끝이 났다.

돈은 일종의 힘이다. 하지만 더 힘이 센 것은 돈에 관한 지식이다. 돈은 있다가도 없지만, 돈에 대한 지식이 있으면 그것을 통제할 수 있고 재산을 모을 수 있다. 긍정적 사고만으로는 충분치가 않다. 왜냐하면 대부분의 사람들은 학교에서 돈에 대해 배우지 못하고, 그래서 평생을 돈 버는 데 바치기 때문이다.

내가 처음 돈에 대해 배우기 시작했을 때 내 나이가 아홉 살에 불과했기 때문에, 부자 아버지가 나에게 가르친 교훈은 간단한 것이었다. 그러나 결국에는 이 모든 것이 여섯 개의 주요 교훈으로 압축되어 30년 동안 반복되었다. 이 책은 그 여섯 가지 교훈에 관한 책이며, 나는 부자 아버지가 나에게 얘기해 준 것처럼 아주 간단하게 이 책에서 설명을 했다. 이 교훈들은 해답이 아닌 지침이 될 것이다. 이 지침은 당신과 아이들이 점차 증가하는 변화와 불확실성의 세상에서 어떤 일이 일어나건 더 부자가 되도록 도와줄 것이다.

제2부

부자들에게서 배우는 여섯 가지 교훈

첫번째 교훈

부자들은 절대, 돈을 위해 일하지 않는다

돈을 위해 일하면서 돈만 있으면
행복하다고 생각하는 것도 잔인한 일이고,
한밤중에 깨어나 청구서 처리에
겁을 먹는 것 또한 끔찍한 삶이지 않겠니.
월급 봉투의 크기로 결정되는 삶은 삶이라고 할 수 없다.
직장이 안정감을 줄 거라고 생각하는 것은
자신에게 거짓말을 하는 것과 같다.
그것은 잔인한 일이며, 나는 너희만큼은
그런 함정을 피하기를 원한다.

나는 어떻게 하면 부자가 될 수 있을까?

「아버지, 제가 부자가 되는 법을 말해 줄 수 있나요?」

아버지가 석간 신문을 접었다. 「얘야, 너는 왜 부자가 되고 싶니?」

「왜냐하면 오늘 지미 엄마가 새로 산 캐딜락을 몰고 왔는데, 아이들과 함께 주말에 해변가에 있는 별장에 간다고 했어요. 지미가 친구 세 명을 데리고 가는데, 마이크와 나는 초대받지 못했어요. 우리가 〈가난한 아이들〉이라서 초대하지 않았대요」

「그랬니?」 아버지는 믿지 못하겠다는 표정으로 물었다.

「예, 그랬어요」 내가 상심한 어투로 대답했다.

아버지는 조용히 머리를 저으면서 콧잔등 위로 안경을 치켜세웠다. 그리고 다시 신문을 읽었다. 나는 선 채로 아버지의 대답을 기다렸다.

그때가 1956년이었다. 당시 나는 아홉 살이었다. 운명의 장난이었는지, 나는 부자 아이들이 다니는 공립 학교에 다녔다. 우리 마을은 기본적으로 사탕수수 농장 마을이었다. 대규모 농장의 관리인들과 의사, 사업가, 은행가 같은 부유한 마을 사람들은 6학년까지 있는 그 학교에 아이들을 보냈다. 그리고 졸업을 하면 대개 사립 학교로 진학했다. 우리 가족은 부자들이 주로 살고 있는 거리의 한쪽에 살고 있었기 때문에, 나도 그 학교에 다녔다. 우리가 그 거리의 다른쪽에 살았다면, 나는 나와 비슷한 아이들이 다니는 다른 학교에 다녔을 것이다. 나와 비슷한 처지에 있는 아이들과 나는 6학년을 마친 후에 공립 중학교와 고등학교에 진학했다. 그 아이들과 나는 사립 학교를 다닐 수가 없었다.

마침내 아버지가 신문을 접었다. 아버지가 생각 중이라는 것을 알 수가 있었다.

「얘야,」 아버지가 천천히 입을 열었다. 「부자가 되고 싶으면 돈 버는 법을 배워야만 한다」

「어떻게 하면 돈을 벌 수 있는데요?」 내가 물었다.

「글쎄, 머리를 써야 하겠지」 아버지가 미소를 지으면서 얘기했다. 그 말의 뜻은 〈그것 밖에는 얘기할 것이 없구나〉 혹은 〈나는 답을 모르니 귀찮게 하지 말아라〉였다.

부자들은 납을 녹여 돈을 만든다?

다음날 아침, 나는 제일 친한 친구인 마이크에게 아버지가 한 말을 얘기했다. 내가 알기로는 마이크와 나만이 그 학교에서 가난한 아이들이었다. 마이크도 나처럼 운명의 장난으로 그 학교에 입학했다. 누군가가 학군을 조정했는데, 그 결과 우리는 부자 아이들과 함께 그 학교에 다녔다. 사실 우리는 그렇게 가난하지는 않았지만 가난하다고 느꼈다. 주위의 모든 아이들이 새 야구 글러브와 새 자전거, 그 밖에 온갖 새것을 갖고 있기 때문이었다.

어머니와 아버지는 우리에게 의식주 같은 기본적인 생활은 지원했다. 하지만 그것이 전부였다. 어머니는 이렇게 얘기하곤 했다. 「원하는 것이 있으면 네 스스로 일을 해서 얻거라」 우리가 원하는 것들은 많았다. 하지만 아홉 살 된 아이가 할 수 있는 일은 많지 않았다.

「그럼, 우리가 무얼 해서 돈을 벌 수 있을까?」 마이크가 물었다.

「나도 잘은 몰라」 내가 말했다. 「하지만 너, 나랑 동업자가 되지 않을래?」

그렇게 해서 그 토요일 아침에 마이크는 내 최초의 동업자가 되었다. 우리는 아침 내내 머리를 짜내 돈 버는 법을 연구했다. 때로 우리는 그 〈잘난 아이들〉이 지미네 해변 별장에서 재미있게 노는 얘기도 했다. 마음은 조금 아팠지만 그 아픔은 좋은 것이었다. 그 때문에 우리가 돈 버는 법을 연구하고 있었기 때문이다. 마침내 그날 오후, 갑자기 기막힌 생각이 떠올랐다. 그것은 마이크가 어떤 과학책에서 읽은 것이었다. 우리는 흥분에 휩싸여 악수를 했다. 그리고 드디어 사업을 시작했다.

다음 몇 주 동안 마이크와 나는 동네를 돌아다녔다. 집집마다 문을 두드리고 이웃 사람들에게 이렇게 물었다. 「치약 튜브를 모았다가 저희에게 줄 수 있나요?」 대부분의 어른들은 의아한 표정을 지었지만 웃으면서 동의했다. 몇몇 어른들은 우리에게 그것으로 무엇을 할 거냐고 물었다. 우리는 이렇게 대답했다. 「알려드릴 수가 없습니다. 사업 비밀이니까요」

어머니가 당혹스러워하는 와중에 몇 주가 지나갔다. 우리는 어머니가 사용하는 세탁기 근처에 장소를 마련해서 자재 창고로 이용했다. 예전에 케첩병들이 들어 있던 갈색 상자 속에 다 쓴 치약 튜브들이 쌓이기 시작했다.

마침내 어머니가 불만을 터뜨렸다. 세탁기 주변에는 이웃 사람들이 쓰던 치약 튜브들이 어지럽게 널려 있었다. 그래서 어머니도 참을 수가 없었다. 「너희들, 도대체 뭐 하는 거니?」 어머니가 물었다. 「그리고 이번에는 사업 비밀 같은 얘기는 하지 말아라. 이 쓰레기들을 빨리 처분하지 않으면 전부 갖다 버릴 테다」

마이크와 나는 두 손 싹싹 빌었다. 곧 충분한 자재가 모이면 제품 생산을 시작할 거라고 설명했다. 우리는 어머니에게 조금만 있으면 준비가 끝난다고 얘기했다. 어머니는 마지못해 우리에게 일주일의 시간을 주었다.

제품을 생산할 날짜가 앞당겨졌다. 압력도 가중되고 있었다. 빨리 시작하지 않으면 우리의 첫번째 사업이 무산될 판이었다. 마이크가 사람들에게 빨리 치약을 쓰라고 촉구했다. 치과에서도 그것을 권장한다고 거짓말을 했다. 그리고 내가 생산 라인을 설치하기 시작했다.

예정대로 일주일 후에 제품 생산이 시작되었다. 아버지가 친구 한 분과 차를 몰고 왔다가 두 명의 꼬맹이들이 생산 라인을 급히 가동시키는 것을 목격했다. 도처에는 하얀 분말 가루가 널려 있었다. 긴 탁자 위에는 학교에서 가져온 작은 우유팩들이 쌓여 있었다. 그리고 우리 가족의 요리용 스토브가 빨간빛을 발하면서 맹렬히 타고 있었다.

아버지가 차를 문 앞에 세워놓고 조심스럽게 걸어왔다. 차고로 가는 길은 생산 라인으로 막혀 있었다. 아버지와 친구분이 더 가까이 다가왔다. 와서 보니 냄비가 석탄 위에 놓여 있었고, 그 속에서 치약 튜브들이 녹고 있었다. 당시에는 치약 튜브가 플라스틱이 아닌 납으로 만들어져 있었다. 그래서 우리가 튜브의 칠을 벗긴 후 작은 냄비에 떨어뜨렸다. 그러자 튜브들이 그 속에서 녹아 액체로 변했다. 우리는 뜨거운 냄비를 들 때 이용하는 헝겊으로 냄비 손잡이를 든 채 그 액체를 우유팩의 작은 구멍으로 넣었다.

우유팩들 속에 액체 납이 서서히 차기 시작했다. 도처에 널려 있던 하얀 분말은 우리가 그것을 물과 섞기 전까지는 응고제였다. 내가 급히 서두르다가 분말 자루를 발로 차서 그곳이 전쟁터처럼 변한 것이었다. 우유팩이 일종의 주형 역할을 했다.

우리는 아버지와 친구분이 지켜보는 가운데 조심스럽게 이제 막 굳기 시작하는 액체 납을 석고형 입방체의 작은 구멍으로 부었다.

「조심하거라」 아버지가 말했다.

나는 일에 몰두한 채 고개만 끄덕였다.

마침내 작업이 끝났을 때, 나는 냄비를 내려놓고 아버지에게 미소를 지었다.

「너희들 지금 뭐 하는 거니?」 아버지가 호기심 어린 표정으로 물었다.

「아버지가 얘기하신 것을 하는 중이에요. 우리는 곧 부자가 될 거예요」 내가 말했다.

「맞아요」 마이크가 그렇게 말하면서 싱긋 웃으며 고개를 끄덕였다. 「우리는 동업자예요」

「헌데 그 속에 든 것이 무엇이니?」 아버지가 물었다.

「두고 보세요」 내가 말했다. 「아주 멋진 것이 나올 거예요」

내가 작은 망치로 입방체를 반으로 나누는 접합 부분을 두드렸다. 그리고 조심스럽게 석고형의 윗부분을 들었다. 그러자 납으로 된 니켈(5센트짜리 동전)이 떨어졌다.

「이게 뭐니?」 아버지가 말했다. 「납으로 니켈을 만들고 있구나」

「맞아요」 마이크가 말했다. 「말씀하신 대로 우리가 돈을 만들고 있어요」

아버지의 친구분이 너털웃음을 터뜨렸다. 아버지는 미소를 지으면서 고개를 저었다. 바로 앞에서 두 소년이 하얀 먼지를 뒤집어쓴 채 돈을 만들면서 함박웃음을 짓고 있었던 것이다.

아버지가 우리에게 물건들을 치우고 현관 계단에 앉아 얘기 좀 하자고 말했다. 아버지는 미소를 지으면서 〈위조〉라는 말의 뜻을 설명했다.

우리의 꿈은 무너졌다. 「그럼, 이것이 불법이란 말인가요?」 마이크가 떨리는 목소리로 물었다.

「그냥 내버려두게」 아버지의 친구분이 말했다. 「그쪽 방면에 재능이 있는지도 모르잖아」

아버지가 친구분을 노려보았다.

「그래, 그것은 불법이다」 아버지가 부드럽게 말했다. 「하지만 너희들은 멋진 창의력과 아이디어를 보여주었구나. 그 점이 중요하다. 나는 너희들이 자랑스럽다!」

실망한 마이크와 나는 20분 동안 말없이 앉아 있다가 작업장을 치우기 시작했다. 우리의 사업은 그렇게 첫날에 끝이 나고 말았다. 분말 가루를 쓸면서 나는 마이크를 쳐다보며 얘기했다. 「지미와 그의 친구들이 옳았던 것 같다. 우리는 가난하다」

아버지가 막 자리를 뜨려다가 그 말을 들었다. 「얘들아,」 아버지가 말했다. 「너희들은 포기할 때만 가난하다. 가장 중요한 점은 너희들이 무언가를 했다는 거다. 대부분의 사람들은 말로만 부자가 되는 꿈을 꾼다. 그런데 너희들은 무언가를 했다. 나는 너희들 둘이 무척이나 자랑스럽구나. 다시 얘기하마. 포기하지 말고 계속 하거라」

마이크와 나는 말없이 그곳에 서 있었다. 그것은 좋은 말인 것 같지만, 우리는 여전히 무엇을 해야 할지 몰랐다.

「그런데 아버지는 왜 부자가 아닌가요?」 내가 그렇게 물었다.

「왜냐하면 나는 선생이 되기로 선택했기 때문이지. 학교 선생은 부자가 되는 것을 별로 깊이 생각하지 않는다. 우리는 그냥 가르치는 것을 좋아할 뿐이야. 네게 도움이 되었으면 좋겠지만, 나도 돈 버는 법에 대해서는 아는 게 없단다」

마이크와 나는 몸을 돌려 계속해서 작업장을 치웠다.

「나도 안다」 아버지가 말했다. 「너희들이 부자가 되는 법을 배우고 싶다면 나에게 묻지 말고 마이크의 아버지에게 물어보렴」

「우리 아버지요?」 마이크가 얼굴을 찡그리며 물었다.

「그래, 너희 아버지」 아버지가 미소를 지으며 얘기했다. 「너희 아버지와 나는 같은 은행가를 두고 있는데, 그 사람이 너희 아버지 얘기를 많이 하더라. 너희 아버지가 돈 버는 법을 잘 안다고 몇 번이나 얘기하더구나」

「우리 아버지가요?」 마이크가 믿지 못하겠다는 듯이 다시 물었다. 「그런데 왜 우리에겐 멋진 자동차와 멋진 집 같은 것이 없나요?」

「멋진 자동차와 멋진 집이 있다고 반드시 부자이거나 돈 버는 법을 아는 것은 아니란다」 아버지가 대답했다. 「지미의 아버지는 사탕수수 농장에서 일을 한다. 그분도 나와 별반 다를 것이 없다. 그분은 회사를 위해 일을 하고, 나는 정부를 위해 일을 하지. 그 캐딜락도 회사가 그분에게 사준 거야. 하지만 그 회사는 지금 재정적으로 어려움에 처해 있고, 지미 아버지는 곧 모든 것을 잃게 될지도 모른다. 하지만 마이크의 아버지는 다르지. 네 아버지는 제국을 건설하고 있는 것 같더구나. 그래서 몇 년만 있으면 아주 부자가 될 것 같다」

그 말을 듣고 마이크와 나는 다시 흥분하기 시작했다. 우리는 새로 힘을 얻어 이제는 망한 첫번째 사업으로 야기된 아수라장을 청소하기 시작했다. 우리는 청소를 하면서 언제 어떻게 마이크의 아버지와 얘기할지 계획을 세웠다. 문제는 마이크의 아버지가 밤늦게까지 일을 해서 종종 집에 늦게 온다는 것이었다. 마이크의 아버지는 창고와 건설 회사, 일련의 가게들, 그리고 식당 셋을 갖고 있었다. 그리고 그분이 늦는 것은 식당들 때문이었다.

청소를 마친 후에 마이크는 버스를 타고 집으로 갔다. 마이크는 그날 밤 아버지가 돌아오면 우리에게 부자 되는 법을 알려줄 수 있는지 물어볼 생각이었다. 늦은 시간에라도 자기 아버지와 얘기하는 즉시 내게 전화를 하겠다고 마이크가 약속했다.

전화벨이 울린 것은 저녁 8시 반이었다.

「알았어」 내가 말했다. 「이번 토요일」 그러고는 수화기를 내려놓았다. 마이크의 아버지가 우리 둘을 만나기로 동의한 것이다.

나는 토요일 아침 7시 반에 버스를 타고 가난한 지역으로 향했다.

드디어, 부자 아버지를 만나다…….

「너희들에게 한 시간에 10센트를 주겠다」

당시 1956년의 기준으로 봐도 한 시간에 10센트는 정말 너무 낮은 임금이었다.

마이크와 나는 그날 아침 8시에 마이크의 아버지를 만났다. 그분은 벌써 한 시간도 넘게 일을 하고 계셨다. 그분 회사의 건설 감독관이 픽업 트럭을 타고 막 떠날 때 나는 그 작고, 단순하고, 아담한 집으로 들어갔다. 마이크가 문에서 나를 맞았다.

「아버지는 전화를 받고 계셔. 우리에게 뒤쪽 현관에서 기다리라고 하셨어」 마이크가 문을 열면서 그렇게 얘기했다.

나는 낡은 목재 바닥의 삐걱거리는 소리를 들으며 그 오래된 집의 문지방을 넘었다. 문 안쪽에만 값싼 양탄자가 깔려 있었다. 양탄자를 깐 것은 그 바닥을 밟은 수많은 사람들의 흔적을 감추기 위한 것일 거다. 깨끗하기는 했지만 손을 봐야 할 양탄자였다.

나는 갑갑함을 느끼며 좁은 거실로 들어갔다. 거실에는 골동품이나 다름없는 낡은 가구들이 놓여 있었다. 그리고 소파에 여자 두 분이 앉아 있었다. 우리 어머니보다 나이가 조금 더 들어 보였다. 그분들의 맞은편에는 작업복을 입은 남자가 앉아 있었다. 그 사람이 입고 있는 카키색의 작업복은 다림질은 잘되어 있었지만 풀을 먹이지는 않았다. 작업 교본을 닦고 있던 그분은 우리 아버지보다 10년쯤 더 늙어 보였다. 아마 마흔다섯 살쯤 되었을 것 같다. 그분들이 미소를 짓는 가운데, 마이크와 나는 그분들 곁을 지나 부엌으로 향했다. 그리고 부엌을 지나 뒷마당을 굽어보는 뒤쪽 현관으로 나갔다.

「저분들은 누구야?」 내가 물었다.

「응, 우리 아버지를 위해 일하는 분들이야. 남자분은 아버지의 창고들을 관리하고, 여자분들은 아버지의 식당들을 관리하지. 그리고 아까 건설 감독관을 보았지? 그분은 여기서 80킬로미터쯤 떨어진 곳의 도로 사업을 감독하고 있어. 그분말고 주택 사업을 감독하는 분도 있는데, 그분은 네가 오기 전에 벌써 떠났지」

「너희 아버지는 늘 이런 식으로 일을 하고 계셔?」 내가 물었다.

「늘 그렇지는 않지만, 그럴 때가 아주 많아」 마이크가 그렇게 말하면서 미소를 지었다. 그리고 의자를 당겨 내 옆에 앉았다.

「내가 아버지에게 돈 버는 법을 알려줄 수 있느냐고 물었어」 마이크가 말했다.

「그래? 너희 아버지가 뭐라고 말씀하시던?」 내가 호기심을 느끼며 조심스럽게 물었다.

「응, 처음에는 재미있다는 표정을 지으셨고, 그러다가 우리에게 하나의 제안을 하겠다고 얘기했어」

「그래?」 나는 그렇게 말하면서 의자에 앉아 몸을 흔들었다. 의자의 뒷자리에 체중을 실은 채 그곳에 그렇게 앉아 있었다.

마이크도 나와 똑같이 했다.

「그 제안이 무엇인지 너는 알고 있니?」 내가 물었다.

「아니. 하지만 곧 알게 될 거야」

그때 갑자기 마이크의 아버지가 낡은 창살문을 열고 밖으로 나왔다. 마이크와 나는 즉시 자리에서 일어났다. 존경심 때문이 아니라 놀랐기 때문이었다.

「준비들 됐니?」 마이크의 아버지는 그렇게 물으면서 의자를 당겨 우리 곁에 앉았다.

우리는 고개를 끄덕이면서 의자를 앞으로 당겨 마주보고 앉았다.

마이크의 아버지는 키가 180센티미터나 되고 몸무게는 120킬로가량 되는 덩치가 큰 분이셨다. 우리 아버지는 마이크의 아버지보다는 키가 컸으며, 몸무게는 비슷했고, 나이는 다섯 살 많았다. 두 분은 외모는 비슷했지만 인종상으로는 같지 않았다. 아마 정열만큼은 비슷했을 것이다.

「마이크가 그러는데 너희들, 돈 버는 법을 배우고 싶다며? 내 말이 맞니?」

나는 재빨리 고개를 끄덕였다. 하지만 왠지 위협감을 느꼈다. 그분의 말과 미소 뒤에는 엄청난 힘이 있었다.

「그래, 좋다. 내가 너희들에게 제안을 하나 하겠다. 나는 너희들을 가르치겠다. 하지만 학교와는 다른 방식으로 하겠다. 너희들이 나를 위해 일을 하면, 내가 너희들을 가르치겠다. 너희들이 나를 위해 일을 하지 않으면, 나도 너희들을 가르칠 수 없다. 너희들이 일을 열심히 하면 내가 더 빨리 가르칠 수 있지. 하지만 너희들이 그냥 앉아서 듣기만 하면 나는 시간을 낭비하게 될 테고. 마치 학교에서 하는 것처럼 말이다. 이게 내 제안이다. 어때, 한번 해볼 테냐 말 테냐?」

「저…… 먼저 질문 하나 해도 될까요?」 내가 물었다.

「아니. 내 제안을 받아들일 테냐 말 테냐? 나는 할 일이 너무 많아서 사소하게 시간을 낭비할 순 없다. 너희가 지금 당장 결정을 하지 못하면 돈 버는 법은 배울 수 없다. 기회는 왔다가 간다. 제때 결정을 내리는 것도 중요한 기술이다. 이제 너희가 원했던 기회가 왔다. 10초의 여유를 주겠다」 마이크의 아버지는 짓궂게 미소를 지으며 얘기했다.

「하겠어요」 내가 말했다.

「저도 하겠어요」 마이크도 말했다.

「됐다」 마이크의 아버지가 말했다. 「마틴 여사가 10분쯤 후에 올 거다. 내가 그분과 얘기를 끝내면, 너희들은 차를 타고 그분과 함께 내 가게로 가거라. 그러고는 일을 시작하는 거다. 보수는 한 시간에 10센트고 매주 토요일 세 시간씩 일을 한다」

「하지만 오늘은 소프트볼 게임이 있는데요」 내가 말했다.

그러자 마이크의 아버지는 목소리를 낮춰 엄한 표정으로 말했다. 「할 테냐 말 테냐?」

「하겠어요」 내가 대답했다. 나는 소프트볼 대신에 일과 배움을 택한 것이다.

부자 아버지의 시험

아름다운 토요일 아침 9시경에, 마이크와 나는 마틴 여사를 위해 일을 하고 있었다. 마틴 여사는 친절하고 자상한 분이었다. 그분은 늘 마이크와 내가 이제는 자라서 독립한 자신의 두 아들을 연상시킨다고 얘기했다. 마틴 여사는 친절했지만 열심히 일을 하는 분이었다. 우리는 세 시간 동안 선반에서 통조림통들을 꺼내 먼지를 턴 후에 가지런히 정리했다. 그것은 너무나도 지루한 일이었다.

내가 부자 아버지라고 부르는 마이크의 아버지는 그런 가게를 아홉 개나 갖고 있었다. 작은 슈퍼마켓인 그 가게들에는 넓은 주차장이 있었다. 말하자면 오늘날의 편의점과 비슷한 것이었다. 동네의 작은 슈퍼인 그곳에서 사람들은 우유와 빵, 버터, 그리고 담배 같은 물건들을 샀다. 문제는 그 당시 하와이에는 에어컨이 없다는 것이었다. 그래서 찌는 듯한 열기 때문에 가게들이 문을 닫지 못했다. 그래서 가게 양편으로 문들을 활짝 열어놓으면 도로와 주차장이 보였다. 자동차가 지나가거나 주차장에 들어오면, 먼지가 풀풀 날려 가게로 들어왔다. 그 먼지가 선반 위에 놓여 있는 통조림통에 수북이 쌓이게 되는 것이다. 그래서 우리 일자리는 에어컨이 없는 시기, 그러니까 문을 닫아놓을 수 없어서 먼지가 계속 통조림통에 쌓이던 시기에나 존재할 수 있었다.

우리는 3주 동안 마틴 여사에게 보고하며 세 시간씩 일을 했다. 우리의 일은 정오쯤에 끝났고, 그러면 마틴 여사는 우리의 작은 손에 10센트짜리 동전을 세 개씩 떨어뜨렸다. 그런데 당시 아홉 살짜리 꼬마들에게도 30센트는 그다지 대단한 것이 아니었다. 그때는 만화책 한 권이 10센트였으며, 나는 대개 그 돈을 만화책에 쓴 후에 집으로 갔다.

그렇게 4주째가 되던 수요일에 나는 그 일을 그만둘 생각을 했다. 내가 일을 하겠다고 한 것은 돈 버는 법을 배우고 싶어서였다. 그런데 한 시간에 10센트를 받고 노예처럼 일을 하고 있었다. 게다가 그 첫번째 토요일 이후로 마이크의 아버지는 보지도 못했다.

「난 그만둘래」 점심 시간에 내가 마이크에게 말했다. 학교 점심은 엉망이었다. 학교는 지겨웠고, 나는 이제 기다릴 토요일조차 없었다. 하지만 정말로 화가 난 것은 그 30센트였다.

이번에는 마이크가 미소를 지었다.

「왜 웃는 거야?」 내가 분노와 좌절감으로 물었다.

「이렇게 될 거라고 아버지가 얘기했어. 네가 그만두려 할 때 아버지가 만나겠다고 하셨어」

「뭐야?」 내가 분개하며 말했다. 「내가 지치기를 기다리고 있었다구?」

「그런가 봐」 마이크가 말했다. 「우리 아버지는 좀 다른 데가 있어. 너희 아버지와는 다른 식으로 가르치지. 너희 어머니와 아버지는 훈계를 많이 하시지. 하지만 우리 아버지는 조용하고 말씀이 별로 없어. 이번 토요일까지 기다려 봐. 내가 아버지에게 얘기를 할게」

「그럼, 내가 지금까지 조종당하고 있었다는 거야?」

「아니, 꼭 그렇지는 않지만, 그렇다고 할 수도 있지. 아버지가 토요일에 설명하실 거야」

대부분의 사람들은 평생 일만 하다가
삶에 찌든 피곤한 늙은이로 죽게 되고 말지…….

나는 각오가 되어 있었다. 나는 준비가 되어 있었다. 내 진짜 아버지도 부자 아버지에게 화가 나 있었다. 내가 가난한 아버지라고 부르는 나의 진짜 아버지는 부자 아버지가 아동 보호법을 위반하고 있으며, 따라서 조사를 받아야 한다고 생각했다.

가난하고 공부를 많이 한 내 아버지는 내 권리를 주장해야 한다고도 말씀하셨다. 적어도 한 시간에 25센트는 받아야 한다고 했다. 가난한 아버지는 그렇지 않으면 즉시 그만두라고 말씀하셨다.

「어쨌거나 그런 하찮은 일자리는 필요 없잖니?」 가난한 아버지는 노한 표정으로 그렇게 얘기했다.

토요일 아침 8시에, 나는 다시 마이크네 집의 그 낡은 문을 열고 들어가고 있었다.

「자리에 앉아 기다리고 있거라」 내가 들어갈 때 마이크의 아버지가 얘기했다. 그분은 몸을 돌려 침실 옆의 작은 사무실로 사라졌다.

거실 주위를 둘러보았지만 마이크는 보이지 않았다. 나는 어색함을 느끼며, 전에 그곳에 왔던 여자 두 분 옆에 조심스럽게 앉았다. 두 분이 미소를 지으며 내게 자리를 마련해 주었다.

그렇게 45분이 지나자 나는 화가 나기 시작했다. 여자 두 분은 이미 마이크의 아버지를 만나고 30분 전에 가고 없었다. 그곳에 있던 나이 많은 신사분도 20분 동안 있다가 가고 없었다.

텅 빈 집에 나 혼자 앉아 있었다. 나는 아름다운 하와이의 토요일에 어두운 거실에 앉아, 아이들을 착취하는 사기꾼과 얘기하려고 기다리고 있었다. 마이크의 아버지가 사무실에서 움직이는 소리가 들렸다. 전화로 무슨 얘기를 하며 나를 철저히 무시하고 있었다. 이제 나는 밖으로 나갈 준비가 되어 있었다. 하지만 어떤 이유에서인지 그냥 그 자리에 앉아 있었다.

마침내 15분이 지난 9시 정각에 부자 아버지는 사무실 밖으로 나왔다. 그러고는 말없이 나에게 손짓으로 작은 사무실로 들어오라고 했다.

「돈을 더 주지 않으면 일을 그만둘 거라고 하던데?」 부자 아버지는 그렇게 말하면서 의자에서 몸을 돌렸다.

「음……, 아저씨가 약속을 지키지 않으니까요」 내가 거의 울 듯한 목소리로 그렇게 내뱉었다. 어린아이로서 어른과 대적하는 것은 정말로 무서운 일이었다.

「내가 가게에서 일을 하면 돈 버는 법을 가르쳐주신다고 했잖아요. 그래서 일을 했어요. 정말 열심히 일했다구요. 야구 경기도 포기하고 일을 했어요. 그런데 아저씨는 왜 약속을 안 지키세요? 나에게 아무것도 가르쳐주시지 않았잖아요. 아저씨는 마을 사람들의 얘기처럼 사기꾼이에요. 아저씨는 욕심쟁이에요. 아저씨는 돈밖에 모르고 직원들에게는 관심이 없어요. 나를 기다리게 하면서 무시하고 말았어요. 나는 어린아이일 뿐이에요. 그리고 나는 더 좋은 대접을 받아야만 해요」

부자 아버지는 회전 의자에서 몸을 돌리며 양손으로 턱을 괴었다. 어찌 보면 나를 관찰하는 것도 같았다. 그분은 나를 연구하고 있는 것 같았다.

「그만하면 괜찮구나」 그분이 말했다. 「한 달도 안 돼서 너는 대다수의 내 직원들처럼 말하는구나」

「뭐라구요?」 내가 물었다. 그분의 말을 이해하지 못한 채 나는 계속해서 불만을 터뜨렸다. 「나는 아저씨가 약속을 지켜서 돈 버는 법을 가르쳐주실 줄 알았어요. 그런데 알고 보니 나를 괴롭히고 있어요. 그것은 잔인한 일이에요. 정말로 잔인한 일이라구요」

「나는 너를 가르치고 있다」 부자 아버지가 조용히 얘기했다.

「무얼 가르쳐주셨나요?」 내가 화를 내며 말했다. 「아저씨는 나에게 말을 하신 적도 없어요. 그리고 나는 한 시간에 10센트를 받고 일했어요. 하! 이 일에 대해 정부에 신고해야겠어요. 아동 보호법이 있는 걸 아시죠. 우리 아버지가 정부에서 일한다는 것도 아시죠」

「와우!」 부자 아버지가 말했다. 「이제 너는 내 밑에서 일을 했던 사람들과 똑같이 얘기하는구나. 내가 해고했거나 스스로 그만둔 사람들처럼 말이다」

「무슨 할말이 있으시죠?」 나는 스스로 용감하다는 생각을 하면서 아저씨를 다그쳤다. 「아저씨는 내게 거짓말을 했어요. 나는 일을 했는데, 아저씨는 약속을 지키지 않았어요. 아저씨는 나에게 어떤 것도 가르치지 않았어요」

「내가 어떤 것도 가르치지 않았는지 어떻게 아니?」 부자 아버지가 조용히 물었다.

「음, 나에게 얘길 한 적이 없잖아요. 나는 3주 동안 일을 했는데, 아저씨는 아무것도 가르치지 않았어요」 내가 당돌하게 얘기했다.

「얘기하거나 설명해야만 가르치는 거니?」 부자 아버지가 물었다.

「음…… 그렇죠」 내가 대답했다.

「그건 학교에서나 하는 일이야」 그분이 미소를 지으며 얘기했다.

「우리의 삶은 그렇게 가르치지 않아. 그리고 우리의 삶은 가장 좋은 선생이야. 대개의 경우 삶은 얘기를 하지 않아. 그냥 우리를 내두를 뿐이지. 한번 내두를 때마다 삶은 이렇게 얘기하지. 〈잠에서 깨어나라. 내가 네게 무언가를 가르치겠다.〉」

〈이 아저씨가 지금 무슨 얘기를 하는 거지?〉 나는 혼자서 말없이 이렇게 물었다. 〈삶이 나를 내두르는 것이 나를 가르치는 거라구?〉 나는 이제 그만둘 때가 되었다고 생각했다. 나는 정말로 사기꾼과 얘길 하고 있는 것이었다.

「삶의 교훈을 배우면 더 잘살 수 있지. 그렇지 않으면 삶이 계속해서 우리를 내두르지. 사람들이 하는 일은 두 가지야. 어떤 사람들은 삶이 그냥 자신을 내두르도록 내버려둬. 그리고 어떤 사람들은 화를 내면서 대들곤 하지. 하지만 그들은 상사나 일자리, 혹은 남편이나 아내에게 대든다. 그들은 삶이 자신을 내두른다는 점을 모르지」

나는 그분의 얘기를 도무지 이해할 수 없었다.

「삶은 우리 모두를 내두르지. 어떤 사람들은 포기하고, 어떤 사람들은 싸우지. 몇몇 사람들은 배움을 얻고 계속하지. 이런 사람들은 삶이 자신들을 내두르는 것을 환영해. 이런 사람들에게는 그것이 무엇인가를 스스로 배워야 함을 의미하지. 그들은 배우면서 계속하지. 하지만 대부분은 포기하고, 너처럼 몇몇은 싸우지」

부자 아버지는 자리에서 일어나 낡고 색이 바랜 나무 창문을 닫았다. 「네가 이런 교훈을 배운다면 현명하고, 부유하고, 행복한 젊은이로 자랄 수 있단다. 하지만 이런 교훈을 배우지 못한다면 너는 평생 일자리를 탓하고, 월급이 적거나 못된 상사 때문에 문제가 생긴다고 불평하게 될 거다. 너는 무언가 획기적인 일이 돈과 관련된 모든 문제를 단숨에 해결해 줄 거라고 생각하면서 인생을 헛살게 될 거야」

부자 아버지는 나를 굽어보면서 내가 아직도 듣고 있는지 관찰했다. 그분의 눈길이 나와 마주쳤다. 우리는 서로를 응시했다. 눈길을 통해 무언의 대화가 오고 갔다. 마침내 나는 그분의 말을 다 들은 후에 뒤로 물러섰다. 나는 그분의 말이 옳다고 생각했다. 나는 그분을 탓하고 있었으며 배우려 하지 않았다. 나는 싸우고 있었다.

부자 아버지는 계속 말씀하셨다. 「혹은 네가 배짱도 없는 사람이라면 삶이 너를 내두를 때마다 그냥 포기하고 말지. 네가 그런 사람이라면 평생 안전하게 살면서 옳은 일만 하고, 있지도 않을 일에 대비해 자신을 아끼게 될 거야. 그러고는 삶에 찌든 피곤한 늙은이로 죽게 될 거야. 물론 친구는 많이 생기겠지. 너는 열심히 일하는 착한 사람이기 때문에 너를 좋아하는 친구들은 많을 거야. 너는 안전하게 살면서 옳은 일만 하게 될 거야. 하지만 그건 실제로는 삶이 너를 내두르면서 굴복시키는 거야. 너는 마음속 깊은 곳에서 위험을 두려워하고 있지. 네가 정말로 원하는 것은 이기는 것이지만, 패배에 대한 두려움이 승리에 대한 기쁨보다 훨씬 더 크지. 그래서 너는 안전하게만 살려고 하지」

다시 우리의 눈길이 마주쳤다. 우리는 한 10초 정도 서로를 응시했다. 그러다가 내가 다시 뒤로 물러섰다.

「그럼, 지금까지 나를 내두르신 건가요?」 내가 물었다.

「어떤 사람들은 그렇게 말할 수도 있지」 부자 아버지가 미소를 지었다. 「나는 너에게 삶의 맛을 보여줬다고 말할 수 있다」

「삶의 어떤 맛을요?」 내가 물었다. 여전히 화가 났지만 이제는 호기심이 일었다. 이제는 배울 준비까지 되어 있었다.

「너희는 그래도 나에게 돈 버는 법을 가르쳐 달라고 부탁을 했다. 나를 위해 일하는 직원들이 150명도 넘는데, 지금까지 나에게 돈에 대해서 배움을 요청한 사람은 한 사람도 없었다. 그들은 일자리와 봉급에 대해서만 얘기를 했지 배움에 대해서는 얘기하지 않았다. 그래서 대부분은 좋은 시절을 돈을 위해 일하면서 보내고, 자신들이 무엇을 위해 일하는지는 제대로 알지 못한단다」

나는 그곳에 앉아 세심하게 경청했다.

「그래서 마이크에게서 네가 돈 버는 법을 배우고 싶어한다는 얘기를 들었을 때, 나는 현실 생활에 밀접한 강좌를 하나 마련했다. 물론 나는 얼굴이 창백해질 때까지 얘기할 수는 있다. 하지만 그러면 네가 귀를 기울이지 않을 거야. 그래서 나는 네가 귀를 기울이도록 삶이 너를 조금 내두르도록 만들었지. 그래서 너에게 10센트만 주기로 결정한 거다」

「그럼, 내가 한 시간에 10센트만 받고 일하면서 어떤 교훈을 배웠나요?」 내가 물었다. 「아저씨가 임금이나 착취하는 사람이라는 걸 배웠나요?」

부자 아버지는 몸을 젖히며 소리내어 웃었다. 마침내 웃음을 멈추고 그분이 얘기했다. 「네 관점을 바꿔야만 한다. 이제는 나를 탓하지 말아야 한다. 내가 문제라고 생각하지 말아야 한다. 내가 문제라고 생각하면 너는 나를 바꿔야만 한다. 그러나 네가 문제라고 생각하면 네 자신을 바꿀 수 있다. 그러면서 무언가를 배우고 더 현명해질 수 있다. 대부분의 사람들은 다른 사람은 변하기를 원하면서 자신은 변하려 하지 않는다. 이 점을 명심해라. 다른 사람보다 자신을 바꾸는 것이 더 쉽다」

「무슨 말인지 모르겠어요」 내가 말했다.

「네 문제들에 대해 나를 탓하지는 말아라」 부자 아버지는 조금씩 조급함을 보이면서 말했다.

「하지만 아저씨는 나에게 10센트밖에 주지 않잖아요?」

「너는 그 일에서 무엇을 배우고 있니?」 부자 아버지가 미소를 지으면서 물었다.

「아저씨가 싸구려라는 것을 배우고 있죠」 내가 교활한 미소를 지으며 말했다.

「그것 봐라. 너도 결국 내가 문제라고 생각하지 않니」 부자 아버지가 말했다.

「하지만 그렇잖아요」

「글쎄, 그런 태도를 버리지 않으면 아무것도 배우지 못한다. 내가 문제라는 태도를 버리지 못하면 너에게는 어떤 선택이 남아 있을까?」

「음, 아저씨가 돈을 더 많이 주지 않거나 나를 인정하면서 가르치지 않으면 그만둘 수밖에 없죠」

「잘 대답했다」 부자 아버지가 말했다. 「대부분의 사람들은 정말로 그렇게 한다. 그들은 직장을 그만두고 다른 일자리를 찾는다. 더 좋은 기회, 더 많은 보수를 찾는다. 그들은 새로운 일자리나 더 많은 보수가 문제를 해결할 거라고 생각한다. 하지만 대개의 경우 그런 식으로는 문제가 해결되지 않는다」

「그럼, 어떻게 해야 문제를 해결할 수 있나요?」 내가 물었다. 「그냥 이 10센트짜리 일을 계속하면서 미소만 지어야 하나요?」

부자 아버지가 빙그레 웃었다. 「대부분의 사람들은 그렇게 한단다. 자신과 가족들이 금전적으로 고생할 것을 알면서도 어쩔 수 없이 적은 월급 봉투를 받는다. 하지만 그뿐이다. 그들은 더 많은 보수가 문제를 해결할 거라고 생각하면서 봉급 인상을 기다린다. 대개는 그렇게 받아들이고, 일부는 부업을 하면서 더 열심히 일하지만 역시 보수는 얼마 되지 않는다」

나는 자리에 앉아 바닥을 응시하면서, 부자 아버지가 얘기하는 교훈을 조금씩 이해하기 시작했다. 나는 그것이 삶의 맛임을 느낄 수 있었다. 마침내 내가 고개를 들고 같은 질문을 되물었다. 「그럼, 어떻게 해야 문제를 해결할 수 있나요?」

「이것이다」 부자 아버지는 그렇게 말하면서 내 머리를 가볍게 토닥거렸다. 「머리를 써야 한다」

바로 그때 부자 아버지가 자기 직원들이나 내 가난한 아버지와 자신을 구분시키는 중요한 관점을 제시했다. 그리고 부자 아버지는 그런 관점으로 하와이에서 최고 부자 가운데 한 사람이 되었다. 그동안에 교육을 많이 받은 내 가난한 아버지는 늘 금전적으로 고생을 했다. 바로 그 하나의 관점이 운명을 결정지었다.

부자 아버지는 그 관점을 여러 차례 얘기했으며, 나는 그것을 〈첫번째 교훈〉이라고 부른다.

가난한 사람들과 중산층 사람들은 돈을 위해 일한다.
하지만 부자들은 돈이 자신을 위해 일하게 만든단다.

그 아름다운 토요일 아침에, 나는 가난한 아버지에게서 배운 것과는 전혀 다른 관점을 배우고 있었다. 당시 아홉 살이었던 나는 두 분 아버지 모두 내가 계속 배우기를 원한다는 것을 점점 더 자각했다. 두 분 아버지 모두 내가 공부하기를 원했다. 하지만 공부 대상은 다른 것이었다.

교육을 많이 받은 내 아버지는 당신이 한 일을 나도 그대로 할 것을 권장했다. 「얘야, 나는 네가 공부 열심히 해서 좋은 성적을 얻고, 그렇게 해서 안정된 직장을 갖기를 바란다. 그래서 가능하면 월급을 많이 받아야 한다」 반면에 부자 아버지는 돈이 움직이는 방식을 배워서 돈이 나를 위해 일을 하게 만들도록 해야 한다고 얘기했다. 나는 이런 교훈을 교실에서가 아닌 그분의 도움으로 삶에서 배우게 되었다.

부자 아버지는 계속해서 첫번째 교훈을 얘기했다. 「네가 한 시간 일하고 고작 10센트만 받는 데 화를 낸 것이 나는 기쁘단다. 네가 화를 내지 않고 그것을 기쁘게 받아들였다면, 나는 너를 더 이상 가르칠 수 없다고 얘기했을 거다. 진정한 배움에는 활력과 열정, 그리고 불타는 욕망이 필요하단다. 분노가 그 방정식의 큰 부분을 이루는데, 열정은 분노와 사랑의 결합이기 때문이지. 대부분의 사람들은 돈에 대해서는 안정을 추구하며 안정감을 느끼려 한다. 그래서 열정이 그들을 인도하지 않고 오히려 두려움이 그들을 인도한다」

「그래서 사람들이 보수가 낮은 직업을 받아들이는 건가요?」 내가 물었다.

「그렇지」 부자 아버지가 말했다. 「어떤 사람들은 내가 사탕수수 농장이나 정부처럼 직원들에게 많은 보수를 주지 않는다고, 내가 사람들을 착취한다고 얘기한다. 나는 오히려 사람들이 스스로를 착취한다고 얘기한다. 그것은 그들의 두려움이지, 나의 두려움은 아니다」

「하지만 사람들에게 더 많은 보수를 주어야 한다고 느끼지 않나요?」 내가 물었다.

「나는 그럴 필요가 없다. 게다가 더 많은 돈이 문제를 해결하지도 않는다. 네 아버지를 한번 보렴. 네 아버지는 돈을 많이 벌지만, 그럼에도 여전히 대금 청구서를 처리하지 못한다. 대부분의 사람들에게 더 많은 돈은 더 많은 빚으로 이어지지」

「그래서 제 보수가 한 시간에 10센트가 된 건가요?」 내가 미소를 지으며 말했다. 「그것이 배움의 일부인가요?」

「바로 그렇다」 부자 아버지는 빙그레 웃었다. 「네 아버지는 학교에 가서 좋은 교육을 받았다. 그리고 그렇게 해서 보수가 높은 직장을 얻었다. 하지만 네 아버지는 아직도 돈과 관련된 문제를 갖고 있더구나. 왜냐하면 한번도 학교에서 돈에 대해 배운 적이 없으시기 때문이지. 뿐만 아니라, 네 아버지는 돈을 위해 일해야 한다고 믿고 있다」

「아저씨는 그렇지 않은가요?」 내가 물었다.

「나는 그렇지 않다고 할 수 있지」 부자 아버지가 말했다. 「네가 돈을 위해 일하는 법을 배우고 싶다면 계속 학교에 있어라. 학교는 그것을 배우는 데는 아주 좋은 곳이다. 하지만 돈이 너를 위해 일하게 하는 법을 배우고 싶다면 나에게서 배워라. 하지만 네가 배우고 싶을 때만이다」

「누구든지 그것을 배우고 싶어하지 않을까요?」 내가 물었다.

「그렇지 않다」 부자 아버지가 말했다. 「그런 관점을 새로 배우는 것보다는 돈을 위해 일하는 것이 훨씬 더 쉽기 때문이지. 특히 돈을 두렵게 생각할 때는 더욱 그렇다」

「저는 잘 모르겠어요」 내가 얼굴을 찡그리며 말했다.

「지금은 걱정하지 않아도 된단다. 그냥 대부분의 사람들이 어떤 일을 억지로 계속하는 것은 두려움 때문이라는 것을 알기만 하면 된다. 청구서를 제때 처리하지 못하리라는 두려움, 해고될지도 모른다는 두려움, 충분한 돈이 없을 것이라는 두려움, 혹은 새로 시작해야 한다는 두려움 말이다. 이것이 전문 직업을 갖거나 사업하는 법을 배워서 돈을 위해 일할 때 지불해야 하는 대가이다. 대부분의 사람들은 돈의 노예가 된다. 그러고는 애꿎은 자기 상사에게 화를 낸다」

「돈이 자신을 위해 일을 하게 만드는 것은 전혀 다른 종류의 공부인가요?」 내가 물었다.

「당연히 그렇지」 부자 아버지가 대답했다. 「당연히」

우리는 그 아름다운 하와이의 토요일 아침에 말없이 앉아 있었다. 바로 그때 내 친구들은 동네 야구 경기를 하고 있었을 것이다. 하지만 어떤 이유에서인지, 나는 이제 한 시간에 10센트를 받고 일하기로 한 결정에 고마움을 느꼈다. 나는 이제부터 친구들이 학교에서 배우지 못할 무언가를 배우려 한다고 생각했다.

「준비가 되었느냐?」 부자 아버지가 물었다.

「그렇습니다」 내가 싱긋 웃으며 말했다.

「나는 약속을 지켰다. 나는 먼 곳에서 너를 가르치고 있었다」 부자 아버지가 말했다. 「너는 어린 나이에 돈을 위해 일하는 것이 무엇인지 맛을 보았다. 지난 몇 달을 50년과 곱하면 대부분의 사람들이 평생 무엇을 하며 사는지 네 나름대로 짐작할 수 있을 게다」

「무슨 말인지 잘 모르겠어요」 내가 말했다.

「나를 보려고 줄을 서서 기다릴 때 기분이 어땠니? 처음에는 일자리를 얻으려고, 다음에는 더 많은 돈을 요구하려고……」

「끔찍했어요」 내가 말했다.

「네가 네 자신을 위해서가 아니라 돈을 위해 일하기로 선택한 것, 그것이 바로 많은 사람들이 살아가는 인생살이가 되는 거다」 부자 아버지가 말했다.

「그리고 마틴 여사가 네 손에 동전 세 개를 떨어뜨릴 때, 그렇게 세 시간의 임금을 받았을 때 기분이 어땠니?」

「그걸로는 충분치 않다고 느꼈어요. 그건 아무것도 아닌 것 같았어요. 저는 정말로 실망했어요」 내가 말했다.

「그것이 바로 대부분의 직원들이 월급 봉투를 받을 때 느끼는 거다. 특히 그 모든 세금과 이런 저런 공제가 있은 후에는 더욱 그렇지. 적어도 너는 세금은 떼지 않은 전부를 받았다」

「그럼, 대부분의 근로자가 급여의 전부를 받지 못한다는 말인가요?」 내가 놀란 표정으로 물었다.

「절대로 전부를 받지는 못하지!」 부자 아버지가 말했다. 「정부가 늘 자신들의 몫을 먼저 가져가기 때문이지」

「어떻게 그럴 수가 있죠?」 내가 물었다.

「세금 때문이지」 부자 아버지가 말했다. 「돈을 벌 때도 세금을 내고, 돈을 쓸 때도 세금을 내고, 저축할 때도 세금을 내고, 죽을 때도 세금을 내지」

「그럼 왜 정부가 그렇게 하도록 내버려두나요?」

「부자들은 그렇지 않아」 부자 아버지는 미소를 지으며 말했다. 「가난한 사람들과 중산층 사람들은 정부가 하는 대로 그대로 하지. 나는 너희 아버지보다 더 많이 번다. 하지만 세금은 더 적게 낸단다」

「어떻게 그럴 수 있죠?」 내가 물었다. 아홉 살 난 소년에게 그것은 이치에 맞지 않았다. 「정부가 그렇게 하도록 왜 그냥 두죠?」

부자 아버지는 말없이 앉아 있었다. 아마도 내가 흥분하지 않고 듣기를 바랐을 것이다.

마침내 내가 흥분을 가라앉혔다. 나는 그런 얘기를 좋아하지 않았다. 나는 진짜 아버지가 세금이 너무 많다고 불평하는 것을 들은 적이 있다. 하지만 아버지는 그에 대해 아무 대응도 하지 않았다. 삶이 아버지를 내두르고 있는 것일까?

부자 아버지는 의자에서 천천히, 그리고 말없이 몸을 흔들며 나를 보기만 했다.

「내게서 배울 준비가 되었니?」 그분이 물었다.

내가 천천히 고개를 끄덕였다.

「아까 말한 대로 배울 것이 무척 많다. 돈이 자신을 위해 일하게 만드는 법을 배우는 것은 삶의 중요한 공부이다. 대부분의 사람들은 4년 동안 대학을 다닌 후에 교육을 끝낸다. 나는 이미 돈에 관한 내 공부가 평생 계속될 것임을 알고 있다. 왜냐하면 더 많이 배울수록 배울 것이 더 많기 때문이지. 대부분의 사람들은 돈에 관해서는 공부하지 않는다. 그들은 일터에 가고, 월급을 받고, 수지를 맞추고, 그뿐이다. 뿐만 아니라, 그들은 왜 돈 문제가 생기는지 의아해한다. 그러고는 더 많은 돈이 문제를 해결해 줄 거라고 생각하지. 자신의 금융 지식이 부족한 것이 문제임을 아는 사람은 거의 없다」

「그럼, 우리 아버지에게 세금 문제가 있는 것은 아버지가 돈을 제대로 모르기 때문인가요?」 내가 혼란스런 표정으로 물었다.

「로버트,」 부자 아버지가 말했다. 「세금은 돈이 자신을 위해 일을 하게 만드는 법을 배우는 작은 부분에 불과하다. 나는 오늘 네가 돈에 대해 배우겠다는 그 열정을 아직도 갖고 있는지, 그것만 알고 싶었다. 대부분의 사람들은 그렇지 못하거든. 그들은 학교에 가서 전문 지식을 쌓고, 직장에서 재미있게 일하고, 많은 돈을 벌고 싶어한다. 그러다가 어느 날 일어나 보면 심각한 돈 문제가 있고, 그러면 그때는 정말 일을 그만둘 수가 없다. 이것은 돈이 자신을 위해 일을 하게 만드는 법을 배우지 못하고 자신이 돈을 위해 일하는 법만 아는 데 따르는 대가이다. 너에게는 아직도 배우겠다는 열정이 있니?」 부자 아버지가 물었다.

내가 고개를 끄덕였다.

「그래, 좋다」 부자 아버지가 말했다. 「이제 다시 일을 하러 가거라. 하지만 이번에는 아무것도 주지 않겠다」

「뭐라구요?」 내가 깜짝 놀라며 물었다.

「내가 얘기하지 않았니? 나는 아무것도 주지 않겠다. 너는 앞으로도 토요일마다 세 시간씩 일하게 된다. 하지만 이번에는 한 시간에 10센트를 받지 못한다. 너는 돈이 너를 위해 일하게 만드는 법을 배우고 싶다고 말했지. 그래서 나는 아무것도 주지 않을 생각이다」

나는 그분이 하는 말을 믿을 수가 없었다.

「마이크에게도 똑같은 얘기를 했다. 마이크는 벌써 일을 하고 있다. 돈 한 푼 받지 않고 통조림통의 먼지를 털고 선반 정돈을 하고 있다. 너도 서둘러서 가게로 돌아가야지」

「그건 불공평해요」 내가 소리쳤다. 「보수를 주셔야만 해요」

「너는 나에게서 배우고 싶다고 얘기했지. 지금 이것을 배우지 않으면 나중에 커서 아까 거실에 앉아 있던 두 여자와 더 나이 많은 그 남자처럼 될 거다. 돈을 위해 일하면서 내가 너를 해고하지 않기만을 바랄 거다. 혹은 네 아버지처럼 돈은 많이 벌면서 빚만 잔뜩 지고 더 많은 돈이 문제를 해결할 거라고 기대할 게다. 네가 원하는 것이 그것이라면, 나는 원래의 약속대로 한 시간에 10센트를 주겠다. 혹은 너는 대부분의 사람들이 커서 하는 일을 할 수도 있다. 보수가 충분치 않다고 불평하면서 그만두고 다른 일자리를 찾는 거지」

「하지만 내가 무엇을 해야 하나요?」 내가 물었다.

부자 아버지는 내 머리를 가볍게 쓰다듬었다. 「이것을 사용해라」 그분이 얘기했다. 「이것을 잘 쓰면 내가 준 기회를 고맙게 생각하게 될 거다. 그리고 나중에 부자도 되고」

나는 아직도 그런 제안에 어안이 벙벙한 채 그곳에 서 있었다. 내가 그곳에 간 것은 임금 인상을 위해서였는데, 이제는 오히려 무보수로 일을 할 처지가 되었다.

부자 아버지가 다시 내 머리를 가볍게 쓰다듬으며 얘기했다. 「이것을 사용해라. 이제 이곳에서 나가 다시 네 일터로 가거라」

첫번째 교훈: 부자는 절대, 돈을 위해 일하지 않는다.

나는 가난한 아버지에게 내가 무보수로 일한다는 것을 알리지 않았다. 그런 상황을 가난한 아버지는 이해하지 못하실 것이고, 나는 나 자신도 제대로 이해하지 못하는 것을 아버지에게 설명하고 싶지 않았다.

마이크와 나는 다시 3주 동안 토요일마다 세 시간씩 무보수로 일했다. 일은 힘들지 않았고 점점 더 쉬워졌다. 다만 야구 경기를 놓치고 만화책을 살 수 없다는 것이 마음에 걸렸다.

부자 아버지는 셋째 주 정오경에 가게에 들렀다. 그분의 트럭이 주차장에 들어오면서 엔진이 꺼지는 소리가 들렸다. 부자 아버지는 가게로 들어와서 마틴 여사를 포옹으로 인사했다. 가게에서 돌아가는 일을 확인한 후에 부자 아버지는 냉장고에서 아이스크림 두 개를 꺼냈다. 그리고 마이크와 나에게 손짓을 했다.

「잠시 산책이나 할까?」 부자 아버지가 말했다.

우리는 길을 건너 자동차 몇 대를 피한 후에 넓은 풀밭을 걸어갔다. 그곳에서 몇몇 어른들이 소프트볼을 하고 있었다. 부자 아버지는 멀리 떨어진 피크닉 테이블에 앉은 후 마이크와 나에게 아이스크림을 주었다.

「잘되고 있니?」 그분이 말했다.

「예」 마이크가 말했다.

나도 같이 고개를 끄덕였다.

「그래, 배우는 것이 좀 있니?」 부자 아버지가 물었다.

마이크와 나는 서로를 바라보며 어깨를 으쓱하고 동시에 고개를 저었다.

내가 가르치고 싶은 것은 돈의 힘을 정복하는 것에 관한 거다.

「너희들은 머리를 좀 써야겠다. 너희는 지금 삶의 중요한 교훈 하나를 보고 있다. 그 교훈을 배우면 자유롭고 안정적인 삶을 즐길 수 있고, 만약 그것을 배우지 못하면 마틴 여사나 이 공원에서 소프트볼을 하고 있는 대부분의 사람들과 비슷한 처지가 될 거야. 그들은 하찮은 돈을 위해 정말 열심히 일하고, 안정적인 직업에 대한 환상에 매달리고, 매년 3주 간의 휴가를 기다리고, 45년 동안 일한 후에 대수롭지 않은 연금을 기대한다. 그런 것이 좋다면 한 시간에 25센트로 올려주겠다」

「하지만 저분들은 열심히 일하는 착한 분들이에요. 그런데 아저씨는 지금 그분들을 놀리시는 건가요?」 내가 다그쳤다.

부자 아버지의 얼굴에 미소가 나타났다.

「마틴 여사는 내게 어머니 같은 분이다. 그런데 내가 어떻게 잔인할 수 있겠니. 내 말이 잔인하게 들리는 것은 너희들에게 무언가를 알려주려고 애를 쓰기 때문일 게다. 나는 너희가 관점을 바꿔서 무언가를 볼 수 있게 해주고 싶다. 대부분의 사람들은 시야가 너무 좁기 때문에 그것을 보지 못한단다. 또 그들은 자신들을 옭아매는 함정을 보지 못한다」

마이크와 나는 그 말을 이해하지 못한 채 그곳에 앉아 있었다. 부자 아버지의 그 말은 잔인하게 들렸지만, 그분은 우리에게 무언가를 알리려고 애를 쓰고 있었다.

부자 아버지는 미소를 지으며 계속 얘기했다. 「한 시간에 25센트가 마음에 들지 않니? 그 말을 듣고 흥분돼서 가슴이 좀더 빨리 뛰지 않니?」

나는 〈아니〉라는 뜻으로 고개를 저었다. 하지만 실제로는 그랬다. 한 시간에 25센트는 나에게는 큰 돈이었다.

「좋아. 그러면 한 시간에 1달러를 주겠다」 부자 아버지가 얄궂은 미소를 띠며 얘기했다.

이제는 내 가슴이 빠르게 뛰기 시작했다. 내 머리가 이렇게 소리치고 있었다. 〈받아들여. 받아들여.〉 나는 부자 아버지의 제안을 믿을 수가 없었다. 그럼에도 나는 아무 말도 하지 않았다.

「좋아. 그러면 한 시간에 2달러를 주겠다」

아홉 살 난 소년의 작은 머리와 가슴은 터질 지경이었다. 어쨌거나 1956년에는 한 시간에 2달러가 나를 세상에서 제일 부유한 아이로 만들 수 있었다. 나는 그렇게 많은 돈을 벌 수 있다고 생각하지 못했다. 나는 〈예〉라고 대답하고 싶었다. 나는 그 제안을 절실히 원했다. 새 자전거와 새 야구 글러브가 보였다. 내가 현금을 자랑할 때 친구들이 부러운 눈으로 쳐다볼 것이다. 뿐만 아니라, 그렇게 되면 지미와 그의 친구들이 나를 가난한 아이라고 놀리지 못할 것이다. 하지만 나는 왠지 입을 열지 못했다.

어쩌면 내 머리가 과열되어 고장이 났는지도 모른다. 하지만 나는 마음 깊은 곳에서 한 시간에 2달러를 간절히 원했다.

아이스크림이 녹아서 밑으로 떨어지고 있었다. 땅바닥에 떨어진 아이스크림을 개미들이 핥고 있었다. 부자 아버지는 자기를 쳐다보는 두 아이를 바라보았다. 아이들의 눈은 휘둥그레졌고 머리는 텅 비었다. 부자 아버지는 우리를 시험하고 있었다. 그분은 우리 마음의 일부가 그 제안을 원한다는 점을 잘 알고 있었다. 그분은 어떤 사람이든 돈으로 살 수 있는, 영혼의 일부 약한 부분이 있음을 잘 알았다. 그리고 그분은 어떤 사람이든 돈으로는 살 수 없는, 영혼의 강한 부분도 있음을 잘 알았다. 문제는 어느 것이 더 강하냐뿐이었다. 부자 아버지는 그 동안 수많은 영혼을 시험했다. 그분은 누군가와 입사 면접을 할 때마다 영혼을 시험했다.

「좋아. 그러면 한 시간에 5달러를 주겠다」

갑자기 내 안에서 침묵이 감돌았다. 무언가가 변해 있었다. 그 제안은 너무 큰 것이었고 우스꽝스럽기까지 했다. 당시에 한 시간에 5달러를 버는 어른은 그리 많지 않았다. 유혹이 사라지고 고요가 찾아왔다. 나는 천천히 고개를 돌려 왼쪽에 있는 마이크를 쳐다봤다. 마이크도 나를 쳐다봤다. 내 영혼의 약한 부분은 침묵하고 있었다. 대신에 영혼의 강한 부분이 나를 지배했다. 돈에 대한 고요와 확실성이 내 머리와 영혼을 지배했다. 나는 마이크도 같은 상태임을 알 수 있었다.

「잘했다」 부자 아버지가 부드럽게 말했다. 「대부분의 사람에게는 두려움과 욕심이라는 두 가지 인간 감정이 있단다. 먼저, 돈이 떨어진다는 두려움이 우리를 열심히 일하게 만든다. 그리고 월급을 받은 후에는 욕심 혹은 욕망이 돈으로 살 수 있는 그 모든 멋진 것을 생각하게 만든다. 그렇게 해서 하나의 패턴이 나타나지」

「어떤 패턴인데요?」 내가 물었다.

「일어나서 일터에 가고 청구서를 처리하고, 또 일어나서 일터에 가고 청구서를 처리하는 패턴이지. 그렇게 되면 사람들의 삶은 영원히 두려움과 욕심이라는 두 가지 감정의 지배를 받지. 그들에게 더 많은 돈을 제시하면, 그들은 지출을 더 늘려서 다시 그 패턴을 반복한다. 이것이 내가 말하는 〈쥐 경주〉이다」

「다른 길도 있나요?」 마이크가 물었다.

「물론, 있지」 부자 아버지가 천천히 말했다. 「하지만 몇몇 사람만 그 길을 찾는단다」

「그 길이 어떤 길인데요?」 마이크가 물었다.

「바로 그것이 너희들이 나와 함께 일하고 공부하는 과정에서 찾기를 원하는 거다. 그래서 내가 어떤 보수도 지급하지 않는 것이고」

「힌트 좀 주세요」 마이크가 말했다. 「우리는 이제 열심히 일하는데 지치고 있어요. 게다가 보수도 없다구요」

「첫번째 단계는 진실을 얘기하는 것이다」 부자 아버지가 말했다.

「거짓말을 한 적은 없는데요」 내가 말했다.

「거짓말을 한다고 말하는 게 아니다. 진실을 얘기하라는 것뿐이지」

「어떤 진실 말인가요?」 내가 물었다.

「너희들이 느끼는 감정」 부자 아버지가 말했다. 「그것을 다른 사람에게 말할 필요는 없다. 그냥 스스로 말하기만 하면 된다」

「그럼, 이 공원에 있는 저분들과 마틴 여사 같은 다른 분들은 그렇지 않다는 말인가요?」 내가 물었다.

「나는 그렇다고 생각한다」 부자 아버지가 말했다. 「대신에 그들은 돈이 떨어져간다는 두려움을 느끼지. 하지만 그들은 두려움에 맞서지도 않고, 머리를 써서 생각하는 대신에 감정적 반응부터 보인다. 그들은 머리를 사용하지 않고 감정적으로 반응하지」 부자 아버지는 그렇게 말하면서 우리의 머리를 두드렸다. 「그래서 그들은 손에 약간의 현금을 쥐고 나면 다시 기쁨과 욕심과 욕망의 감정을 느끼게 되지. 그리고 다시, 생각하는 대신에 감정적으로 반응한단다」

「그러니까 감정이 생각을 대신한다는 건가요?」 마이크가 말했다.

「바로 그렇지」 부자 아버지가 말했다. 「그들은 느낌을 솔직하게 얘기하지 않고 단지 느낌에 반응하며, 머리로는 생각하지 못하지. 그들은 두려움을 느끼며 일터로 가고, 그러면서 돈이 두려움을 없애줄 거라고 기대한다. 하지만 그렇게는 되지 않지. 그 두려움은 다시 찾아오고, 사람들은 다시 일터로 가게 되지. 그러면서 그들은 돈이 두려움을 잠재울 거라고 기대하지. 하지만 이번에도 그렇게는 되지 않는다. 그들은 두려움 때문에 일하고, 돈을 벌고, 또 일하고, 결국 돈을 버는 덫에 갇히게 되지. 그러면서 그들은 두려움이 사라질 거라고 기대한다. 하지만 매일 아침 일어날 때마다 그 두려움은 다시 찾아온단다. 수많은 사람들이 그 두려움 때문에 잠을 설치며 밤새 걱정하고 뒤척이지. 그래서 그들은 다시 일어나 일터로 간다. 그러면서 자신들의 영혼을 갉아먹는 두려움을 돈이 처리해줄 거라고 기대하지. 결국 돈이 그들의 인생을 지배하게 되지. 하지만 그들은 그것에 대해 진실을 얘기하지 않는다. 돈이 그들의 감정을 관리하고, 결국 그들의 영혼까지 통제하게 되는 거지」

부자 아버지는 조용히 앉아 우리를 관찰하고 있었다. 마이크와 나는 그분이 한 얘기를 충분히 이해할 수 없었다. 나는 어른들이 왜 급히 일터로 가는지 종종 의아해한 기억만 떠올렸다. 그것은 그리 재미있는 것 같지도 않았고, 사람들도 그렇게 행복한 것 같지 않았다. 그럼에도 그들은 무언가 때문에 급히 일터로 가곤 했다.

우리가 나름대로 생각을 했음을 감지한 부자 아버지는 다시 얘기했다. 「나는 너희들이 그 함정을 피했으면 한다. 사실은 그것이 내가 가르치고 싶은 것이다. 부자가 되는 것으로는 충분치가 않다. 부자가 된다는 것이 문제를 해결하는 것은 아니기 때문이지」

「그런가요?」 내가 놀란 표정으로 물었다.

「그렇다. 나머지 다른 감정도 설명을 하마. 욕망이라는 감정 말이다. 어떤 사람들은 그것을 욕심이라고도 하지만, 나는 욕망이라는 말이 더 좋다. 무언가 더 좋고, 더 예쁘고, 더 재밌거나 흥미로운 것을 바라는 것은 아주 정상적이다. 그래서 사람들은 욕망 때문에라도 돈을 위해 일한다. 사람들이 돈을 바라는 것은 돈으로 살 수 있는 즐거움 때문이기도 하지. 하지만 돈으로 사는 즐거움은 대개 순간적인 것이다. 사람들은 곧 더 많은 기쁨, 더 많은 만족을 위해 더 많은 돈을 필요로 한다. 그래서 사람들은 계속 일한다. 그들은 돈이 두려움과 욕망으로 흔들리는 영혼을 달랠 수 있을 거라고 생각하는 거지. 하지만 돈은 그렇게 할 수 없다」

「부자들도 그런가요?」 마이크가 물었다.

「부자들도 그렇다」 부자 아버지가 말했다. 「사실 많은 부자들이 부자인 것은 욕망 때문이 아니라 두려움 때문이다. 그들은 돈이, 자신들의 수중에 돈이 없을 때 느끼는 두려움, 혹은 가난해지는 두려움을 없애줄 거라고 생각한단다. 그래서 그들은 엄청난 재산을 축적하지만, 그럴수록 그런 두려움은 더 심해지기만 한단다. 이제는 돈을 잃을까 봐 두려워하지. 나에게는 돈이 많아도 계속해서 일하는 친구들이 있다. 나는 백만장자이면서도 가난했을 때보다 더 두려워하는 사람들을 안다. 그들은 그 모든 돈을 잃을까 봐 겁에 질려 있지. 그들을 부자로 만든 그 두려움이 부자가 되어도 더 심해진 거지. 그들의 영혼 가운데 약한 부분은 더 크게 소리를 지른다. 그들은 큰 집과 자동차, 그리고 돈이 가져다준 부자의 삶을 잃지 않으려 하지. 그들은 그 모든 돈이 없어지면 친구들이 자신들을 어떻게 얘기할지 걱정한단다. 그래서 많은 부자들이 감정적으로 필사적이고 신경질적이다. 겉으로는 부자이고 돈은 더 많아도 말이다」

「그럼, 가난한 사람이 더 행복한가요?」 내가 물었다.

「아니, 나는 꼭 그렇다고는 생각하지 않는다」 부자 아버지가 대답했다. 「돈을 피하는 것은 돈에 얽매이는 것만큼이나 잘못된 것이다」

그것이 신호이기라도 하듯, 마을의 한 거지가 우리 테이블을 지나 큰 쓰레기통에 멈춘 후 그것을 뒤지기 시작했다. 우리 세 사람은 주의 깊게 그 사람을 지켜보았다. 어쩌면 그 거지는 아까부터 그곳에 있었는지도 모른다.

부자 아버지는 지갑에서 1달러를 꺼내 늙은 거지에게 손짓을 했다. 돈을 본 거지가 즉시 우리에게 다가와 지폐를 받은 후 부자 아버지에게 너무나도 감사해했다. 그 사람은 갑작스런 행운에 입이 벌어진 채 급히 떠나갔다.

「저 사람은 대부분의 내 직원들과 크게 다르지 않다」 부자 아버지가 말했다. 「나는 그 동안 〈나는 돈에는 관심이 없어요〉라고 말하는 사람들을 많이 만났다. 말은 그렇게 해도 그들도 하루에 여덟 시간 동안 일에 매달려 살지. 그것은 진실을 거부하는 거다. 그들이 돈에 관심이 없다면 왜 일을 하겠니? 그런 사고 방식은 돈을 쌓아두는 사람보다 더 잘못된 것일지 모른다」

그곳에 앉아 부자 아버지의 말을 듣는 동안, 나는 진짜 아버지가 수도 없이 했던 그 말을 떠올렸다. 「나는 돈에는 관심이 없다」 나의 진짜 아버지는 종종 그렇게 얘기했다. 그분은 또 이렇게 말하면서 자신을 합리화했다. 「나는 일을 사랑하기 때문에 일을 한다」

「그럼, 우리는 어떻게 해야 하나요?」 내가 물었다. 「두려움과 욕망의 흔적이 모두 사라질 때까지 돈을 위해 일하지 말아야 하나요?」

「아니지. 그건 시간 낭비가 될 뿐이지」 부자 아버지가 말했다. 「감정은 우리를 인간으로 만드는 거야. 우리를 진짜로 만드는 거야. 〈감정〉이란 말은 에너지가 움직이고 있다는 뜻이야. 우리는 자신의 감정에 솔직해야 돼. 그리고 마음과 감정을 자신에게 유리하게 사용해야 해. 불리하게 사용하는 것이 아니라」

「어휴!」 마이크가 말했다.

「방금 내가 한 말에 신경 쓰지 말거라. 앞으로 때가 되면 이해가 될 테니까. 다만 감정에 반응하지 말고 그것을 관찰해라. 대부분의 사람들은 감정이 이성적 사고를 대신하고 있음을 알지 못해. 우리의 감정은 우리의 감정이야. 하지만 스스로 생각하는 법을 배워야만 한다」

「예를 들면 어떤 것이 있는데요?」 내가 물었다.

「그래, 예를 들어보자」 부자 아버지가 말했다. 「어떤 사람이 〈나는 직장을 구해야 한다〉라고 말할 때, 그것은 대개 이성적 사고가 아닌 감정에서 나오지. 돈이 떨어진다는 두려움이 그런 생각을 하게 만들지」

「하지만 사람들이 대금 청구서를 처리하려면 돈이 있어야 하잖아요?」 내가 말했다.

「물론 그렇지」 부자 아버지가 빙긋 웃었다. 「다만 내 얘기는 너무나 자주 두려움이 이성적 사고를 움직인다는 거야」

「무슨 말인지 하나도 모르겠어요」 마이크가 말했다.

「예를 들면,」 부자 아버지가 말했다. 「돈이 충분치 않다는 두려움이 생길 때, 우리는 즉시 직장을 구해서 푼돈을 벌어 두려움을 없애는 대신에 스스로 이렇게 자문할 필요가 있다. 〈장기적으로 이 두려움을 없애는 최상의 해결책이 과연 직장일까?〉 내가 볼 때는 그렇지 않다. 특히 우리의 삶을 길게 볼 때는 더욱 그렇지. 사실 직장은 인생이라는 장기적인 문제의 단기적인 해결책에 불과하다」

「하지만 우리 아버지는 늘 이렇게 얘기해요. 〈학교에서 좋은 성적을 얻어 안정적인 직장을 찾거라.〉」 나는 다소 혼란스러워하며 그렇게 얘기했다.

「그래, 나도 네 아버지의 말은 이해한다」 부자 아버지가 미소를 지으며 얘기했다. 「대부분의 사람들은 그것을 권장하고, 대부분의 사람들에게 그것은 좋은 생각이지. 하지만 사람들이 그것을 권장하는 것은 기본적으로 두려움 때문이다」

「그럼, 우리 아버지가 두려움 때문에 그렇게 말한다는 건가요?」

「그래」 부자 아버지가 말했다. 「네 아버지는 돈을 벌지 못하고 사회에 적응하지 못할까 봐 겁에 질려 있어. 그렇다고 내 말을 오해하지는 말거라. 그분은 너를 사랑하고 너에게 잘해 주려고 애를 쓰지. 그리고 내가 볼 때 네 아버지의 두려움은 당연한 거야. 교육과 직업은 중요한 거지. 하지만 그것이 두려움을 해결하지는 못해. 네 아버지가 푼돈을 벌기 위해 아침에 일어나게 만드는 그 두려움은 너를 학교에 보내려고 기를 쓰게 만드는 두려움과 같은 거야」

「그럼, 우리는 어떻게 해야 해요?」 내가 물었다.

「내가 가르치고 싶은 것은 돈의 힘을 정복하는 것에 관한 거다. 그것을 두려워하지 말아야 한단다. 그리고 학교에서는 그런 것을 가르치지 않아. 하지만 그것을 배우지 못하면 돈의 노예가 될 수밖에 없지」

마침내 이해가 되기 시작했다. 부자 아버지는 우리가 시야를 넓히도록 가르치고 있었다. 마틴 여사도 그것을 볼 수 없었고, 다른 직원들도 그것을 볼 수 없었고, 우리 아버지 역시 그것을 볼 수 없었다. 부자 아버지가 예로 든 것들은 당시에는 잔인하게 보였다. 하지만 나는 그것들을 결코 잊지 않았다. 내 시야는 그날 넓어졌다. 그리고 나는 대부분의 사람들 앞에 놓인 함정을 볼 수 있게 되었다.

「우리 모두는 결국 고용인일 수밖에 없어. 다만 일하는 수준이 다를 뿐이지」 부자 아버지가 말했다. 「내가 원하는 것은 너희들이 그 함정을 피하도록 만드는 거다. 그 함정은 두 가지 감정, 즉 두려움과 욕망 때문에 발생하지. 그런 감정을 자신에게 유리한 쪽으로 활용해야 한다. 내가 가르치고 싶은 것이 바로 그것이다. 나는 너희들이 돈을 많이 벌도록 가르치는 것에는 별 흥미가 없단다. 그런 것은 두려움이나 욕망을 처리하지 못해. 먼저 두려움과 욕망을 처리할 수 있어야 한다. 그렇지 않으면 부자가 되어도 돈이 많은 노예가 되는 거야」

「그럼, 우리는 그 함정을 어떻게 피할 수 있죠?」 내가 물었다.

「가난이나 금전적 어려움의 근본 원인은 두려움과 무지다. 경제나 정부나 부자들이 그 원인은 아니지. 사람들이 함정에 빠지는 것은 스스로 만든 두려움과 무지 때문이다. 그래서 너희들은 학교에 가고 대학에도 진학하지. 너희들이 그 함정에서 어떻게 나올 수 있는지 내가 가르쳐주마」

퍼즐의 조각들이 나타나기 시작했다. 교육을 많이 받은 내 아버지는 좋은 교육을 받았고 좋은 직업을 얻었다. 하지만 학교는 돈이나 두려움을 다루는 법을 가르치지 않았다. 이제 나는 두 분의 아버지에게서 서로 다른 중요한 것들을 배울 수 있었다.

「지금까지 돈을 갖고 있지 않을 때 느끼는 두려움에 대해서 얘기하셨어요. 그럼 돈의 욕망은 우리의 사고에 어떤 영향을 끼치나요?」 마이크가 물었다.

「내가 더 많은 보수로 너희를 유혹했을 때 기분이 어땠니? 너희들의 욕망이 높아지는 것을 느꼈니?」

우리는 고개를 끄덕였다.

「너희는 감정에 굴복하지 않음으로써 즉각적인 반응을 늦추고 이성적으로 생각할 수 있었다. 그것이 아주 중요하다. 우리는 늘 두려움과 욕망의 감정을 갖게 된다. 이제부터는 그런 감정을 유리하게, 그리고 장기적으로 사용하는 것이 아주 중요하다. 그리고 감정에 휩쓸려 이성적 사고가 방해를 받아서는 안 된다. 대부분의 사람들은 두려움과 욕망을 불리하게 사용한다. 그것이 무지의 시작이지. 대부분의 사람들은 월급 봉투와 월급 인상, 그리고 직업의 안정을 좇으며 산다. 그건 모두 두려움과 욕망의 감정 때문이다. 그들은 감정에 휩쓸린 그런 생각이 어떤 결과를 초래할지 자문하지 않는다. 그것은 당나귀가 자기 코앞에 걸린 당근을 좇으며 마차를 끄는 모습과도 비슷하지. 당나귀 주인은 그런 식으로 원하는 곳에 갈 수도 있다. 하지만 당나귀는 환상을 좇고 있는 거다. 다음날도 당나귀에게는 당근이 있을 뿐이지」

「그럼, 내가 새 야구 글러브와 사탕과 장난감을 마음속에 그릴 때, 그것이 당나귀의 당근과 비슷하다는 말인가요?」 마이크가 물었다.

「그렇지. 그리고 나이가 들수록 장난감은 더 비싸진단다. 친구들을 감동시킬 새 자동차와 보트, 그리고 큰 집처럼 말이다」 부자 아버지가 미소를 지으며 얘기했다. 「두려움이 우리를 문밖으로 내몰며, 욕망이 우리에게 손짓을 한다. 우리를 험한 길로 유혹하는 것이지. 그것이 함정이다」

「그렇다면 해답은요?」 마이크가 물었다.

「두려움과 욕망을 가중시키는 것은 무지이다. 그래서 돈이 많은 부자들이 종종 부자가 될수록 더 두려움을 느끼는 거지. 돈은 당근이고 환상이야. 당나귀가 더 큰 그림을 볼 수 있다면 무작정 당근을 좇는 선택은 재고해 볼 텐데 말이다」

부자 아버지는 계속해서 설명했다. 우리의 삶은 무지와 깨달음 사이의 투쟁이라고.

부자 아버지가 다시 얘기했다. 「우리가 자신에 대한 정보와 지식을 더 이상 추구하지 않을 때, 그때 무지가 들어서는 거다. 우리의 투쟁은 매 순간의 결정이지. 즉, 자신의 마음을 열거나 닫는 법을 배우는 거다」

「물론 학교는 너무나도 중요하지. 우리는 학교에 가서 기술이나 전문 지식을 배워 사회의 소중한 일원이 된다. 어느 사회에서나 교사, 의사, 엔지니어, 예술가, 요리사, 사업가, 경찰관, 소방관, 혹은 군인이 필요하다. 학교가 그런 사람들을 배출해야 우리 사회가 번창할 수 있지」 부자 아버지가 말했다. 「하지만 아쉽게도 많은 사람들에게 학교는 끝이다. 시작이 아니라 끝이란 말이지」

오랫동안 침묵이 흘렀다. 부자 아버지는 미소를 짓고 있었다. 나는 그날 그분의 얘기를 모두 이해하지는 못했다. 하지만 대부분의 훌륭한 교사들의 가르침이 오래 지속되는 것처럼, 부자 아버지의 가르침은 오늘날에도 나에게 남아 있다.

「오늘 나는 약간 잔인했다」 부자 아버지가 말했다. 「어떤 이유로 잔인했던 것이다. 나는 너희들이 이 얘기를 오래 기억했으면 한다. 그리고 너희들이 마틴 여사를 늘 생각했으면 한다. 또 너희들이 그 당나귀를 늘 생각했으면 한다. 절대로 잊지 말거라. 왜냐하면 우리의 두 가지 감정, 즉 두려움과 욕망이 아주 위험한 함정으로 우리를 몰 수도 있기 때문이지. 그것들이 우리의 생각을 지배할 수도 있다. 평생 두려움 속에 살면서 자신의 꿈을 펼치지 않는 것은 정말 잔인한 일이지. 돈을 위해 일하면서 돈만 있으면 행복하다고 생각하는 것도 잔인한 일이고, 한밤중에 깨어나 청구서 처리에 겁을 먹는 것 또한 끔찍한 삶이지 않겠니. 월급 봉투의 크기로 결정되는 삶은 삶이라고 할 수 없다. 직장이 안정감을 줄 거라고 생각하는 것은 자신에게 거짓말을 하는 것과 같다. 그것은 잔인한 일이며, 나는 너희만큼은 그런 함정을 피했으면 한다. 나는 돈이 사람들의 삶을 어떻게 지배하는지 잘 보아왔다. 너희들은 그렇게 되지 말아야 한다. 절대로 돈의 지배를 받아서는 안 된다」

소프트볼 공이 우리가 앉아 있는 탁자 밑으로 굴러왔다. 부자 아버지가 공을 주워 다시 던졌다.

「그런데, 무지는 욕망과 두려움에 어떤 관계가 있나요?」 내가 물었다.

「왜냐하면 돈에 대한 무지가 너무도 많은 욕심과 너무도 많은 두려움을 야기하기 때문이지」 부자 아버지가 말했다. 「몇 가지 예를 들어보자. 의사들은 더 나은 생활을 위해 더 많은 돈이 필요해서 진찰료를 올린다. 의사들이 진찰료를 올리면 모든 사람들에게 의료보험료가 더 비싸진다. 그러면 가난한 사람들이 가장 큰 피해를 입게 되지. 그래서 가난한 사람들은 돈이 있는 사람들보다 건강이 더 나빠진다.

의사들이 진찰료를 올리면, 변호사들도 당연히 수임료를 올리지. 변호사들이 수임료를 올리면, 교사들도 월급 인상을 요구한다. 그렇게 되면 세금이 높아지고……. 이런 식으로 계속된다. 그러면 빈부 차이가 너무도 크게 벌어져 혼란이 일어나고 또 하나의 위대한 문명이 무너진다. 위대한 문명들이 무너진 것은 가진 자와 못 가진 자의 차이가 너무 커질 때였단다. 미국도 같은 길을 가고 있는데, 우리가 역사에서 그것을 배우지 못하기 때문에 그와 같은 역사가 반복되고 있다. 우리는 역사적인 사건과 날짜만 기억하지, 역사 속에 숨겨진 교훈은 기억하지 못한다」

「진찰료나 수임료나 월급 같은 거는 원래 올라가는 것이 아닌가요?」 내가 물었다.

「정부가 제 기능을 하는 사회에서는 그렇지 않다. 이런 물가는 사실 내려가야 한다. 물론 그것은 이론적으로만 그럴 때가 많다. 물가가 올라가는 것은 무지로 야기된 욕심과 두려움 때문이다. 학교에서 돈에 대해 가르친다면, 돈은 더 많아지고 물가는 더 내려간다. 하지만 학교에서는 돈을 위해 일하는 법만 가르치지, 돈의 힘을 다스리는 법은 가르치지 않지」

「하지만 경영 대학원이 있잖아요?」 마이크가 물었다. 「내가 경영 대학원에 가서 MBA를 받는 것이 좋지 않을까요?」

「물론 그렇기는 하지」 부자 아버지가 말했다. 「하지만 경영 대학원들은 계산 잘하는 똑똑한 직원들만 훈련시킨다. 계산만 잘하는 사람들이 사업체를 맡으면 절대 안 된다. 그들이 하는 일이라곤 숫자만 보고 사람들을 자르고, 사업체를 죽이는 거다. 나도 그런 사람들을 채용하기 때문에 잘 안다. 그들이 생각하는 것이라곤 비용을 줄이고 가격을 높이는 것뿐이다. 그러면 더 많은 문제가 생긴다. 계산도 중요하긴 하지. 더 많은 사람들이 그것을 알아야만 하지. 하지만 그것도 더 큰 그림은 아니다」 부자 아버지는 화난 표정으로 덧붙였다.

「그럼, 어떤 해답이 있나요?」 마이크가 물었다.

「물론, 있지」 부자 아버지가 말했다. 「감정을 사용해서 〈생각하는 법〉을 배워라. 감정으로 생각해서는 안 된다. 너희들이 무보수로 일하겠다고 말하면서 감정을 통제했을 때, 나는 희망이 있다고 생각했다. 그리고 내가 더 많은 돈으로 너희들을 유혹했는데도 너희들이 다시 감정을 억제했을 때, 너희는 감정에 휩쓸리지 않고 생각하는 법을 배우고 있었다. 그것이 첫번째 단계이다」

「그 단계가 왜 그렇게 중요한데요?」 내가 물었다.

「그것은 너희가 알아내야 한다. 너희가 배움을 원한다면, 내가 너희를 찔렛가시 덤불로 데려가겠다. 거의 모든 사람들이 피하려 하는 그곳으로 말이다. 내가 너희를 대부분의 사람들이 가지 않으려 하는 그곳으로 데려가겠다. 나와 함께 갈 때 너희는 돈을 위해 일하는 생각을 버리고 돈이 너희를 위해 일하게 하는 법을 배워야 한다」

「우리가 함께 갈 때 무엇을 얻게 되는데요? 우리가 배우겠다고 동의할 때 무엇을 얻게 되는데요?」 내가 물었다.

「찔렛가시 토끼가 얻었던 것과 같은 것이다」 부자 아버지가 말했다. 「덤불에서 빠져나오는 자유 말이다」

「찔렛가시 덤불이 있나요?」 내가 물었다.

「그럼, 있지」 부자 아버지가 말했다. 「찔렛가시 덤불은 우리의 두려움과 욕망을 나타내지. 우리의 두려움 속으로 들어가 욕망과 약함에 맞서는 것이 그 덤불에서 빠져나오는 길이다. 그리고 빠져나오는 길은 마음으로 통한다. 이제 우리의 사고를 선택해야 한다」

「우리의 사고를 선택한다구요?」 마이크가 어리둥절해하며 물었다.

「그래. 우리의 감정에 반응하는 것이 아니라 우리의 이성적 사고를 선택하는 거지. 그냥 아침에 일어나서 일터로 가 문제를 해결하는 것도 아니야. 청구서를 처리할 돈이 떨어진다는 두려움에 겁을 먹는 것도 아니다. 이성적 사고를 하려면 시간을 갖고 스스로 질문을 던져야 한다. 이를테면 이런 질문이다. 〈이렇게 더 열심히 일하는 것이 이 문제를 해결할 최상의 방책인가?〉 대부분의 사람들은 겁에 질려 자신에게 진실을 얘기하지 못하지. 즉, 두려움이 지배하는 거다. 그래서 그들은 생각하지 못하고, 그래서 문밖으로 뛰어나가지. 두려움 때문에 말이다. 우리는 그렇게 하지 말고 우리의 사고를 선택해야 한다」

「우리가 어떻게 해야 그렇게 할 수 있죠?」 마이크가 물었다.

「그게 바로 내가 너희들에게 가르치려는 거다. 나는 너희들이 어떻게 이성적 사고를 선택할 수 있는지 가르칠 거다. 그냥 무조건 반사적으로 행동하는 게 아니란 말이다. 커피를 벌컥벌컥 마시고 문 밖으로 뛰어나가는 게 아니란 말이지.

아까 내가 했던 말을 기억하니? 직장은 장기적인 문제의 단기적인 해결책에 불과하다. 대부분의 사람들은 마음에 한 가지 문제만 갖고 있다. 그리고 그것은 단기적인 거지. 월말에 처리해야 하는 청구서들이 문제지. 바로 두려움의 대상들이지. 그래서 돈이 삶을 지배하고. 혹은 이렇게 말할 수도 있어. 돈에 대한 두려움과 무지라고. 그래서 그들은 부모들이 했던 일을 하지. 매일 아침 일어나서 돈을 위해 일하는 거야. 시간을 갖고 〈다른 길이 없을까?〉라고는 얘기하지 못하지. 그들의 사고는 머리의 지배를 받지 않고 감정의 지배를 받는 거지」

「감정으로 하는 사고와 머리로 하는 사고의 차이가 뭐죠?」 마이크가 물었다.

「그래, 좋은 질문이다. 사람들은 늘 그것을 묻지」 부자 아버지가 말했다. 「사람들은 종종 이렇게 얘기하지. 〈누구나 일을 해야 한다〉, 혹은 〈부자들은 사기꾼이다〉, 혹은 〈다른 직장을 얻어야겠다, 당연히 봉급이 올라야 한다, 나를 이렇게 내두르면 안 된다〉, 혹은 〈나는 이 자리가 안정적이어서 좋다〉. 하지만 이런 말들은 하지 않지. 〈내가 여기서 놓치고 있는 무언가가 있는 걸까?〉 이런 질문이 감정적인 생각을 깨뜨리지. 그리고 명확하게 생각할 시간을 주지」

솔직히 그것은 멋진 교훈이었다. 우리가 감정에 좌우되어 말을 하고 있는지, 아니면 명확한 사고에 의해 말을 하고 있는지 아는 것 말이다. 그 교훈은 내 삶에 중요한 역할을 했다. 특히 내가 명확한 사고가 아닌 단순한 반응에 의해 말을 할 때 더욱 그랬다.

우리가 다시 가게로 향할 때, 부자 아버지가 설명했다. 부자들은 정말로 〈돈을 만든다(make money)〉고. 그들은 돈을 위해 일하지 않는다. 부자 아버지가 계속해서 설명했다. 마이크와 내가 납으로 5센트짜리 동전을 만들 때, 그런 식으로 돈을 만들려 했을 때, 그 때 우리는 부자들과 아주 비슷한 방식으로 생각하고 있었다고. 문제는 그렇게 하는 것이 불법이라는 점이었다. 정부와 은행들이 그렇게 하는 것은 합법이었지만, 우리가 그렇게 하는 것은 불법이었다. 부자 아버지는 돈을 만드는 데는 합법적인 방법과 불법적인 방법이 있다고 설명했다.

부자 아버지는 계속해서 설명했다. 「부자들은 돈이 환상임을, 그러니까 당나귀가 좇는 당근임을 잘 안다. 다만 두려움과 욕망 때문에 수많은 사람들이 돈을 진짜라고 생각하면서 환상을 좇는다. 돈은 사실 만들어진 것에 불과하다. 그럼에도 사람들은 착각과 무지 속에서 돈의 환상을 좇는다. 오히려 당나귀의 당근이 여러 면에서 돈보다 더 소중하다」 부자 아버지가 말했다.

부자 아버지는 미국이 채택하고 있는 금본위 제도를 설명했다. 그리고 화폐가 사실은 증명서에 불과하다고 얘기했다. 부자 아버지는 우리가 언젠가 금본위 제도를 포기하고 화폐가 증명서가 되지 않을 가능성을 걱정했다.

「그렇게 되면 모든 것이 엉망이 될 거다. 가난한 사람들과 중산층 사람들, 그리고 무식한 사람들은 삶을 망치게 될 거다. 왜냐하면 그들은 여전히 돈이 진짜이며 자신들이 일하는 회사, 혹은 정부가 자신들을 돌볼 거라고 생각할 것이기 때문이지」

우리는 그날 그분이 한 말을 제대로 이해하지 못했다. 하지만 나이가 들면서 그분의 말은 점점 더 이치에 맞았다.

부자가 되려면 남들이 보지 못하는 것을 보아야 한다.

부자 아버지는 가게 밖에 있는 픽업 트럭에 타면서 이렇게 얘기했다. 「얘들아, 계속해서 일하거라. 하지만 급여의 필요성을 더 빨리 잊을수록 어른이 된 후의 삶은 더 쉬워진다. 계속해서 머리를 쓰고 무보수로 일해라. 그러면 조만간에 나에게서 받는 것보다 훨씬 더 많은 돈을 벌 수 있게 될 거다. 너희는 남들이 못 보는 것을 보게 될 게다. 바로 너희들 코앞에 기회가 있다. 대부분의 사람들은 돈과 안정을 찾기 때문에 그런 기회를 보지 못하지. 그들이 얻는 것은 그것밖에 없다. 하나의 기회를 보는 순간, 너희는 평생 동안 많은 기회를 보게 된다. 너희가 그렇게 할 때, 내가 무언가 다른 것을 가르쳐주겠다. 이것을 배우면 삶의 큰 함정 하나를 피하게 된다. 너희는 절대로 그런 함정에 빠지지 않을 게다」

마이크와 나는 가게에서 소지품을 챙긴 후 마틴 여사에게 작별인사를 했다. 우리는 다시 그 공원으로, 바로 그 피크닉 테이블로 돌아왔다. 그리고 몇 시간 동안 더 생각하고 얘기했다.

우리는 다음 주에 학교에서 생각하고 얘기하며 시간을 보냈다. 우리는 2주 동안 더 생각하고, 얘기하고, 무보수로 일했다.

두번째 토요일이 끝날 무렵에, 나는 다시 마틴 여사에게 작별 인사를 하면서 아쉬운 표정으로 만화책 진열대를 보고 있었다. 매주 토요일 30센트조차 못 받는 것의 어려움은 나에게 만화책 살 돈이 없다는 것을 의미했다. 갑자기, 마틴 여사가 마이크와 나에게 작별 인사를 할 때, 나는 그분이 전에도 했지만 내가 그 동안 보지 못했던 어떤 일을 하는 것을 보았다. 그러니까, 그분이 그 일을 하는 것을 전에도 보았지만, 그때까지는 내 눈길을 끌지 못했던 일이었다.

마틴 여사가 만화책의 표지를 반으로 자르고 있었다. 그분은 표지의 위쪽 절반을 보관하고 만화책의 나머지는 커다란 갈색 골판지 상자에 던져넣었다. 내가 그분에게 그 만화책들을 어떻게 하느냐고 물어보니 마틴 여사가 이렇게 말했다. 「그냥 버리는 거야. 표지의 위쪽 절반은 만화책 공급자가 새 만화책들을 가져올 때 증거로 그들에게 주지」

마이크와 나는 한 시간 동안 기다렸다. 이윽고 만화책 공급자가 도착했고, 나는 그 사람에게 우리가 만화책들을 가져도 좋은지 물었다. 그 말에 그는 이렇게 대답했다. 「너희가 이 가게를 위해 일하고 그것들을 되팔지 않는다면 가져도 좋다」

마이크와 나의 동업은 다시 시작되었다. 마이크네 집의 지하에 아무도 쓰지 않는 공간이 있었다. 우리는 그곳을 청소한 후에 수백 권의 만화책을 그곳에 쌓기 시작했다. 그리고 곧 우리의 만화책 도서관이 일반인에게 공개되었다. 우리는 공부를 좋아하는 마이크의 여동생을 도서관 사서로 채용했다. 마이크의 여동생이 아이들에게 도서관 입장료로 10센트씩을 요구했다. 우리의 도서관은 매일 방과 후에 2시 반부터 4시 반까지 문을 열었다. 우리 동네의 아이들인 고객들은 두 시간 동안 마음대로 만화책을 볼 수 있었다. 그것은 아이들에게도 좋은 조건이었다. 당시 만화책 값이 10센트였는데, 아이들은 두 시간 동안에 대여섯 권은 너끈히 읽을 수 있었다.

마이크의 여동생이 퇴장하는 아이들을 확인해 만화책을 가져가지 못하도록 했다. 마이크의 여동생은 또 만화책들을 정리하고, 매일 입장하는 아이들의 수를 기록하고, 누가 왔는지, 그리고 어떤 건의를 했는지 기록했다. 마이크와 나는 3개월 동안 1주일에 10달러 가량을 벌었다. 마이크의 여동생은 주급으로 1달러를 받았고 만화책을 공짜로 읽을 수 있었다.

마이크와 나는 토요일마다 가게에서 일하고 여러 가게에서 만화책을 모두 수집해 우리의 약속을 지켰다. 우리는 만화책을 팔지 않음으로써 만화책 공급업자에게 한 약속을 지켰다. 우리는 만화책이 넝마가 되면 불에 태웠다. 우리는 지점을 열려고 했지만, 마이크의 여동생만큼 믿음직한 직원을 찾을 수가 없었다.

우리는 어렸을 때 이미 좋은 직원을 찾는 것이 얼마나 힘든지 잘 알았다.

만화책 도서관이 문을 연 지 3개월 후에 그곳에서 싸움이 벌어졌다. 다른 동네의 몇몇 악동들이 그곳에 침입해서 싸움이 일어난 것이다. 마이크의 아버지는 사업을 포기하라고 권고했다. 그래서 우리의 만화책 사업은 끝이 났고, 우리는 토요일에 가게에서 일하는 것을 그만두었다. 어쨌거나 부자 아버지는 새로 가르칠 것들이 생겨서 신이 나 있었다. 그분은 우리가 첫번째 교훈을 잘 배웠기 때문에 기뻐했다. 우리는 돈이 우리를 위해 일하게 하는 법을 배운 것이다. 가게에서 일하는 보수를 받지 않음으로써, 우리는 어쩔 수 없이 상상력을 동원해 돈을 버는 기회를 찾아냈다. 우리의 사업체인 만화책 도서관을 시작함으로써, 우리는 고용주에게 의존하지 않고 스스로 금전 문제를 통제했다. 특히 우리가 육체적으로 사업장에 있지 않아도 사업체가 돈을 만들게 한 것이 큰 소득이었다. 우리의 돈이 우리를 위해 일한 것이었다.

부자 아버지는 우리에게 돈을 주는 대신에 훨씬 더 큰 것을 주었다.

두번째 교훈

왜 부자들은 자녀들에게 돈에 관한 지식을 가르칠까

사람들이 돈에 관한 교육을 받지 않고 학교를 졸업하기 때문에,
교육을 많이 받은 수많은 사람들이 성공적인 직장 생활을 하면서도
결국에는 경제적으로(금전적으로) 고생을 하게 된다.
그들은 더 열심히 일하지만 앞서 나가지는 못한다.
그들의 교육에서 빠져 있는 것은
돈을 버는 방법이 아니라 돈을 번 후에 관리하는 방법이다.
열심히 일하는 법만 배웠지 돈이 자신을 위해
일하게 하는 법은 배우지 못했기 때문이다.

왜 우리 아이들에게 돈에 관한 지식을 가르쳐야 할까?

1990년에 내 친구 마이크는 자기 아버지의 제국을 넘겨받았다. 그리고 이제는 자기 아버지보다 제국을 더 잘 운영하고 있다. 우리는 일년에 한두 차례 골프장에서 만나고 있다. 마이크 부부는 상상을 초월할 정도로 재산이 많다. 부자 아버지의 제국은 훌륭한 아들에게 넘겨졌고, 마이크는 자기 아버지가 그랬던 것처럼 이제 자기 아들에게 자리를 넘겨주기 위해 훈련을 시키고 있다.

1994년에 나는 마흔일곱 살의 나이로 은퇴를 했고, 당시 내 아내인 킴은 서른일곱 살이었다. 은퇴를 한다고 일을 안 한다는 것은 아니다. 우리 부부에게 은퇴는 엄청난 변화가 일어나지 않는 한 우리

가 일을 할 수도, 하지 않을 수도 있음을 의미한다. 그리고 우리의 재산은 인플레이션을 훨씬 앞서가며 자동적으로 늘어나고 있다. 나는 그것은 자유를 의미한다고 생각한다. 우리의 자산은 스스로 자랄 만큼 충분히 많다. 그것은 나무를 심는 것과 비슷하다. 몇 년 동안 꾸준히 나무에 물을 주면 어느 날 그럴 필요가 없어진다. 나무의 뿌리가 충분히 깊게 내려갔기 때문이다. 이렇게 되면 나무는 우리가 쉴 수 있는 그늘을 제공한다.

마이크의 선택은 제국의 운영이었고, 나의 선택은 은퇴였다.

내가 사람들에게 강연을 할 때, 그들은 종종 내가 무엇을 권장하는지, 또는 그들이 무엇을 할 수 있는지 묻곤 한다. 「우리는 어떻게 시작을 해야 하죠?」, 「당신이 추천하는 좋은 책이 있나요?」, 「우리는 아이들을 어떻게 준비시켜야 하죠?」, 「성공의 비결은 무엇인가요?」, 「당신은 어떻게 백만장자가 되었나요?」 그럴 때마다 나는 늘 전에 읽었던 이 기사를 떠올린다. 내용은 이렇다.

가난한 아버지는 독서의 중요성을 강조했고,
부자 아버지는 돈에 관한 지식의 중요성을 강조했습니다.

1923년에 유명한 지도자와 사업가들이 시카고의 한 호텔에서 모임을 가졌다. 그들의 면면을 보면, 세계 최대의 민간 철강 회사를 소유했던 찰스 스왑, 세계 최대의 유틸리티 회사를 이끌었던 사무엘 인슐, 세계 최대의 가스 회사 사장이었던 하워드 홉슨, 당시 세계적인 기업의 하나였던 인터내셔널 매치International Match Co.

사의 이바 크루거, 뉴욕 증권 거래소의 이사장이었던 리처드 위트니, 세계 최고의 주식 투자가였던 아서 코튼과 제시 리버모어, 그리고 하딩 대통령의 각료였던 앨버트 펄 등이었다. 그로부터 25년 후 (위에서 소개한) 아홉 명 사람들의 인생은 이렇게 끝이 났다. 스왑은 5년 동안 빌린 돈으로 살다가 무일푼으로 죽었다. 인슐은 외국에서 살다가 알거지로 죽었다. 크루거와 코튼도 알거지로 죽었다. 홉슨은 미치광이가 되었다. 위트니와 앨버트 펄은 막 감옥에서 나왔다. 리버모어는 자살을 했다.

이들에게 정말로 어떤 일이 일어났는지는 그 누구도 정확히 알지 못한다. 이들이 모였던 1923년은 1929년의 미국 시장 붕괴와 대공황의 직전이었다. 그래서 1929년의 상황이 그들의 삶에 큰 영향을 끼쳤을 것이다. 핵심은 이것이다. 즉, 오늘날의 우리는 당시의 그들보다 더 크고 더 빠른 변화의 시대를 살고 있다. 나는 향후 25년 동안 그들이 직면했던 것과 비슷한 기복이 있을 것이라고 생각한다. 또 나는 너무 많은 사람들이 너무나도 돈에 집착하고 최대의 재산인 교육에는 관심이 없는 것을 우려한다. 사람들이 탄력성을 갖고 열린 마음으로 배운다면 변화 속에서도 점점 더 부자가 될 것이다. 하지만 돈이 문제를 해결할 것이라고 생각하면 힘든 삶을 살 수밖에 없다. 지식이 문제를 해결하고 돈을 만든다. 금융 지식이 없는 돈은 곧 사라질 돈이다.

대부분의 사람들은 얼마나 많이 버느냐가 아니라 얼마나 많이 모으느냐가 중요하다는 것을 잘 모른다. 우리는 가난한 복권 당첨자들이 갑자기 부자가 되었다가 다시 가난해지는 얘기를 잘 알고 있다. 그들은 수백만 달러를 벌었다가 다시 곧 원점으로 돌아간다. 혹은 운동 선수들은 스물네 살에는 수백만 달러의 연봉을 받다가도 서른네 살에는 집도 없이 다리 밑에서 자기도 한다. 지금 이 글을 쓰는 오늘 아침 신문에 젊은 농구 선수의 기사가 실렸다. 그는 일년 전에는 수백만 달러가 있었지만, 이제는 돈을 모두 잃고 세차장에서 겨우 연명을 하고 있다.

그의 나이는 겨우 스물아홉 살이다. 이 사람은 세차장에서도 해고되고 말았는데, 그 이유는 그가 차를 닦을 때도 챔피언 반지를 끼려 했기 때문이다. 그래서 이 사람의 이야기가 신문에 났다. 이 사람은 반지가 자신의 전 재산이라고 주장하면서 탄원을 하고 있는데, 그 반지를 빼면 자신은 아무것도 아니라고 얘기한다.

나는 1997년에 갑자기 백만장자가 된 사람들을 많이 알고 있다. 다시 또 〈격동의 1920년대〉가 찾아온 것이다. 물론 나는 사람들이 점점 더 부자가 되는 것을 좋아한다. 그러나 나는, 결국에는 얼마나 많이 버느냐가 아닌 얼마나 많이 모으느냐, 그리고 얼마나 많은 세대에게 넘기느냐가 중요함을 강조한다.

그래서 사람들이 〈나는 어디서부터 시작해야 하나요?〉 혹은 〈내가 빨리 부자가 되는 법을 알려주세요〉 등을 물을 때 그들은 종종 내 대답에 크게 실망한다. 나는 그들에게 내가 어렸을 때 부자 아버지가 얘기했던 그것을 말해 줄 뿐이다. 〈부자가 되고 싶다면 돈에 관한 지식을 쌓아야 합니다.〉

부자 아버지는 나를 만날 때마다 그 점을 강조하곤 했다. 이미 얘기했듯이, 교육을 많이 받은 내 아버지는 독서의 중요성을 강조한 반면, 부자 아버지는 돈에 관한 지식의 중요성을 강조했다.

엠파이어 스테이트 빌딩을 지을 때 우리가 가장 먼저 해야 하는 일은 깊은 구덩이를 파고 튼튼한 초석을 쌓은 것이다. 반면에 교외에 집을 지을 때는 6인치의 콘크리트 기초만 만들면 된다. 그런데 많은 사람들은 빨리 부자가 되려고 6인치의 기초 위에 엠파이어 스테이트 빌딩을 지으려 한다.

농경 시대에 만들어진 우리의 학교 제도는 아직도 기초가 없는 집을 짓는다. 쉽게 말해서 지금의 학교 교육은 너무나 시대에 뒤떨어진 것이다. 그래서 아이들은 돈에 관한 아무런 지식 없이 학교를 졸업한다. 그러다가 어느 날, 교외 지역에서 잠 못 이루며 빚에 허덕일 때, 그들은 돈 문제의 해결책은 빨리 부자가 되는 길을 찾는 것이라고 결심한다.

그러면서 마천루를 세우는 공사가 시작된다. 순식간에 건물이 올라가지만, 그것은 엠파이어 스테이트 빌딩이 아니라 〈교외의 사탑〉이다. 다시 잠 못 이루는 밤이 찾아온다.

마이크와 내가 어른이 된 후에 그런 선택이 가능했던 것은 우리가 어렸을 때 튼튼한 금융 기초를 세우도록 배웠기 때문이다.

회계는 아마도 세상에서 가장 지루한 공부일 것이다. 회계는 또 가장 혼란스런 공부일 수도 있다. 하지만 당신이 (장기적으로) 부자가 되고 싶다면, 회계는 가장 중요한 공부일 수 있다. 문제는 그 지루하고 혼란스런 공부를 어떻게 아이들에게 가르치느냐 하는 것이다. 우선 그림으로 간단하면서도 쉽게 회계의 원리를 가르쳐라.

내 부자 아버지는 마이크와 나를 위해 튼튼한 금융 기초를 만들었다. 그분은 어린아이인 우리에게 간단한 방식으로 가르쳤다. 몇 년 동안 그분은 그림과 단어만을 사용해 우리에게 설명했다. 점차 마이크와 나는 그 간단한 그림, 회계 용어, 돈의 흐름 등을 이해했다. 그런 후에 부자 아버지는 숫자들을 사용하기 시작했다.

마이크는 어른이 되면서 훨씬 더 복잡하고 정교한 회계 분석을 배우려 했다. 왜냐하면 그것이 필요했기 때문이다. 그에게는 수십억 달러짜리 제국이 있었다. 나는 그렇게 정교하지는 못하다. 내 제국은 그보다 작기 때문이다. 하지만 우리는 똑같이 간단한 기초를 함께 배웠다. 이제 나는 마이크의 아버지가 만든 그 간단한 그림들을 여러분에게 소개하겠다. 그 그림들은 간단한 것이지만 두 꼬마가 튼튼하고 깊은 초석 위에 커다란 재산을 쌓도록 도와주었다.

첫번째로, 먼저 자산과 부채의 차이를 알고, 자산을 사야만 한다. 부자가 되고 싶다면 이것만 알면 된다. 이것이 첫번째 규칙이다. 그리고 유일한 규칙이다. 어쩌면 너무 단순한 것일 수도 있다. 하지만 대부분의 사람들은 이 규칙의 깊이를 전혀 모른다. 많은 이들이 재정적으로 고생하는 것은 자산과 부채의 차이를 모르기 때문이다.

「부자들은 자산을 획득한다. 반면에 가난한 사람들과 중산층 사람들은 부채를 획득하지. 하지만 그들은 그것이 자산이라고 생각한다」

부자 아버지가 마이크와 나에게 이것을 설명했을 때, 우리는 그분이 우리를 놀린다고 생각했다. 이제 막 10대가 되려는 소년들로, 부자가 되는 비결을 배우려 하는 우리에게 부자 아버지는 그런 답을 제시했다. 그것은 너무나도 간단했다. 그래서 우리는 오랫동안 그것을 생각해야만 했다.

「자산이 뭔데요?」 마이크가 물었다.

「지금은 걱정할 필요가 없다」 부자 아버지가 말했다. 「그냥 그런 게 있다고 알기만 하면 된다. 그 단순한 규칙을 이해하면, 너희들의 삶은 경제적으로 훨씬 더 쉬워진단다. 그것은 간단한 것인데, 그렇기 때문에 사람들이 더 놓친단다」

「그러면 자산이 무엇인지 알고 그것을 획득하기만 하면 부자가 된다는 건가요?」 내가 물었다.

부자 아버지는 고개를 끄덕였다. 「그럼, 그렇게 간단한 것이지」

「그렇게 간단한 것이라면, 왜 모두가 부자가 아닌 거죠?」 내가 물었다.

부자 아버지는 미소를 지었다. 「왜냐하면 사람들이 자산과 부채의 차이를 모르기 때문이지」

나는 이렇게 물은 기억이 난다. 「어떻게 어른들이 그렇게 멍청할 수 있죠? 그것이 그렇게 간단하다면, 또 그렇게 중요하다면, 왜 모두가 그것을 알려고 하지 않죠?」

부자 아버지는 곧 자산과 부채에 대해 설명하기 시작했다.

어른이 된 후에 나는 다른 어른들에게 그것을 설명하는 데 애를 먹고 있다. 왜 그럴까? 그 이유는 어른들은 아이들보다 더 똑똑하기 때문이다. 대개의 경우 간단한 개념이 어른들에게 먹히지 않는 것은 그들이 다른 식으로 교육을 받았기 때문이다. 그들은 다른 식으로 교육을 받은 전문가들로부터 교육을 받았다. 이를테면 은행가, 회계사, 부동산 중개인, 금융 컨설턴트, 그런 사람들 말이다. 애를 먹는 것은 어른들에게 다시 배우라고, 혹은 다시 아이들이 되라고 요구할 때이다. 똑똑한 어른들은 종종 단순한 개념에 관심을 갖는 것이 창피한 일이라고 느낀다.

부자 아버지는 두 꼬마들에게 간단하게 설명했다. 그리고 그것이 우리의 경제적 기초를 튼튼하게 만들었다.

그럼, 왜 혼란이 생기는 것일까? 혹은 그렇게도 간단한 것이 어떻게 헷갈리게 되는 것일까? 왜 사람들이 사실은 부채인 자산을 사는 것일까? 그 답은 기본적인 교육에서 찾아진다.

우리가 강조하는 단어는 단지 〈지식〉일 뿐 〈금융 지식〉이 아니다. 어떤 것을 자산이나 부채로 규정하는 것은 단어들이 아니다. 만약 당신이 혼란스러워지기를 원한다면 사전에서 〈자산〉과 〈부채〉라는 단어를 찾아보라. 사전의 정의는 훈련받은 회계사에게는 좋은 것일 수도 있다. 하지만 일반인에게는 아무 의미도 없다. 그러나 우리 어른들은 자존심이 너무 강해서 의미가 없다는 것을 인정하지 않는다.

어렸을 때 부자 아버지는 이렇게 얘기했다. 「자산을 규정하는 것은 단어들이 아니라 숫자들이다. 그래서 숫자들을 읽지 못하면 자산인지 땅속의 구멍인지 구분하지 못한다」

부자 아버지는 또 이렇게 얘기했다. 「회계에서는 숫자가 중요한 것이 아니라, 숫자가 너희들에게 얘기하는 그 내용이 중요하단다. 그것은 단어도 마찬가지다. 단어가 중요한 것이 아니라 단어가 너희들에게 얘기하는 스토리가 중요하단다」

많은 사람들이 읽기는 해도 제대로 이해하지는 못한다. 이른바 독해력이 문제라는 것이다. 그리고 사람들의 독해력은 저마다 다르다. 예를 들어 나는 최근에 새 VCR을 샀다. 그 기계에는 VCR의 여러 작동 방식을 설명하는 메뉴얼이 붙어 있었다. 내가 원한 것은 금요일 밤에 내가 좋아하는 TV 프로를 녹화하는 것뿐이었다. 나는 그 메뉴얼을 읽으면서 머리가 어지러웠다. 세상에서 VCR의 작동 방식을 배우는 것보다 더 어려운 것은 없어 보였다. 나는 단어들은 읽을 수 있었지만 아무것도 이해하지 못했다. 나는 단어들을 단순히 인식하는 데는 〈A〉를 받았지만 그것들을 이해하는 데는 〈F〉를 받았다. 그리고 대부분의 사람들에게 금융 보고서는 이와 같을 것이다.

「부자가 되고 싶으면 숫자를 읽고 이해해야 한다」 나는 부자 아버지에게서 그 말을 골백번도 넘게 들었다. 나는 또 이런 말도 들었다. 「부자들은 자산을 획득하고, 가난한 사람들과 중산층 사람들은 부채를 획득한다」

이제부터 자산과 부채의 차이를 설명하겠다. 대부분의 회계사와 금융 전문가는 이 정의에 동의하지 않는다. 하지만 아래의 간단한 그림들이 두 꼬마에게 튼튼한 금융 초석의 출발이 되었다.

부자 아버지는 어린 우리들에게 모든 것을 간단하게 가르쳤다. 가능한 한 그림들을 많이 사용했고 단어들은 적게 사용했다. 그리고 몇 년 동안 숫자들은 전혀 사용하지 않았다.

▶ 자산의 현금 흐름 패턴

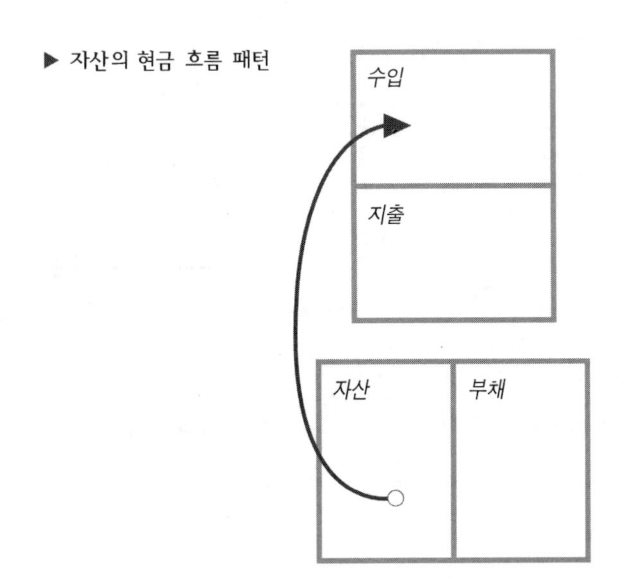

앞의 그림에서 위쪽의 상자는 〈수입 계산서〉, 흔히 〈손익 계산서〉로 불리는 것이다. 이것은 들어오는 돈과 나가는 돈 즉, 수입과 지출을 측정한다. 아래쪽의 그림은 〈대차 대조표〉이다. 이것은 자산과 부채의 균형을 측정한다. 많은 금융 초보자들이 수입 계산서와 대차 대조표의 관련성을 알지 못한다. 이런 관련성을 아는 것은 무척 중요하다.

돈 문제의 근본 원인은 자산과 부채의 차이를 모르기 때문에 나타난다. 혼란의 원인은 두 단어의 정의에서 발견된다. 그 혼란을 통해 교훈을 배우기 원한다면 사전에서 〈자산〉과 〈부채〉라는 단어를 찾아보면 된다.

물론 훈련받은 회계사들은 그 뜻을 알 것이다. 하지만 일반인들에게는 그리스 어처럼 생각될 수도 있다. 사전적 정의에서 그 단어

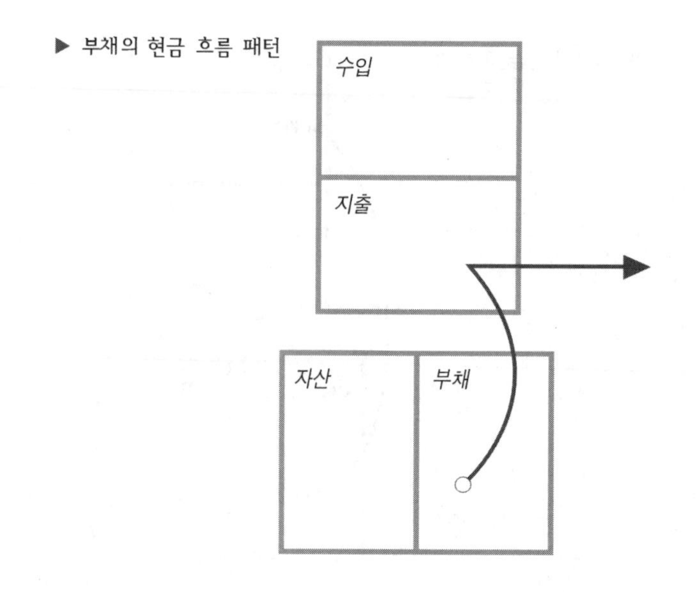

▶ 부채의 현금 흐름 패턴

들을 읽을 수는 있지만 그 말뜻을 진정으로 이해하기는 어렵다.

그래서 이미 얘기했듯이, 내 부자 아버지는 두 꼬마에게 이렇게만 설명했다. 「자산은 주머니에 돈을 넣는 것이란다」 정말 멋지고, 간단하고, 유용한 설명이 아닐 수 없다.

이렇게 그림으로 자산과 부채를 정의했으니, 이제는 내 정의를 단어들로 표현하는 것이 더 쉬울 것이다.

자산은 주머니에 돈을 넣는 어떤 것이다.

부채는 주머니에서 돈을 빼내는 어떤 것이다.

사실은 이것만 알면 된다. 부자가 되고 싶다면 자산을 사면서 살면 된다. 가난한 사람이나 중산층이 되고 싶다면 부채를 사면서 살면 된다. 이런 차이를 모르기 때문에 현실 세계에서 돈 문제가 발생하는 것이다.

단어와 숫자에 대한 무지가 돈 문제를 일으키는 원인이다. 사람들이 재정적 어려움을 겪을 때는 숫자건 단어건 그들이 이해하지 못하는 것이 있다. 무언가 잘못 이해되는 것이 있다는 것이다. 부자가 부자인 것은 돈 문제로 고생하는 사람들보다 다른 분야에서 더 많은 것을 알기 때문이다. 따라서 부자가 되어 재산을 유지하고 싶다면 금융 지식을 알아야 한다. 즉 단어와 숫자 모두를 알아야만 한다.

앞의 두 그림 속의 화살표는 현금의 흐름, 즉 〈현금 흐름〉을 나타낸다. 숫자만으로는 별 의미가 없다. 단어만으로도 별 의미가 없다. 중요한 것은 그 내용이다. 금융 분석에서는 숫자를 읽는다는 것이 전체를 보는 것, 즉 내용을 찾는 것이다. 현금이 어디로 흘러가는지에 관한 내용을 읽어내야 한다. 많은 가정에서 돈에 관한 노력은 열심히 일해서 앞서가려는 노력이다. 이것은 그들이 돈을 벌지 못하기 때문이 아니라, 자산이 아닌 부채를 사면서 살기 때문에 그렇다.

예를 들어, 가난한 사람이나 독립하지 못한 젊은 사람의 현금 흐름 패턴은 아래와 같다.

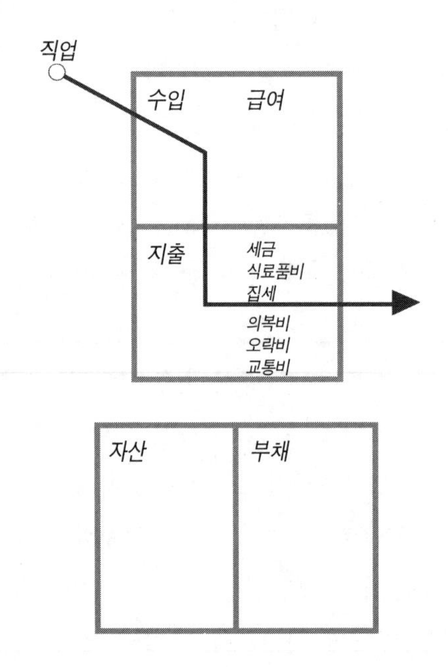

중산층의 현금 흐름 패턴은 아래와 같다.

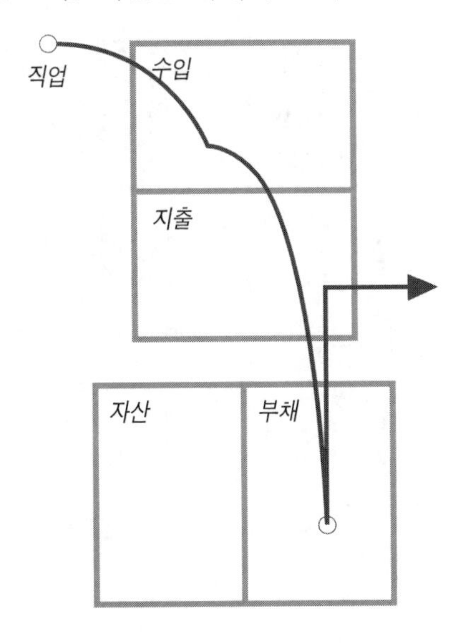

직업

수입 급여

지출
세금
융자금
고정 지출 비용
식료품비
의복비
오락비

자산

부채
융자금
소비자 대출
신용카드

부유한 사람들의 현금 흐름 패턴은 아래와 같다.

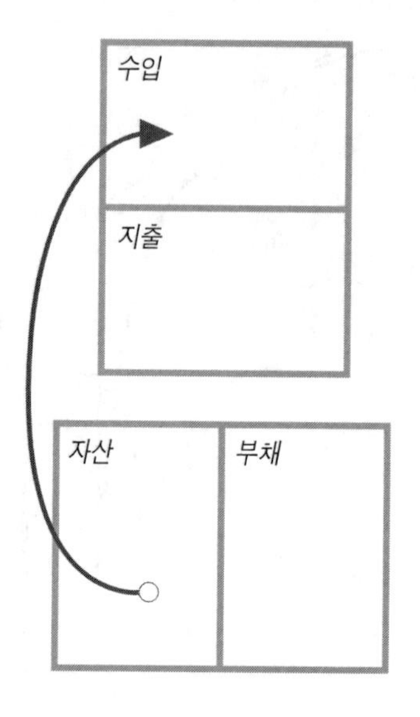

수입
배당금
이자
임대 소득
로열티

지출

자산
주식
채권
어음
부동산
지적 재산권

부채

이 모든 그림들은 당연히 단순화된 것이다. 누구에게나 생활비 지출이 있고, 의식주에 들어가는 지출 비용이 있다.

앞의 세 그림들은 가난한 사람, 중산층 사람, 그리고 부유한 사람들의 현금 흐름을 보여준다. 이런 현금 흐름이 우리가 돈을 어떻게 다루는지, 사람들이 돈을 수중에 넣은 후에 어떤 일을 하는지를 보여준다.

내가 미국 최고의 부자들 이야기부터 시작한 것은 너무나 많은 사람들의 잘못된 생각을 보여주기 위해서다. 즉, 돈이 모든 문제를 해결할 거라는 잘못된 생각 말이다. 이런 이유로 나는 사람들이 어떻게 하면 더 빨리 부자가 될 수 있는지 내게 물어올 때 몸이 움츠러든다. 혹은 어디서부터 시작해야 하는지 물어올 때도 마찬가지다. 나는 종종 이런 얘기를 듣는다. 「나에게는 빚이 있기 때문에 나는 더 많은 돈을 벌어야 합니다」

하지만 돈이 더 많이 생겨도 문제를 해결하지 못하는 경우가 많다. 오히려 그것이 문제를 더 악화시킬 수도 있다. 돈은 종종 우리의 비참한 인간적 결함을 드러낸다. 돈은 우리가 모르는 것을 밖으로 드러낸다. 이런 이유로 갑자기 뜻밖의 현금이 생긴 사람들, 그러니까 유산 상속자나 복권 당첨자들이 곧 원래의 어려운 상황으로 돌아가곤 한다. 돈은 우리 머릿속에서 움직이는 현금 흐름의 패턴을 가속화시킬 뿐이다. 당신의 패턴이 모든 것을 소비하는 것이라면, 현금의 증가는 대개 소비의 증가로 이어지게 된다. 그래서 이런 속담도 있지 않은가. 〈바보에게 돈이 생기면 더 바보가 된다.〉

나는 지금까지 우리는 학교에 가서 학문적인 기술과 전문적인 기술을 습득한다고 여러 차례 얘기했다. 그 두 가지도 중요한 것이다.

우리는 전문적인 기술을 활용해 돈 버는 법을 배운다. 내가 고등학교에 다니던 1960년대에는 학교에서 성적이 뛰어난 사람은 거의 자동적으로 의사가 되는 것으로 여겨졌다. 사람들은 그 똑똑한 학생이 당연히 의사가 될 것으로 생각했다. 그 학생이 의사가 되고 싶은지 누구도 묻지 않았다. 그것은 당연한 것이었다. 당시에는 의사라는 직업이 엄청난 경제적 보상을 약속하는 것이었다.

하지만 오늘날의 의사들은 정말 보기에도 애처로울 정도로 재정적 위기에 직면하고 있다. 의료 분야는 보험 회사들이 지배하며, 의료 혜택은 제도적으로 관리되고, 정부가 간섭하고, 때로는 오진 소송에도 휘말리게 된다. 요즘 아이들이 되고 싶어하는 것은 농구 선수, 타이거 우즈 같은 골프 선수, 컴퓨터 전문가, 영화 배우, 록음악 스타, 미의 여왕, 혹은 월가의 금융가이다. 그런 분야에 돈과 명예, 그리고 권위가 있기 때문이다. 그래서 요새는 학교가 아이들에게 동기를 제공하는 것이 그렇게도 어렵다. 아이들은 이제 직업적인 성공이 예전과 달리 학문적인 성공에만 연결되는 것이 아님을 잘 알고 있다.

아이들이 돈에 관한 지식 없이 학교를 졸업하기 때문에, 교육을 많이 받은 수많은 사람들이 성공적인 직업 생활을 하면서도 나중에는 경제적으로(금전적으로) 고생을 하게 된다. 그들은 더 열심히 일하지만 앞서 나가지는 못한다. 그들의 교육에서 빠져 있는 것은 돈을 버는 방법이 아니라 돈을 쓰는 방법이다. 즉, 돈을 번 후에 관리하는 방법이 빠져 있는 것이다. 우리는 이것을 재산 관리 능력이라고 부른다. 즉, 돈을 번 후에 그것을 관리하고, 다른 사람들에게 돈을 뺏기지 않고 오랫동안 보관하고, 돈이 자신을 위해 일하게 만들도록 하는 능력이다. 대부분의 사람들은 현금 흐름을 모르기 때문에 자신들이 고생하는 이유도 알지 못한다. 어떤 사람은 교육을 많이 받고 직업적으로 성공하면서도 돈에 관해 무지할 수가 있다. 이런 사람들은 필요 이상으로 열심히 일을 한다. 열심히 일하는 법만 배웠을 뿐 돈이 자신을 위해 일하게 하는 법은 배우지 못했기 때문이다.

부자가 아닌 사람들은 자신을 위해서가 아니라
고용주를 위해, 정부를 위해, 은행을 위해 일한다.

열심히 일하는 사람들의 일반적인 모습에는 나름대로의 패턴이 있다. 신혼의 단꿈에 젖은 교육을 많이 받은 행복한 젊은 부부가 함께 보금자리를 꾸민다. 이들의 보금자리는 대개 비좁은 셋방에서 시작된다. 이들은 이제 돈을 모을 수 있음을 깨닫는다. 둘이 살아도 비용은 혼자 살 때와 비슷하기 때문이다.

문제는 셋집이 너무 좁다는 것이다. 두 사람은 돈을 모아서 아이들과 함께 살 수 있는 꿈의 보금자리를 사겠다고 결심한다. 그래서 맞벌이를 하며 직장 생활에 전념한다.

두 사람의 수입은 늘기 시작한다.

그리고 수입이 늘면서…….

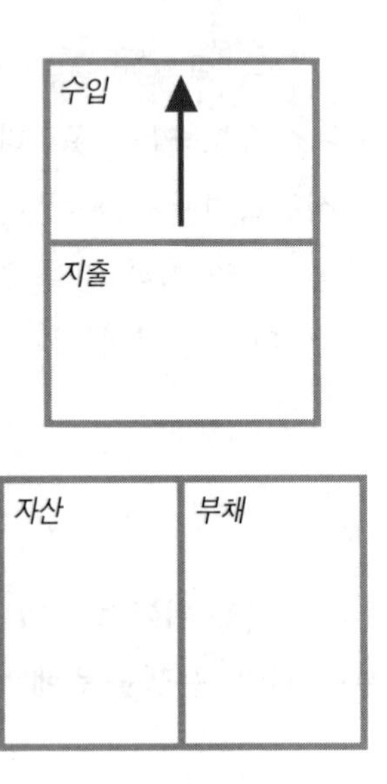

그들의 지출 또한 늘어난다.

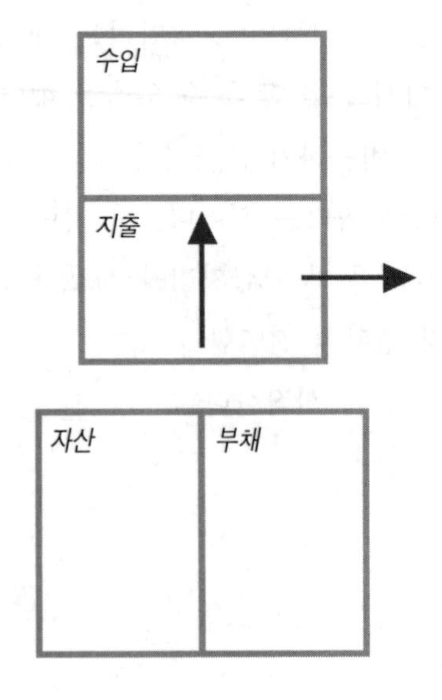

대부분의 사람들에게 첫번째 지출은 세금이다. 세금하면 많은 이들은 소득세만을 생각하지만, 대부분의 미국인에게 가장 많은 세금은 사회 보장 보험료이다. 직장인들은 사회 보장 보험료와 의료 보험료를 합하면 대략 7.5%라고 생각한다. 하지만 실제로는 15%이다. 고용주도 같은 액수의 사회 보장 보험료를 지출하기 때문이다. 본질적으로 이 돈은 고용주가 당신에게 지불하지 않는 돈이다. 뿐만 아니라, 당신은 임금에서 사회 보장 보험료로 나간 금액에 대해서도 소득세를 내야 한다. 그 소득은 당신이 만져보지도 못하는 소득이다. 그것은 원천징수로 곧장 사회 보장 보험료로 빠져나간다.

이렇게 해서 부채가 높아진다.

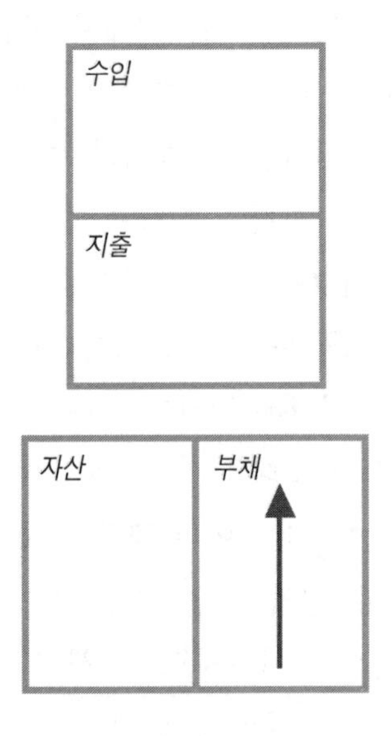

이런 점은 앞에서 예로 든 젊은 부부를 보면 극명하게 드러난다. 수입이 늘어가게 된 두 사람은 이제 꿈의 보금자리를 사기로 결심

한다. 그렇게 새집이 생기면 이른바 재산세라는 세금이 또 붙는다. 이어서 두 사람은 새 차를 사고, 새 가구와 살림살이를 사서 새집을 단장한다. 그러다 어느 날 일어나 보니 갑자기 부채 부분이 은행 융자와 신용 카드 빚으로 꽉 차 있다.

두 사람은 이제 〈쥐 경주〉 함정에 빠지는 것이다. 곧이어 아이가 태어난다. 두 사람은 더 열심히 일한다. 이런 과정이 되풀이된다. 수입이 늘면서 세금도 는다. 소위 말하는 과세 표준이다. 우체부가 신용 카드를 배달한다. 두 사람은 그것을 사용한다. 쓸 때는 기분이 좋다. 대출 회사는 전화를 걸어 그들의 최대 〈자산〉인 집이 가치가 올랐다고 얘기한다. 그러면서 〈상계 대출〉을 제안한다. 두 사람의 신용 상태가 아주 좋다는 것이다. 그래서 자신의 회사에서 대출을 받아 신용 카드 빚을 갚음으로써 고율의 소비자 대출을 해소하는 것이 현명한 일이라고 얘기한다. 게다가 주택 융자금의 이자는 세금 감면의 대상이다. 두 사람은 그렇게 한다. 그들은 고율의 신용 카드 빚을 갚는다. 그러고는 안도의 한숨을 내쉰다. 이제 신용 카드 빚이 없어진 것이다. 그들은 이제 소비자 대출을 주택 융자로 돌렸다. 주택 융자금 상환 기간은 30년이기 때문에 당장의 지출은 줄어든다. 아주 잘한 일인 것 같다.

이웃 사람이 전화를 걸어 같이 쇼핑을 가자고 제안한다. 세일 기간이라는 것이다. 돈을 절약할 수 있는 절호의 기회다. 두 사람은 이렇게 얘기한다. 「절대로 아무것도 안 사면 돼. 그냥 구경만 하면 되지 뭐」 하지만 혹시 모르니까 신용 카드를 찾아 지갑에 넣는다.

나는 이런 젊은 부부를 늘 만나고 있다. 이름은 다를지 모르지만, 이들이 처한 금전적 딜레마는 똑같다. 이들은 내 강연회에 와서 내 얘기를 듣는다. 그리고 이렇게 묻는다. 「돈을 더 벌 수 있는 방법을 알려주세요」 이들은 자신들의 소비 습관 때문에 더 많은 돈을 벌고자 한다.

이들은 진짜 문제는, 자신들이 갖고 있는 돈을 쓰기만 하고 있다는 것임을 제대로 모른다. 그것이 바로 금전적 어려움의 진짜 이유이다. 이렇게 되는 이유는 그들에게 돈에 관한 지식이 없고 자산과 부채의 차이를 모르기 때문이다.

돈이 더 많다고 해서 금전적 문제를 해결하는 경우는 드물다. 바로, 지식이 문제를 해결한다. 내 친구가 빚을 진 사람들에게 늘 하는 말이 있다.

「자신이 구덩이 속에 있다면…… 더 이상 파지 말라」

어렸을 때 우리 아버지는 일본인들은 세 가지 힘을 안다고 얘기했다. 검의 힘, 보석의 힘, 그리고 거울의 힘을 안다고 했다.

검은 무기의 힘을 상징한다. 미국은 그 동안 천문학적인 돈을 무기에 지출했다. 그 결과 미국은 세계에서 제일 가는 군사 대국이 되었다.

보석은 돈의 힘을 상징한다. 다음과 같은 말에는 나름의 진실이 있다. 〈황금률(황금의 규칙)을 기억하라. 황금을 가진 자가 규칙을 만든다.〉

거울은 자기 인식의 힘을 상징한다. 일본 사람들은 셋 중에서 자기 인식이 가장 소중한 것이라고 생각한다.

가난한 사람들과 중산층 사람들은 종종 돈의 지배를 받는다. 이들은 그냥 일어나서 더 열심히 일하고, 그러면서 그런 것에 과연 의미가 있는지 자문하지 않는다. 이들은 매일 아침 일터로 가면서

기가 죽곤 한다. 대부분의 사람들은 돈을 잘 모르면서 돈의 힘에 지배를 당한다. 이들은 돈의 힘에 휘둘림을 당한다.

이들이 거울의 힘을 안다면 이렇게 자문할 것이다. 〈이렇게 사는 것이 과연 의미가 있는가?〉 대부분의 사람들은 자신들의 내적인 지혜, 자신들 안에 있는 천재성을 활용하지 않고 무리를 따라간다. 이들은 남들이 하니까 같이 한다. 이들은 자문하지 않고 동조한다. 이들은 남이 한 얘기를 무심코 따라간다. 이를테면 〈재산 분산〉이나 〈당신의 집이 자산이다〉는 생각이다. 〈당신의 집이 가장 큰 투자이다〉, 〈빚을 질수록 세금은 줄어든다〉, 〈안전한 직장을 얻어라〉, 〈실수를 하지 말라〉, 〈위험성은 피해라〉 등.

흔히 말하기를 많은 사람들에게 대중 연설의 두려움은 죽음보다 더 두려운 것이라고 한다. 심리학자들은 대중 연설의 두려움은 따돌림에 대한 두려움 때문이라고 얘기한다. 소외된다는 두려움, 비판받는다는 두려움, 조롱당한다는 두려움, 이단자가 된다는 두려움 때문이라는 것이다. 대부분의 사람들은 소외당한다는 두려움 때문에 문제 해결의 새로운 실마리를 찾지 않는다.

이런 이유로 교육을 많이 받은 아버지는 일본인들이 거울의 힘을 가장 값지게 여긴다고 얘기했다. 우리 인간들은 거울을 들여다볼 때 진실을 찾을 수 있기 때문이다. 그리고 많은 이들이 〈안전하게 하라〉고 말하는 기본적 이유는 두려움 때문이다. 이 점은 어디에나 적용된다. 스포츠건, 인간 관계건, 직장이건, 돈이건 간에.

바로 이런 두려움, 따돌림의 두려움 때문에 사람들은 대다수 사람들의 생각이나 행동에 동조하면서, 흔히 인정되는 의견이나 일반적 흐름에 대해서는 질문하지 않는다. 〈당신의 집은 자산이다〉, 〈상계 대출을 통해 빚에서 벗어나라〉, 〈더 열심히 일해라〉, 〈승진해야 한다〉, 〈언젠가는 이사가 된다〉, 〈돈을 절약해라〉, 〈봉급이 오르면 더 큰 집을 사겠다〉, 〈뮤추얼 펀드는 안전하다〉.

심각한 돈 문제는 무리를 따라가면서 남들처럼 하려는 데서 비롯되는 것이 많다. 때로 우리는 거울을 들여다보면서 두려움이 아닌 내적 지혜에 귀를 기울일 필요가 있다.

마이크와 나는 열여섯 살이 되면서 학교에서 문제를 갖기 시작했다. 그렇다고 우리가 나쁜 아이들인 것은 아니었다. 다만 우리는 또래의 무리에서 멀어지기 시작했을 뿐이다. 우리는 방과후와 주말에 마이크의 아버지를 위해 일했다. 마이크와 나는 종종 일이 끝난 후 마이크의 아버지와 그냥 앉아 있곤 했다. 그 동안에 마이크의 아버지는 은행가, 변호사, 회계사, 중개인, 투자가, 관리자, 그리고 직원들과 얘기를 했다. 마이크의 아버지는 열세 살에 학교를 중퇴한 사람이었지만 고학력자들에게 지시를 하고, 훈시하고, 명령하고, 질문을 던졌다. 그들은 마이크의 아버지에게 죽는 시늉까지 했고 그분의 인정을 못 받으면 몸을 움츠렸다.

마이크의 아버지는 무리를 따라간 사람이 아니었다. 그분은 자기 스스로 생각했고 이런 말을 너무도 싫어했다. 〈모두가 이렇게 하니까 우리도 그렇게 해야만 해.〉 그분은 또 〈할 수 없다〉는 말도 너무 싫어했다. 당신이 그분에게 무언가를 하게 만들고 싶다면 이렇게 말하면 된다. 〈당신이 그 일을 할 수 있다고는 생각하지 않습니다.〉

마이크와 나는 그런 자리에 앉아 있으면서 (대학까지 포함해) 학교에서 몇 년 동안 배운 것보다 더 많은 것을 배웠다. 마이크의 아버지는 학교 교육은 못 받았지만 돈에 관한 교육을 받았고 그 결과 성공했다. 그분은 우리에게 귀가 닳도록 이렇게 얘기했다. 〈똑똑한 사람은 자기보다 더 똑똑한 사람들을 고용한다.〉 그래서 마이크와 나는 그분의 말을 들으면서 똑똑한 사람들로부터 많은 것을 배웠다.

하지만 이런 일 때문에 마이크와 나는 학교에서 가르치는 일반적인 교육을 따라갈 수가 없었다. 그리고 그 때문에 여러 문제가 생겼다. 선생님이 〈좋은 성적을 얻지 못하면 나중에 성공할 수 없다〉고 말할 때마다, 마이크와 나는 눈썹을 치켜세웠다. 또한 선생님들로부터 표준적인 절차를 따르고 규칙에서 벗어나지 말라는 말을 들었을 때, 우리는 그런 교육 제도가 사실은 창의성을 억누르는 것임을 알 수 있었다. 우리는 부자 아버지가 우리에게 했던 말, 〈학교는 좋은 고용주가 아니라, 좋은 직원들을 기르는 곳〉이라는 말을 이해하기 시작했다.

때때로 마이크와 나는 선생님들에게 우리가 학교에서 공부하는 내용들이 사회에서는 어떻게 적용되는지, 혹은 왜 우리가 돈에 대해서는 배우지 않는 것인지 묻곤 했다. 후자의 질문에 대해서 우리가 들은 대답은 돈은 중요하지 않으며, 공부만 잘하면 돈은 따라온다는 것이었다.

우리는 돈의 힘에 대해 더 많이 알수록 선생님과 친구들에게서 더 멀어졌다.

교육을 많이 받은 우리 아버지는 내 성적에 대해서 한번도 탓을 하지 않았다. 하지만 돈에 대해서는 자주 언쟁을 벌였다. 나는 열여섯 살이 되면서 돈에 대해서는 어머니와 아버지보다 훨씬 더 기초가 튼튼했을 것이다. 나는 부기를 할 수 있었고 세무사와 변호사, 은행가, 부동산 중개인, 투자가, 그 밖에 여러 분들의 얘기를 많이 들었다. 반면에 우리 아버지는 선생님들과 얘기했다.

어느 날 우리 아버지는 우리 집이 왜 최대의 투자 대상인지 나에게 얘기했다. 별로 유쾌하지 않은 언쟁 속에서 나는 왜 집이 좋은 투자 대상이 아닌지 설명했다.

다음의 그림은 집에 대한 부자 아버지와 가난한 아버지의 인식 차이를 잘 보여준다. 가난한 아버지는 집이 자산이라고 생각했고, 부자 아버지는 집이 부채라고 생각했다.

▶ 부자 아버지

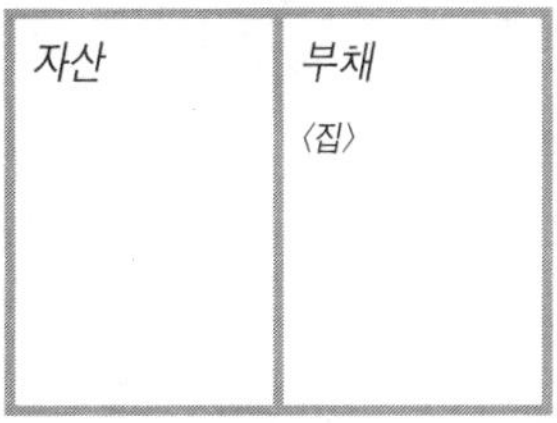

자산	부채
	〈집〉

▶ 가난한 아버지

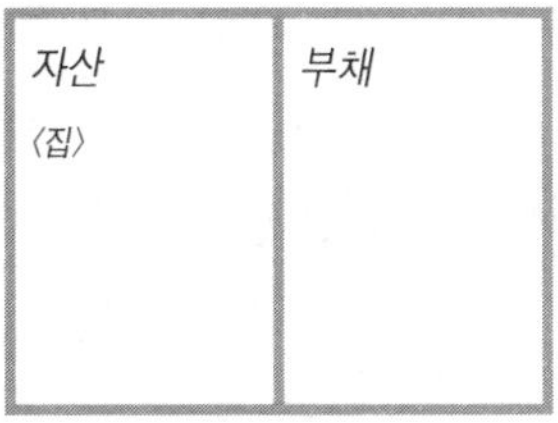

자산	부채
〈집〉	

내가 우리 아버지에게 이 그림을 그려 현금 흐름의 방향을 보여준 기억이 난다. 또 주택의 소유에 따른 부수적인 지출 상황도 보여주었다. 더 큰 집은 더 큰 지출을 초래하고, 따라서 현금은 지출 부분을 통해 계속해서 밖으로 나간다.

▶ 부채

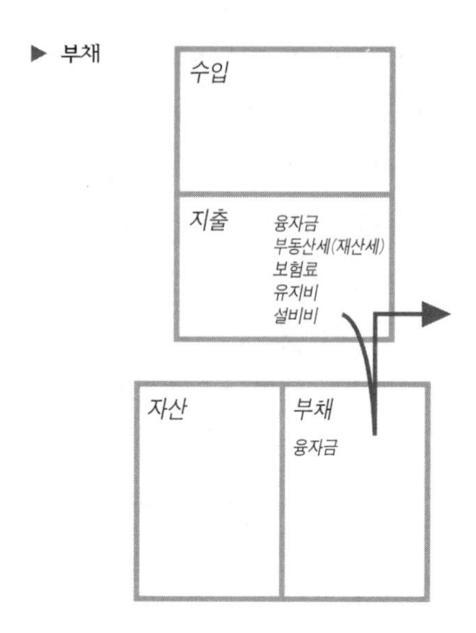

오늘날에도 나는 집이 자산이 아니라는 설명에 도전을 받곤 한다. 그리고 많은 이들에게 집은 최대의 투자 대상일 뿐 아니라 그들의 꿈이라는 점도 잘 안다. 그리고 자기 집이 있으면 없는 것보다는 낫다. 나는 다만 이 일반적인 생각을 다른 식으로 보는 법도 있음을 제시할 뿐이다. 아내와 나도 사람들을 감동시킬 더 크고 더 멋진 집을 좋아한다. 하지만 우리는 그것이 자산이 아님을 잘 안다. 그것은 주머니에서 돈을 빼내가기 때문에 자산이 아니라 오히려 부채이다.

따라서 나는 다음과 같은 주장을 한다. 물론 많은 사람들이 이런 견해에 동의하지 않을 것이다. 멋진 집은 정말 감동적이기 때문이다. 그리고 돈에 대해서는 감동이 클수록 금융 지식을 더 낮추는 경향이 있다. 나는 돈이 모든 결정을 감정적으로 만드는 점이 있음을 개인적인 경험으로 알고 있다.

1 대부분의 사람들은 실제로 소유하지 않는 집을 위해 평생 일한다. 바꿔 말하면, 대부분의 사람들은 몇 년에 한 번씩 새집을 사면서 그때마다 새로 30년짜리 대출을 받아 이전 대출을 상계(相計)한다.
2 비록 사람들이 융자금 상환의 이자에 대해 세금 감면은 받지만, 그 밖의 다른 지출에 대해서는 세금을 공제하고 모두 지불해야 한다. 심지어 융자금을 모두 갚은 후에도 그러하다.
3 재산세가 있다. 우리 장인어른은 당신들의 집에 재산세가 월 1천 달러가 붙는 것을 보고 충격을 받았다. 장인, 장모는 이미 은퇴를 한 후였고, 재산세는 그분들의 은퇴 생활에 큰 짐이 되었다. 그래서 두 분은 이사를 해야 한다고 생각했다.
4 집값이 늘 오르는 것은 아니다. 1997년에 백만 달러짜리 집이 이제는 70만 달러밖에 안 나가는 집도 있다.
5 가장 큰 손실은 놓쳐버린 기회에서 비롯되는 손실이다. 돈이 전부 집에 묶여 있으면 더 열심히 일할 수밖에 없을 것이다. 돈이 자산 부분에 보태지는 것이 아니라 자꾸 지출 부분에서 빠져나가기 때문이다. 이것은 중산층의 전형적인 현금 흐름 패턴이다. 젊은 부부가 일찍부터 자산 부분에 더 많은 돈을 넣는다면 나중에는 삶이 더 쉬워질 것이다. 특히 아이들을 대학에 보내야 할 때 더욱 그럴 것이다. 이들의 자산은 늘었을 것이고 지출을 해결하는 데 도움이 될 것이다. 하지만 집은 치솟는 지출을 해결하기 위해 대출 담보로만 사용되는 경우가 너무나 많다.

결론적으로, 일찍부터 투자를 하지 않고 너무 비싼 집을 소유한 결과는 적어도 다음의 세 가지 방식으로 우리에게 영향을 끼친다.

1 시간 손실. 그 동안에 다른 자산의 가치가 높아질 수도 있었다.
2 추가적인 자본의 손실. 이런 자본은 집과 관련된 많은 유지 비용을 지출하는 데 사용되지 않고 투자가 될 수도 있었다.
3 교육의 손실. 사람들은 집과 저축, 그리고 은퇴 계획을 자산 부분에서 갖고 있는 모든 것으로 생각한다. 이들에게는 투자할 돈이 없기 때문에 투자를 할 수가 없다. 그 결과 투자 경험을 쌓지 못한다. 대부분의 사람들은 투자 전문가들이 말하는 〈뛰어난 투자가〉가 되지 못한다. 그리고 최상의 투자 대상은 대개 〈뛰어난 투자가들〉에게 먼저 팔린다. 그러면 이들이 안전하게 사는 사람들에게 그것을 되팔아 돈을 번다.

교육을 많이 받은 내 아버지의 개인적 재정 상태가 쥐 경주에 빠진 사람들의 삶을 잘 대변해 준다. 우리 아버지는 수입 증가와 함께 지출도 늘어서 자산에 투자할 수가 없었다. 그 결과 융자금과 신용카드 빚 같은 우리 아버지의 부채는 자산보다 훨씬 많았다. 옆에 나오는 그림이 백 마디의 말보다 나을 것이다.

반면에 부자 아버지의 개인적 재정 상태는 평생 투자를 하고 부채를 줄인 사람의 결과를 반영한다.

▶ 가난한 아버지의
재정 상태

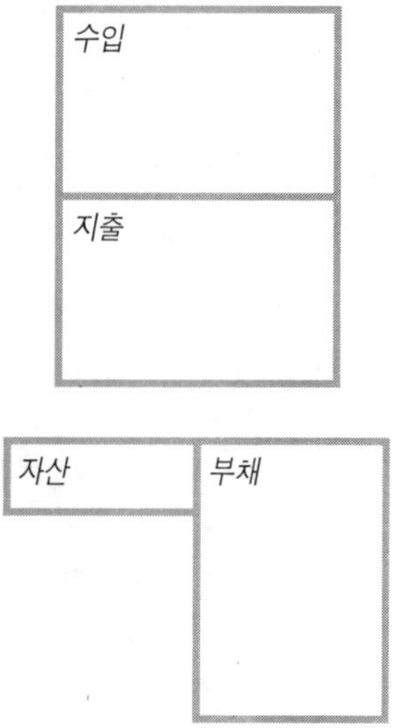

수입
지출

자산
부채

▶ 부자 아버지의
재정 상태

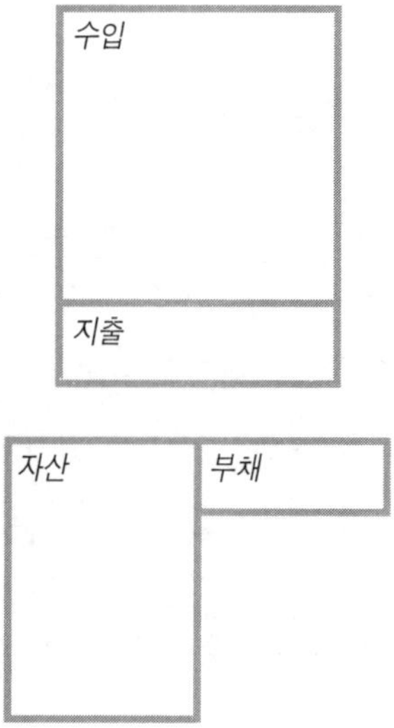

수입
지출

자산
부채

부자 아버지의 재정 상태를 보면 부자가 더 부자가 되는 이유를 알 수 있다. 자산이 수입을 많이 창출하여 지출을 해결하고도 남는 것이다. 그리고 남은 소득은 다시 자산에 재투자된다. 그러면 자산이 계속해서 늘어나며, 그 결과 수입도 함께 늘어난다.

그렇기 때문에 부자는 더 부자가 된다!

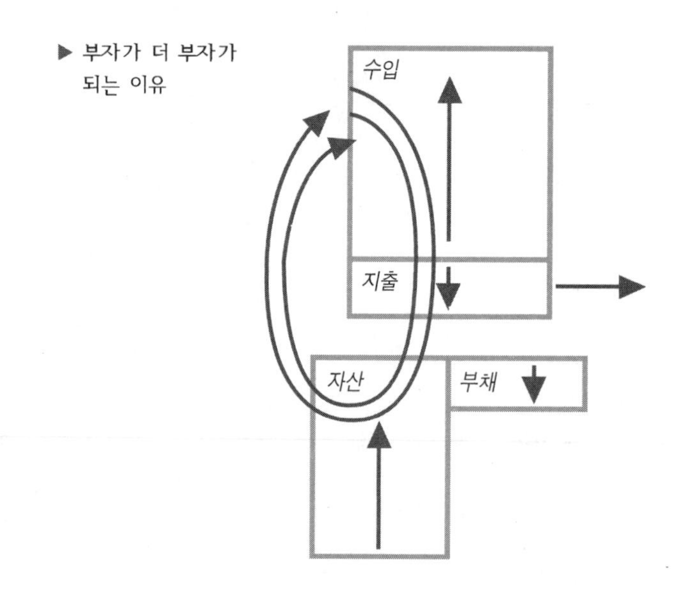

▶ 부자가 더 부자가 되는 이유

중산층은 계속해서 재정적 어려움의 상태에 처하게 된다. 이들의 주요 수입은 임금에서 나오며, 임금이 높아지면 세금도 높아진다. 그리고 임금이 늘어나면 같은 비율로 지출도 늘어나는 경향이 있다. 그래서 〈쥐 경주〉라는 말이 성립된다. 이들은 자신들의 집을 주요 자산으로 여기면서 수입이 나올 수 있는 자산에는 투자하지 않는다.

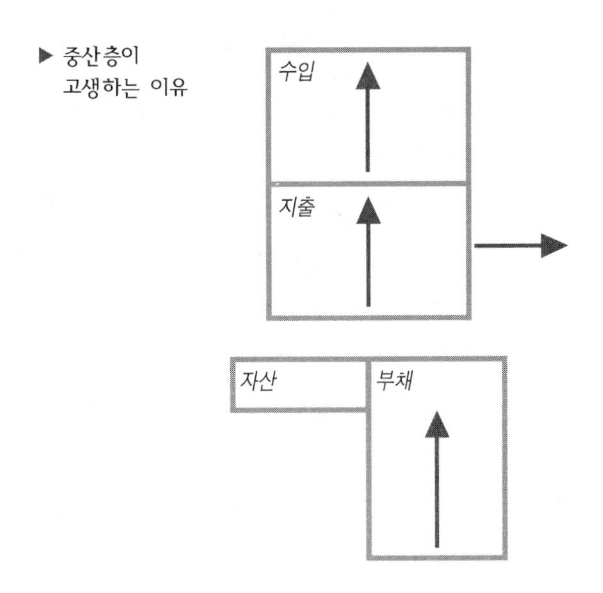

집을 투자로 여기고 임금이 오르면 더 큰 집을 사거나 더 많이 소비할 수 있다는 이런 사고 방식이 빚에 짓눌린 오늘날의 사회를 초래했다. 소비가 늘어나는 이런 과정 때문에 사람들은 빚을 더 지고 재정적으로 더 불확실한 상태에 처한다. 정기적으로 승진이 되거나 임금이 올라도 결과는 늘 똑같다. 이것은 빈약한 금융 교육에서 비롯되는 위험성 높은 삶이다.

1990년대에 구조 조정 등으로 엄청난 실업자가 생기면서 중산층이 재정적으로 얼마나 불안한가를 여실히 보여주었다. 사회 보장 제도도 곤경에 처해 있으며 더 이상 퇴직 이후의 삶도 보장될 수 없다. 중산층은 겁에 질려 있다. 다행히 이제는 많은 사람들이 이런 문제를 인식하고 뮤추얼 펀드를 사기 시작했다. 이와 같은 투자 증가는 미국 주식 시장의 엄청난 반등을 낳았다. 갈수록 더 많은 뮤추얼 펀드가 생겨나면서 중산층의 욕구에 부응하고 있다.

뮤추얼 펀드가 인기를 얻는 것은 그것이 안전하다고 생각되기 때문이다. 일반적인 뮤추얼 펀드 구매자들은 열심히 일해서 세금을 내고 융자금을 갚느라 정신이 없다. 그들은 또 아이들의 학자금과 신용 카드 빚도 해결해야 한다. 그래서 이들에게는 투자하는 법을 공부할 시간이 없다. 그래서 이들은 뮤추얼 펀드 매니저의 전문성에 의지한다. 이들은 또, 뮤추얼 펀드에 여러 다양한 투자 수단이 있기 때문에, 자신들의 돈이 〈분산되어〉 있어서 안전하다고 느낀다.

이들처럼 교육받은 중산층은 뮤추얼 펀드 매니저와 금융 컨설턴트들이 퍼뜨린 〈재산 분산화〉의 교리를 믿는다. 즉, 안전하게 살라는 것이다. 위험성을 피하라는 것이다.

정말로 비극적인 것은 초기에 돈에 대한 교육을 제대로 받지 못했기 때문에 일반적인 중산층이 위험에 직면해 있다는 것이다. 이들이 안전하게 사는 이유는 돈에 관한 지식이 부족하기 때문이다. 그리고 투자할 자본이 많지 않기 때문이다. 이들에게는 부채만 잔뜩 있고 수입을 창출하는 진짜 자산은 없다. 대개 이들의 유일한 수입원은 직장에서 받는 급여이다. 이들의 삶은 전적으로 고용주에게 의존한다.

그래서 정말로 〈평생의 기회〉가 찾아왔을 때, 이런 사람들은 기회를 잡을 수가 없다. 이들은 다시 안전하게 살 수밖에 없다. 열심히 일만 하면서 세금만 잔뜩 내고 빚에 허덕이기 때문이다.

내가 이 장의 서두에서 말했듯이, 가장 중요한 비결은 자산과 부채의 차이를 아는 것이다. 이런 차이를 안 후에는 수입을 창출할 수 있는 자산을 사는 데만 신경을 써야 한다. 이것이 부자로 가는 길로 들어서는 최상의 방법이다. 이 길을 계속 가면 자산이 자꾸 늘어난다. 그리고 부채와 지출을 줄이도록 노력하라. 이렇게 하면 더 많은 돈을 점점 더 많은 자산을 사는 데 투자할 수 있다. 조만간에는 자산이 아주 튼튼해져 더 위험한 투자로 눈을 돌릴 수도 있다. 100%에서 무한대에 이르는 수익을 줄 수도 있는 투자, 5천 달러의 투자가 백만 달러 이상으로 불어날 수도 있는 투자 말이다. 이는 중산층이 〈너무 위험한〉 것으로 보는 투자이다. 하지만 투자는 위험한 것이 아니다. 단지 돈에 관한 교육과 지식이 부족해서 사람들을 〈너무 위험한〉 상태로 몰아넣는 것이다.

당신이 남들과 똑같이 하면 아래 그림에서 보여주는 결과를 얻게 된다.

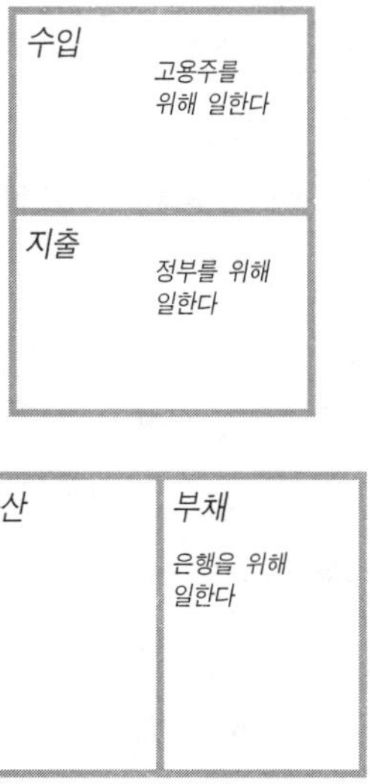

수입
고용주를 위해 일한다

지출
정부를 위해 일한다

자산

부채
은행을 위해 일한다

자신의 집을 한 채 소유하고 있는 고용인으로서, 당신이 지금 하고 있는 일은 결국 다음과 같은 결과만 낳는다.

1 당신은 누군가 다른 사람을 위해 일한다. 급여를 받기 위해 일하는 대부분의 사람들은 기업주나 주주를 더 부자로 만들고 있다. 당신의 일과 성공은 기업주의 성공과 은퇴에만 도움이 될 뿐이다.
2 당신은 정부를 위해 일한다. 정부는 당신이 보기도 전에 급여에서 자신들의 몫을 빼간다. 당신은 열심히 일하지만, 그 결과는 정부가 가져가는 세금만 증가할 뿐이다. 대부분의 사람들은 1월부터 5월까지 정부를 위해서만 일하는 꼴이다.
3 당신은 은행을 위해 일한다. 세금 다음으로 가장 큰 지출이 융자금과 신용 카드 빚일 것이다.

열심히 일만 하는 것의 문제는 이들 세 부분이 점점 더 많은 몫을 차지한다는 것이다. 당신 노력의 대가가 당신과 가족에게 보상을 주는 방법을 배워야만 한다.

자기를 위해 일하기로 결심한 후에는 어떻게 목표를 세워야 할까? 대부분의 사람들은 일을 계속하면서 돈을 모아 자산을 사야만 한다.

자산이 늘어가면 성공의 기준을 어떻게 세워야 할까? 언제 자신이 부자가 된 것을 알 수 있을까? 자산과 부채에 대한 내 나름의 정의를 갖고 있는 것 외에도, 나는 부자가 되는 것에 대해서도 내 나름의 정의를 갖고 있다. 사실 이것은 벅민스터 풀러라는 사람에게서 빌려온 것이다. 어떤 사람들은 그를 괴짜라 부르고, 어떤 사람들은 그를 천재라 부른다. 몇 년 전에 이 사람이 건축가들의 큰 관심을 받은 적이 있다. 그가 1961년에 기하학적 돔이라는 희한한 것을 특허로 신청했기 때문이다. 하지만 그 과정에서 풀러는 부에 대해서 어떤 얘기를 했다. 그것은 처음엔 꽤 혼란스러운 것이었지만, 좀더 읽어보면 나름대로 일리가 있는 것이었다. 즉, 부란 그 사람이 앞으로 얼마나 오래 생존할 수 있는지의 능력 문제라고 얘기했다. 바꿔 말하면, 〈내가 만약 오늘 당장 일을 그만둔다면 나는 며칠을 더 살 수 있을까?〉라는 것이 부의 척도라는 것이다.

이런 관점에서 그 사람은 재산을 새롭게 정의했다. 우리는 흔히 재산을 말할 때 순재산을 얘기한다. 이것은 자산과 부채의 차이를 가리키는 것인데, 여기에는 우리의 값비싼 쓰레기와 재산이 되는 것에 대한 우리의 견해가 잔뜩 들어가 있다. 반면에 풀러의 정의는 아주 정확한 측정의 기준을 제시할 수 있다. 나는 이제 이런 정의에 기초해서 내가 얼마나 부자인지를 측정할 수 있다.

순재산에는 종종 현금을 만들지 않는 자산이 포함되어 있다. 이를테면 지금 당신의 차고에 있는 그 비싼 물건 같은 것 말이다. 하지만 진정한 재산은 당신의 돈이 얼마나 많은 돈을 만드는지, 그래서 당신의 금전적인 생존 가능성이 얼마인지 알려준다.

재산은 자산에서 비롯되는 현금 흐름과 부채를 비교해서 측정된다.

예를 들어보자. 가령 내가 자산에서 한 달에 1천 달러의 현금 유출입이 있다고 생각하자. 그리고 내 월간 지출은 2천 달러이다. 그렇다면 내 재산은 얼마일까?

다시 풀러의 정의로 돌아가자. 이 정의에 따르면 나는 얼마나 오래 생존할 수 있을까? 한 달을 30일로 보자. 이 정의에 따르면 나에게는 보름치에 해당하는 현금 유출입이 있다.

내가 자산에서 월 2천 달러의 현금 유출입을 얻을 때, 그때 나는 부자가 된다.

그래서 나는 아직 부자는 아니지만, 재산은 꽤 있다. 나는 이제 매월 월간 지출보다 많은 수입을 자산에서 얻는다. 내가 지출을 늘리고 싶다면 먼저 자산에서 나오는 현금 흐름을 늘려 이 수준의 재산을 유지해야만 한다. 바로 이 시점에서 내가 더 이상 임금에 의존하지 않음을 유의해야 한다. 나는 그 동안 재정적으로 독립할 수 있는 자산 기반을 만드는 데 노력했고 또 성공했다. 나는 오늘 일을 그만두어도 자산에서 나오는 현금 흐름으로 월간 지출을 해결할 수 있다.

내 다음 목표는 자산에서 나오는 초과 현금을 자산에 재투자하는 것이 된다. 자산에 들어가는 돈이 많을수록 자산은 더 커지게 된다. 자산이 더 커질수록 현금 흐름도 더 많아진다. 그리고 자산에서 나오는 현금 흐름보다 지출이 작으면 나는 더 부자가 된다.

이와 같은 재투자 과정이 계속되는 동안 나는 부자가 되는 길을 걷는다. 부자의 진정한 정의는 아는 사람들만 알 수 있다. 부자가 되는 데는 끝이 없다.

다음의 간단한 사실을 기억하라.

부자는 자산을 산다.

가난한 사람들은 지출만 한다.

중산층은 부채를 사면서 자산이라고 생각한다.

그러면 어떻게 해야 나를 위해 일할 수 있을까? 그 해답은 무엇일까? 이제 맥도널드 창업자의 얘기를 들어보자.

세번째 교훈

부자들은 남을 위해 일하지 않고, 자신을 위해 사업을 한다

부자들은 사치품을 맨 나중에 사는데, 가난한 사람들과
중산층 사람들은 그것을 맨 처음에 사는 경향이 있다.
가난한 사람들과 중산층 사람들은 부자로 보이기 위해
큰 집과 보석, 모피, 혹은 고급 차를 사곤 한다.
그렇게 하면 부자로는 보이지만, 사실 그들은 점점 더 빚만 질 뿐이다.
가난한 사람들과 중산층 사람들은 자신들의 피와 땀,
그리고 아이들에게 물려주어야 할 유산으로 사치품을 산다.

1974년에 맥도널드 창업자인 레이 크록은 오스틴에 있는 텍사스 대학의 경영 대학원에서 강연 요청을 받았다. 내 친한 친구인 케이스 커닝햄이 당시 그 경영 대학원의 학생이었다. 레이 크록의 강렬하고 영감을 주는 강연이 끝난 후에, 학생들은 레이에게 단골 술집에 가서 맥주를 마시려고 하는데 함께 가겠느냐고 물었다. 레이는 기꺼이 그러겠다고 대답했다.

「내가 무슨 사업을 하고 있을까요?」 학생들 모두가 각자 맥주잔을 받은 후에 레이가 이렇게 물었다.

「그 질문에 우리 모두는 웃었지」 케이스가 말했다. 「대부분의 학생들은 레이가 장난을 치는 거라고 생각했어」

아무도 대답하지 않았다. 그래서 레이가 다시 물었다. 「내가 무슨 사업을 하고 있다고 생각해요?」

학생들이 다시 웃었다. 마침내 한 용감한 학생이 이렇게 소리쳤다. 「세상에서 당신이 햄버거 사업을 하는 걸 모르는 사람이 어디 있나요?」

레이가 껄껄대고 웃었다. 「여러분이 그렇게 대답할 줄 알았습니다」 그리고 잠시 후에 이렇게 얘기했다. 「존경하는 학생 여러분, 내가 하는 일은 햄버거 사업이 아니라오. 내가 하는 일은 부동산 사업이라오」

케이스는 레이가 한참 동안 자신의 관점을 학생들에게 설명했다고 말했다. 레이는 자신의 기본적인 사업이 햄버거 체인점을 파는 것임을 알고 있었다. 하지만 그는 각 체인점의 위치가 아주 중요함을 늘 안식했다. 그는 부동산과 그 위치가 각 체인점의 성공에 가장 중요한 요인임을 알았다. 기본적으로 맥도널드 체인점을 사는 사람은 가게가 위치하는 땅을 사는 것이기도 했다.

오늘날 맥도널드는 세계에서 부동산이 가장 많은 조직이다. 심지어는 천주교 성당보다 더 많은 땅을 갖고 있다. 맥도널드는 오늘날 미국에서 교차로와 모퉁이의 가장 값진 땅을 갖고 있다. 그리고 전 세계적으로도 마찬가지다.

케이스는 그것이 자신의 삶에서 아주 중요한 교훈이었다고 얘기했다. 현재 케이스는 세차장을 몇 개 갖고 있지만, 실질적인 그의 사업은 그 세차장들이 위치한 땅이다.

앞장의 마지막 부분에서 소개한 그림들은 대부분의 사람들이 남들을 위해서만 일하고 자신을 위해서는 일하지 않음을 보여주었다.

그들은 먼저 회사를 위해서 일하고, 다음에 세금을 통해 정부를 위해서 일하고, 마지막으로 융자를 해주는 은행을 위해 일한다.

어렸을 때 우리 동네에는 맥도널드 햄버거 체인점이 없었다. 하지만 내 부자 아버지는 마이크와 나에게 레이 크록이 텍사스 대학에서 얘기한 것과 같은 교훈을 가르쳤다. 그것이 부자들의 세번째 비결이다.

그 비결은 〈자기 사업을 하라〉는 것이다. 사람들이 종종 재정적으로 어려움에 처하는 것은 평생 남을 위해서만 일하기 때문이다. 많은 이들은 그렇게 일을 하고 난 후에 결국엔 아무것도 갖지 못한다.

아래에 나오는 그림은 백 마디의 말보다 나을 것이다. 이 그림은 레이 크록의 충고를 잘 나타내는 수입 계산서와 대차 대조표를 그림으로 표시한 것이다.

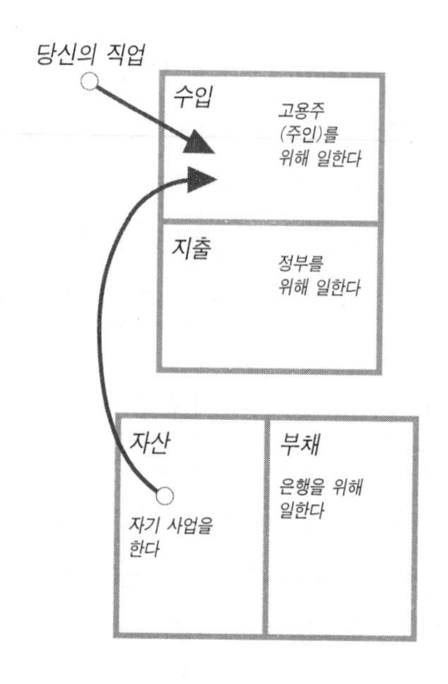

현재 우리의 교육 제도는 젊은이들이 학문적인 기술을 익혀서 좋은 직업을 얻도록 하는 데만 중점을 두고 있다. 그들의 삶은 기본적으로 임금에 의존해서 이루어지게 된다. 그리고 그들은 학문적인 기술을 익힌 후에 상급 학교에 진학해 직업적인 기술을 익히게 된다. 그렇게 공부해서 엔지니어, 과학자, 요리사, 경찰관, 예술가, 혹은 작가 등이 된다. 그들은 이런 전문적인 기술로 직업을 갖고 돈을 위해 일하게 된다.

직업과 사업 사이에는 큰 차이가 있다. 나는 종종 사람들에게 이렇게 묻는다. 「당신은 무슨 사업을 하고 계시나요?」 그러면 사람들은 이렇게 대답한다. 「아, 나는 은행가입니다」 그 대답에 나는, 그러면 은행을 갖고 있느냐고 묻는다. 내 질문에 대개는 이렇게 대답한다. 「아뇨, 나는 거기서 일해요」

그렇게 답하는 사람들은 직업과 사업을 혼동한 것이다. 그들의 직업은 은행가이겠지만, 그것이 그들의 사업이라고 할 수는 없다. 레이 크록은 자신의 직업과 사업의 차이를 분명하게 얘기했다. 그의 직업은 늘 같은 것이었다. 그는 판매원이었다. 한때 그는 밀크쉐이크를 만드는 믹서를 팔았다. 그리고 얼마 후에 햄버거 체인점을 팔기 시작했다. 하지만 그의 직업은 햄버거 체인점을 파는 것이었어도, 그의 사업은 수입을 만드는 부동산의 축적이었다.

학교 교육의 문제는 우리가 종종 공부한 대로 된다는 것이다. 그래서 우리가 가령 요리를 공부하면 요리사가 되고, 법률을 공부하면 변호사가 되고, 자동차 수리를 공부하면 자동차 수리공이 된다. 우리가 공부하는 대로 된다는 것의 문제는 너무 많은 사람들이 자기 사업을 하지 못한다는 것이다. 그들은 평생 누군가의 사업을 해

주면서 그 사람을 부자로 만든다.

경제적으로 안정을 찾으려면 자기 사업을 해야 한다. 자기 사업은 수입이 아닌 자산을 중심으로 움직인다. 이미 얘기했듯이, 부자의 첫번째 비결은 자산과 부채의 차이를 알고, 자산을 사는 것이다. 부자들은 자산에 초점을 맞추고, 그렇지 않은 사람들은 수입에만 초점을 맞춘다.

그래서 우리는 이런 얘기를 듣는다. 〈봉급이 올라야 하는데〉, 〈승진만 되면〉, 〈다시 학교로 가서 공부를 더해 더 좋은 직장을 찾아야겠어〉, 〈초과 근무를 해야겠어〉, 〈부업을 해야 할 것 같아〉, 〈며칠 후에 그만둘 생각이야. 보수가 더 많은 자리를 찾았어〉 등.

어느 면에서 이런 것은 좋은 생각일 수도 있다. 하지만 레이 크록의 말에 의하면 당신은 여전히 자기 사업을 하지 않고 있다. 당신의 생각은 아직도 수입에 맞추어져 있고, 그런 수입 증가가 자산 획득에 사용되지 않으면 다른 사람만 더 부자로 만들 뿐이다.

대다수의 가난한 사람들과 중산층 사람들이 금전적으로 보수적인 이유는, 그러니까 〈나로서는 그런 위험성을 감수할 수 없어〉라고 말하는 이유는, 그들에게 재정적 기반이 전혀 없기 때문이다. 그들은 직장에 매달려야만 한다. 그들은 안전하게 살아야만 한다.

우리 사회에 구조 조정이 널리 퍼졌을 때, 수백만의 근로자가 자신들의 이른바 최대 자산인 집이 엄청난 짐이 되고 있음을 알았다. 그들의 자산인 집은 아직도 매달 비용을 요구한다. 또다른 〈자산〉인 자동차도 큰 짐이 되었다. 1천 달러를 주고 산 골프채는 이제 1천 달러가 아니었다. 안정적인 직업이 없는 상태에서, 그들에게는 의지할 것이 전혀 없었다. 그들이 생각했던 자산은 금융 위기 속에서 그들의 생존을 돕지 못했다.

아마 대부분의 사람들은 집이나 자동차를 사기 위해 대출을 받으려고 은행가에게 신용 평가서를 제출한 적이 있을 것이다. 나는 늘 〈순재산〉 부분을 보면서 흥미로움을 느낀다. 그것이 흥미로운 이유는 일반적인 은행업 및 회계업의 관행이 자산으로 인정하는 것 때문이다.

언젠가 나도 대출을 받으려 한 적이 있는데, 그때 내 재정 상태는 별로 좋아 보이지 않았다. 그래서 나는 새 골프채와 수집한 예술품, 책, 스테레오, TV, 연회복, 손목시계, 신발, 그 밖에 이런 저런 개인 소장품을 포함시켜 자산 부분의 숫자를 부풀렸다.

하지만 나는 대출을 받지 못했다. 그 이유는 내가 부동산에 너무 많은 투자를 하고 있다는 이유 때문이었다. 심사 위원회는 내가 임대용 주택에서 너무 많은 돈을 번다고 퇴짜를 놓았다. 그들은 나에게 왜 정상적인 직업이 없는지, 왜 월급이 없는지 알고 싶어했다. 그들은 연회복이나 골프채나 예술품에는 토를 달지 않았다. 당신이 〈일반적인〉 범주에 들지 않을 때 삶은 힘이 든다.

나는 사람들이 자기 순재산이 백만 달러, 10만 달러, 혹은 얼마라고 얘기할 때 몸을 움츠린다. 순재산이 정확하지 않은 한 가지 이유는 그런 재산을 팔면 즉시 세금이 붙는다는 것이다.

그래서 많은 사람들이 수입이 떨어질 때 심각한 재정적 문제에 처하게 된다. 그들은 현금을 얻기 위해 자산을 판다. 먼저, 그들의 개인적 자산은 대개 대차 대조표에 올라 있는 액수보다 훨씬 더 적은 액수에 팔린다. 혹은, 그런 자산을 팔아서 소득이 발생했을 때, 그 소득에 대해 세금이 붙는다. 그래서 이번에도 정부가 자기 몫을 먼저 챙기고, 그 결과 사람들이 빚을 갚을 현금은 줄어든다. 이런 이유로 나는 순재산이 생각보다 많은 것이 아니라고 얘기한다.

자기 사업을 해야 한다. 낮에는 계속 일을 하라. 하지만 진짜 자산을 사야 한다. 집에 갖고 오는 순간 가치가 없어지는 부채나 개인적 소장품은 사지 말라. 새 차는 일단 운전을 시작하면 원래 지불한 가격의 25% 가량을 잃게 된다. 그것은 진짜 자산이 아니다. 은행에서 그것을 자산으로 인정해도 마찬가지다. 내가 4백 달러를 주고 산 새 티타늄 드라이버는 티샷을 하는 순간 가치가 150달러로 떨어졌다.

어른들은 지출을 줄이고, 부채를 낮추고, 부지런히 튼튼한 자산 기반을 쌓아야 한다. 아직도 부모 곁에 있는 젊은 사람들은 부모들에게서 자산과 부채의 차이를 배워야 한다. 부모들은 자녀들이 튼튼한 자산 기반을 쌓게 한 후에 독립해서 살게 해야 한다. 그렇지 않으면 그들이 독립해서 결혼하고, 집을 사고, 아이를 낳게 되면 심각한 재정 위기에 처하게 된다. 그들은 직장에 매달리면서 모든 것을 신용 카드로 사게 된다. 나는 너무도 많은 젊은 부부들이 결혼한 후에 스스로 함정에 빠져 오랫동안 빚에서 벗어나지 못하는 것을 본다.

대개의 경우 부모들은 막내를 독립시키고 나서 자신들이 적절하게 은퇴 준비를 못했음을 알게 된다. 그러고는 그제서야 허둥지둥 돈을 모으려 한다. 그러다가 자기 부모들이 병이 들면 또다른 부담을 지게 된다.

그렇다면 당신이나 당신의 아이들은 어떤 자산을 취득해야 할까? 내가 볼 때 진짜 자산은 몇 가지 범주로 나눌 수 있다.

1 내가 없어도 되는 사업. 주인은 나지만, 사업체는 다른 사람들이 운영하거나 관리한다. 내가 거기서 일해야만 한다면, 그것은 사업이 아니다. 그것은 내 직업이 된다.
2 주식
3 채권
4 뮤추얼 펀드
5 수입을 창출하는 부동산
6 어음이나 차용증
7 지적 재산권에서 나오는 로열티. 이를테면 음악, 원고, 특허 등.
8 그 밖에 가치가 있거나 수입을 창출하거나 즉시 시장성이 있는 것.

내가 어렸을 때 가난한 아버지는 내게 안정적인 직장을 찾으라고 말했다. 반면에 내 부자 아버지는 내가 좋아하는 자산을 획득하라고 얘기했다. 「그것을 좋아하지 않으면 돌보지 않게 된단다」 내가 부동산을 모은 이유는 건물과 토지를 좋아했기 때문이다. 나는 그것들을 사는 것을 좋아했다. 나는 하루 종일 그것들만 볼 수 있었다. 문제가 생겨도 그 문제는 내 부동산 취미를 바꿀 만큼 나쁜 것이 아니었다. 부동산을 싫어하는 사람들은 부동산을 사지 말아야 한다.

나는 작은 회사들, 특히 신생 기업들의 주식을 좋아한다. 왜냐하면 나는 기업가라기보다는 창업가이기 때문이다. 초창기에는 나도 몇몇 대기업에서 일을 했다. 이를테면 캘리포니아의 스탠더드 정유회사, 미국 해병대, 그리고 제록스 사에서 일을 했다. 나는 그런 조직에서 재미있게 일했으며 좋은 추억도 많다. 하지만 나는 기본적으로 회사 체질이 아니다. 내가 좋아하는 것은 회사를 운영하는 것보다 창업하는 것이다. 그래서 나는 대개 작은 회사들의 주식을 사며, 때로는 회사를 창업해서 공개하기도 했다. 돈은 신주 발행에서 나오며, 나는 그런 게임을 좋아한다. 많은 사람들이 작은 회사들에 겁을 낸다. 위험성이 너무 크다는 것이다. 그리고 실제로도 그렇다. 하지만 위험성은 투자를 제대로 알고 충분한 지식으로 적절히 대응하면 늘 줄어든다. 작은 회사들에 대한 내 투자 전략은 일년 후에 주식을 처분하는 것이다. 반면에 내 부동산 전략은 작게 시작해서 크기는 점차 늘리고, 그렇게 해서 소득에 대한 납세를 연기하는 것이다. 이런 전략으로 내 부동산의 가치는 엄청나게 는다. 나는 대개 7년 이상 부동산을 보유하지 않는다.

몇 년 동안 해병대와 제록스 사에 있을 때도 나는 부자 아버지의 조언을 실천했다. 나는 낮에 일을 하면서 내 사업을 관리했다. 적극적으로 자산을 관리했으며 부동산과 작은 주식들을 거래했다. 부자 아버지는 늘 돈에 관한 지식의 중요성을 강조했다. 내가 회계와 현금 관리를 더 잘 알수록 나는 투자 분석을 더 잘하고 결국에는 내 회사를 더 잘 시작하고 구축한다.

나는 당신이 원하지 않으면 회사를 창업하라고 얘기하고 싶지 않다. 나는 회사를 운영하는 것이 어떤 것인지 잘 안다. 그래서 나는 사람들이 그런 일을 하도록 권유하지 않는다. 그러나 때로는 직장을 찾을 수 없고, 그래서 회사를 차리는 것이 해결책이 될 수도 있다. 성공의 확률은 높지 않다. 열 개 회사 중에 아홉 개 회사가 5년 후에 실패한다. 그리고 5년 후에 살아남은 회사 중에서, 다시 열 개 회사 중에 아홉 개 회사가 결국은 실패한다. 따라서 정말로 회사를 시작하고 싶은 사람만 그렇게 하기를 권한다. 그렇지 않으면 낮에 일을 하면서 자기 사업을 해야 한다.

자기 사업을 하라는 것은 튼튼한 자산 기반을 만들라는 것이다. 그곳에 돈이 들어가면 절대로 빼내지 말라. 이런 식으로 생각해 보자. 일단 자산으로 들어간 돈은 당신의 직원이 된다. 돈의 좋은 점은 그것이 24시간 내내 일을 하며 아주 오래 일을 한다는 점이다. 낮에는 예전처럼 일을 하라. 열심히 일하는 좋은 직원이 돼라. 하지만 그러면서 자산을 구축하라.

현금 흐름이 늘면 다소 사치를 할 수도 있다. 중요한 차이는 부자들은 사치품을 맨 나중에 사는데, 가난한 사람들과 중산층 사람들은 그것을 맨 처음에 사는 경향이 있다는 것이다. 가난한 사람들과 중산층 사람들은 부자로 보이기 위해 종종 큰 집과 보석, 모피, 혹은 고급 차를 사곤 한다. 그렇게 하면 부자로는 보이지만, 사실 그들은 점점 더 빚을 질 뿐이다. 반면에 장기적인 부자들은 먼저 자산을 구축한다. 그런 후에 자산에서 나오는 수입으로 사치품을 산다. 가난한 사람들과 중산층 사람들은 자신들의 피와 땀, 그리고 아이들에게 물려주어야 할 유산으로 사치품을 산다.

진정한 사치는 진짜 자산에 투자하고 개발한 보상으로 오는 것이다. 예를 들어, 우리 부부는 임대용 주택에서 추가 수입이 나왔을 때 아내가 벤츠를 샀다. 아내는 벤츠를 사기 위해 추가 노동을 하거나 위험성을 감수하지는 않았다. 임대용 주택이 차를 산 것이다. 하지만 아내는 4년 동안 기다려야만 했다. 그 동안에 부동산 투자의 가치가 늘면서 마침내 추가 수입을 만들어 차를 살 수 있게 했다. 그러나 아내의 사치품인 벤츠는 진정한 보상이었다. 왜냐하면 아내는 그 동안 꾸준히 자산을 늘렸기 때문이다. 그 차는 이제 아내에게 단순한 고급 차 이상의 의미를 갖고 있다. 그것은 아내가 금융 지식을 이용해 보상을 얻었다는 의미이다.

대부분의 사람들은 충동적으로 밖에 나가 신용 카드로 새 차나 그 밖의 사치품을 산다. 그들은 아마 삶이 지루해서 새 장난감이 필요할 것이다. 신용 카드로 사치품을 사면 그 사람은 그 사치품을 금방 싫어하게 될 가능성이 높다. 그 때문에 진 빚이 큰 부담으로 작용하기 때문이다.

이렇게 시간을 갖고 투자를 해서 자기 사업을 구축하면, 이제는 그 요술 방망이를 사용할 수 있게 된다. 이것이 부자들이 갖고 있는 최대의 비밀이다. 부자들을 점점 더 부자로 만드는 비밀이다. 시간을 갖고 부지런히 자기 사업을 한 결과 찾아오는 보상이다.

네번째 교훈

부자들은 세금의 원리와 기업의 힘을 안다

나는 월급 봉투를 받을 때마다 늘 실망했다.
세금 공제가 너무 많았고, 내가 열심히
일할수록 공제 금액도 더 많았다.
내가 점점 더 성공하자 상사들이 승진과
봉급 인상에 대해 얘기했다.
그것은 듣기 좋은 소리였지만, 나는
부자 아버지가 나에게 이렇게 묻는 것을 들었다.
「너는 지금 누굴 위해 일하고 있는 거니?
지금 누굴 부자로 만들고 있는 거니?」

어렸을 때 학교에서 로빈 후드와 그의 추종자들에 대한 이야기를 들은 기억이 난다. 그때 선생님은 로빈 후드는 케빈 코스트너가 열연한 것처럼, 낭만적인 영웅의 멋진 이야기라고 생각한 것 같다. 그들은 부자들에게서 재물을 빼앗아 가난한 사람들에게 나눠주었다고 했다. 하지만 내 부자 아버지는 로빈 후드를 영웅으로 보지 않았다. 그분은 로빈 후드야말로 강도라고 생각했다.

지금은 로빈 후드는 없을지 모르지만, 그의 추종자들은 남아 있다. 나는 아직도 사람들이 이렇게 말하는 것을 자주 듣는다. 「왜 부자들이 돈을 내지 않죠?」 혹은 「부자들이 더 많은 세금을 내서 가난한 사람들에게 나눠주어야 합니다」

바로 이와 같은 〈로빈 후드 이론〉, 즉 부자들에게서 재물을 빼앗아 가난한 사람들에게 나눠준다는 이론이 결국은 가난한 사람들과 중산층 사람들에게 가장 큰 고통을 주었다. 중산층이 그렇게도 많은 세금을 내는 이유는 〈로빈 후드 이상(ideal)〉 때문이다. 하지만 실제로 부자들은 세금을 내지 않는다. 대신에 중산층이 가난한 사람들을 위해 돈을 내며, 특히 많은 교육을 받은 고소득 중산층이 그러하다.

이번에도 상황을 제대로 보려면 역사적인 맥락을 살펴볼 필요가 있다. 그러니까 세금의 역사를 살펴볼 필요가 있다는 것이다. 교육을 많이 받은 내 아버지는 교육의 역사에는 전문가였다. 반면에 부자 아버지는 스스로 세금 역사의 전문가임을 자처했다.

부자 아버지는 마이크와 나에게 이렇게 설명했다. 원래 영국과 미국에는 세금이 없었다. 때때로 임시 세금이 부과되어 전쟁 기금에 사용되곤 했다. 왕이나 대통령은 전쟁을 앞두고 사람들에게 전쟁에 〈동참할〉 것을 촉구했다. 영국에서 세금이 부과된 것은 1799년부터 1816년까지 있었던 나폴레옹 전쟁 때문이었다. 그리고 미국에서는 1861년부터 1865년까지 남북전쟁 때 세금이 부과되었다.

1874년에 영국은 시민들에게 부과되는 소득세를 영구적인 것으로 만들었다. 그리고 1913년에 미국에서도 16차 헌법 개정을 통해 소득세를 영구화시켰다. 한때 미국인들은 세금에 반대했다. 보스턴 항구에서 유명한 차(tea) 사건이 일어난 것도 차에 부과된 지나친 세금 때문이었다. 그 사건이 발단이 되어 독립전쟁으로 이어졌다. 미국과 영국에서 소득세가 일반적인 것으로 정착되기까지는 거의 50년이 걸렸다.

이런 역사적 사건들이 숨기고 있는 것은 영국과 미국에서 세금은 원래 부자들에게만 부과되었다는 사실이다. 부자 아버지는 바로 이 점을 마이크와 나에게 가르치려 했다. 그분은 세금이 일반화되고 대중에게 받아들여진 것은, 가난한 사람들과 중산층 사람들에게 〈세금은 부자들을 벌주기 위해서 만들어진 것〉이라고 얘기했기 때문이라고 하셨다. 그래서 대중은 그런 법률에 찬성표를 던졌고, 그렇게 해서 세금이 합법적인 것이 되었다. 이렇게 해서 세금은 부자들을 벌주기 위해 만들어졌지만, 결과적으로는 찬성표를 던진 가난한 사람들과 중산층을 벌주는 결과로 나타났다.

「일단 돈의 맛을 본 정부는 식욕이 늘기 시작했지」 부자 아버지가 말했다. 「네 아버지와 나는 정반대이다. 네 아버지는 정부 관료이고, 나는 자본가지. 우리는 똑같이 보수를 받지만, 우리의 성공은 정반대의 행위로 측정된다. 네 아버지는 돈을 쓰고 사람들을 고용해서 보수를 받는다. 네 아버지가 더 많이 쓰고 더 많은 사람을 고용할수록 네 아버지의 조직은 더 커진다. 정부에서 네 아버지의 조직이 클수록 네 아버지는 존경을 받는단다. 반면에 내 조직에서는 내가 사람을 덜 고용하고 돈을 덜 쓸수록 투자가들이 나를 더 존경하지. 이렇기 때문에 나는 공무원들을 싫어한다. 그들의 목표는 대부분의 사업하는 사람들과는 다르다. 정부는 규모가 커지면 커질수록 점점 더 많은 세금을 거둬들였다. 그래야만 그 큰 조직을 유지할 수 있거든」

교육을 많이 받은 내 아버지는 정부가 사람들을 도와야 한다고 굳게 믿었다. 그분은 케네디 대통령과 특히 평화 봉사단을 무척 좋아했다. 아버지와 어머니 모두 평화 봉사단에서 일하며 말레이시아와 태국, 그리고 필리핀에서 무보수로 봉사했다. 그분은 늘 예산을 더 타서 더 많은 사람들을 고용하려고 애썼다. 교육부에서 일할 때도 그랬고 평화 봉사단에서 일할 때도 그랬다. 그것이 가난한 우리 아버지의 일이었다.

나는 열 살이 넘으면서 부자 아버지에게서 이런 말을 듣곤 했다. 그분은 정부 관리들이 일단의 게으른 강도들이라고 얘기했다. 반면에 가난한 아버지는 부자들은 욕심쟁이 사기꾼들이기 때문에 더 많은 세금을 내야 한다고 얘기했다. 양쪽 견해 모두 나름대로의 일리가 있다. 마을에서 유명한 자본가를 위해 일하다가 집에 와서는 고위 공무원인 아버지의 말을 듣는 것은 힘든 일이었다. 어느 말을 들어야 할지 쉽게 판단이 서질 않았다.

하지만 세금의 역사를 공부해 보면 흥미로운 관점이 나타난다. 이미 얘기했듯이, 세법의 통과가 가능했던 것은 가난한 사람과 중산층 사람들이 경제학의 〈로빈 후드 이론〉을 믿었기 때문이다. 즉, 부자들에게서 빼앗아 다른 사람들에게 주는 이론이다. 하지만 문제는 돈에 대한 정부의 식욕이 너무 커져서 중산층에게도 세금을 부과할 필요가 생겼고, 그런 식으로 점점 더 아래 계층으로까지 〈내려갔다〉는 점이다.

반면에 부자들은 기회를 보았다. 그들은 같은 식의 규칙에 따라 움직이지 않는다. 내가 이미 얘기했듯이, 부자들은 늘 기업에 대해서 알고 있었다. 기업은 항해 시대에 널리 퍼진 것이다. 부자들은 항해에 따른 자산의 위험성을 줄이기 위해 기업을 세웠다. 부자들은 돈을 기업에 넣어서 항해 자금을 댔다. 그러면 기업이 선원들을 고용해 신세계로 가서 보물을 찾도록 했다. 배가 난파되면 선원들은 목숨을 잃었다. 하지만 부자들의 손실은 그 항해에 투자한 돈만으로 국한되었다. 아래의 그림은 기업 구조가 우리의 개인적 수입 계산서와 대차 대조표 외부에 있음을 보여준다.

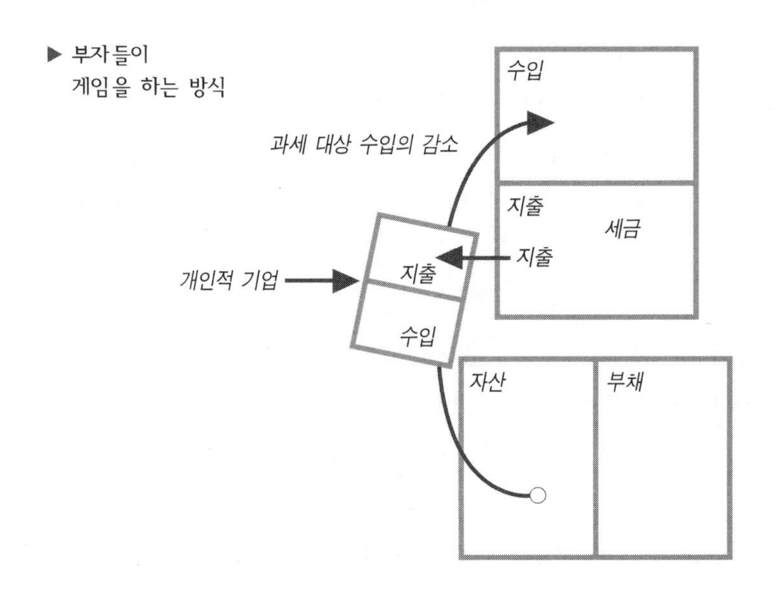

▶ 부자들이 게임을 하는 방식

부자들은 이와 같은 합법적 기업 구조의 힘을 알게 되면서 가난한 사람들과 중산층에 비해 엄청난 우위를 갖게 된다. 사회주의자와 자본주의자 두 아버지의 가르침을 받은 나는 자본주의자의 철학이 경제적으로 더 일리가 있음을 즉시 알기 시작했다. 내가 볼 때 사회주의자들은 결국 금융 지식이 부족해서 스스로를 벌하는 것 같았다. 〈부자들에게서 돈을 거둬들이는〉 자들이 어떤 아이디어를 내건, 부자들은 늘 그들을 앞지르는 길을 찾았다. 이렇게 해서 세금은 결국 중산층에게 부과되었다. 부자들이 지식인들을 앞지른 것은 무엇보다 돈의 힘을 이해했기 때문이다. 그 문제는 학교에서는 가르치지 않는 것이다.

그렇다면 부자들은 어떻게 지식인들을 앞질렀을까? 〈부자들에게서 거둬들이는〉 세금이 통과되자 정부 금고에 현금이 밀려들기 시작했다. 처음에는 사람들이 행복해했다. 하지만 그 돈은 정부 관료들과 부자들에게 돌아갔다. 정부 관료들에게는 일자리와 연금의 방식으로, 부자들에게는 기업들이 따내는 정부 계약을 통해 그 돈이 흘러들어 갔다. 정부는 이제 엄청난 돈을 소유하게 되었다. 하지만 그 돈의 재정적인 관리가 문제였다. 정부의 돈은 순환되지 않았다. 다시 말하면, 정부 관료들의 철학은 여유돈을 남기지 않는 것이다. 할당된 자금을 모두 쓰지 않으면 다음 예산을 배정받지 못하기 때문이다. 정부 관료들은 예산의 효율적인 운용으로 평가받지 않는다. 반면에 사업가들은 여유돈이 있으면 보상을 받고 효율적인 관리로 인정을 받는다.

정부 지출이 증가하는 이런 사이클이 계속되면서 돈의 수요는 점차 늘어났다. 그리고 이제는 〈부자들에게서 거둬들이는〉 개념이 더 낮은 소득 계층, 애초에 세금에 찬성한 사람들, 즉 가난한 사람들과 중산층까지 포함하는 개념으로 변했다.

진짜 자본가들은 금융 지식을 이용해 빠져나가는 방법을 찾았다. 이들은 다시 기업의 보호에 의존했다. 기업은 부자들을 보호한다. 하지만 기업을 만든 적이 없는 대다수 사람들이 모르고 있는 것은, 기업에는 실체가 없다는 점이다. 기업은 일부 법적인 문서가 들어 있는 단순한 서류철로, 정부 기관에 등록된 후 변호사 사무실에 앉아 있을 뿐이다. 회사 이름이 붙어 있는 큰 건물도 기업은 아니다. 공장이나 사람들의 집합도 기업은 아니다. 기업은 단지 법적인 문서로서 영혼이 없는 법적 구조를 만들 뿐이다. 이렇게 해서 부자들의 재산은 다시 한번 보호받았다. 영구적인 소득 세법들이 통과된 후에도 기업이 널리 퍼진 것은 기업의 소득 세율이 개인들의 소득 세율보다 낮기 때문이었다. 뿐만 아니라, 이미 얘기한 대로, 기업에서는 일부 비용을 세전 현금으로 처리할 수 있다.

가진 자와 못 가진 자의 이와 같은 전쟁은 수백 년 동안 계속된 것이다. 이 전쟁은 〈부자들에게서 세금을 거둬들이는〉 사람들과 부자들과의 전쟁이다. 이 전쟁은 법률이 만들어질 때마다 치러지고 있으며, 영원히 계속될 것이다. 문제는 금융 지식이 없는 사람들이 패한다는 것이다. 매일 아침 일어나서 부지런히 일터에 가고 세금을 내는 사람들은 결국에는 진다. 이들이 부자들의 게임 방식을 알기만 하면 같은 방식으로 할 수 있을 것이다. 그러면 이들도 재정적으로 독립을 할 수 있다. 그래서 나는 부모들이 아이들에게 학교 가서 공부 열심히 하고 안정적인 직장을 찾으라고 얘기할 때마다 몸을 움츠린다. 안정적인 직장만 있고 금융 지식이 없는 직원에게는 탈출구가 없다.

오늘날 평균적인 미국인들은 대여섯 달 동안 정부를 위해 일을 해야 겨우 세금을 낼 수 있다. 내가 볼 때 이것은 너무 긴 기간이다. 우리는 열심히 일할수록 세금을 더 낸다. 내가 볼 때는 이런 이유로 〈부자들에게서 세금을 거두는〉 개념을 지지했던 바로 그 가난한 사람들과 중산층 사람들로부터 반발을 당하고 있다.

사람들이 부자를 벌주려 할 때마다 부자들은 가만히 있지 않고 대응을 한다. 그들에게는 상황을 바꿀 돈과 힘과 의지가 있다. 부자들은 그냥 앉아서 자발적으로 더 많은 세금을 내지는 않는다. 이들은 세금을 줄일 수 있는 방법들을 찾는다. 이들은 영리한 변호사와 회계사를 고용하고, 정치인들을 설득해서 법을 바꾸거나 합법적 장치를 만들도록 한다. 이들에게는 변화를 꾀할 자원이 있다.

미국의 세법도 세금을 절약할 여러 방법을 허용한다. 이 중 많은 방법들이 누구나 활용할 수 있는 장치들이다. 하지만 대개는 부자들만이 이런 수단을 이용한다. 부자들은 자기 사업을 하기 때문이다. 예를 들어, 〈1,031〉은 미국 세법 1,031조를 가리키는 말인데, 이 조항은 부동산 판매자가 어떤 부동산을 더 비싼 부동산과 교환해 자본 소득을 얻으면 납세를 연기시켜 준다는 것이다. 부동산은 이와 같은 절세를 가능케 하는 한 가지 투자이다. 가치가 높은 쪽으로 거래를 하는 한 현금화를 하기 전까지는 거래 소득에 대한 세금을 내지 않아도 된다. 이렇게 합법적으로 허용되는 절세 수단을 활용하지 못하는 사람들은 자산을 늘릴 수 있는 좋은 기회를 놓치는 것이다.

가난한 사람들과 중산층에게는 이런 자원이 없다. 이들은 그냥 앉아서 정부의 바늘이 팔에 꽂히도록 허용하면서 쉽게 헌혈을 한다. 오늘날 나는 정부가 무섭다는 이유만으로 부당하게 더 많은 세금을 내고 있거나, 공제를 더 받을 수도 있는데도 받지 못하는 사람들의 수에 깜짝 놀란다. 그리고 나는 세무 공무원들이 얼마나 무섭고 위협적일 수 있는지 잘 안다. 내 친구들 가운데 사업이 망한 후에 알고 보니 정부의 잘못이었음을 알게 된 친구들이 있다. 나도 그 모든 것을 알고 있다. 하지만 1월부터 5월 중순까지 일하는 대가는 그런 위협에 대한 대가치고는 너무 높다. 내 가난한 아버지는 이에 한번도 맞서지 않았다. 내 부자 아버지도 역시 그랬다. 다만 부자 아버지는 더 영리하게 게임을 했고, 기업을 통해 그 일을 했다. 기업이야말로 부자들의 가장 큰 비밀이다.

아마 여러분은 내가 부자 아버지에게서 배운 첫번째 교훈을 기억할 것이다. 당시 나는 아홉 살짜리 꼬마로서 그분이 말하고 싶을 때까지 앉아서 기다려야만 했다. 나는 종종 그분의 사무실에 앉아 그분이 〈나를 찾을 때까지〉 기다리곤 했다. 그분은 나를 고의로 무시했다. 그분은 내가 그분의 힘을 알고 언젠가는 나도 그런 힘을 갖고 싶어하게 만들려 했다. 내가 그분에게서 가르침을 받았던 그 모든 세월 동안, 부자 아버지는 늘 〈아는 것이 힘〉이라는 점을 상기시켰다. 그리고 돈에는 큰 힘이 따르며, 그 힘을 위해서는 올바른 지식으로 돈을 유지하고 늘려야만 한다. 그런 지식이 없으면 세상이 우리를 내두른다. 부자 아버지는 마이크와 나에게 제일 무서운 사람은 상사나 감독관이 아니라 세금 징수원임을 끊임없이 상기시켰다. 세금 징수원은 기회만 있으면 늘 더 많은 것을 가져간다.

돈을 위해 일하는 것이 아닌, 돈이 우리를 위해 일하게 하는 것의 첫번째 교훈은 사실 모두가 〈힘〉에 관한 것이다. 돈을 위해 일할 때 그 힘은 우리가 아닌 고용주에게 있다. 하지만 돈이 우리를 위해 일하게 만들 때에는 우리가 그 힘을 관리하고 통제한다.

돈이 우리를 위해 일하게 하는 것의 힘을 안 후에, 부자 아버지는 우리가 돈에 관해 더 똑똑해지고, 무서운 사람들에게 내둘리지 않게 되기를 원했다. 우리는 법과 제도를 잘 알아야 한다. 그것을 모르면 쉽게 내둘림을 당한다. 우리가 많은 것을 알고 있으면 싸울 기회가 생긴다. 이런 이유로 부자 아버지는 똑똑한 세무사와 변호사들에게 많은 보수를 지불했다. 그렇게 하는 것이 정부에 돈을 내는 것보다 더 싸게 먹힌다. 내가 평생 동안 사용한 그분의 가장 멋진 가르침은 이것이다. 〈똑똑하면 쉽게 내둘림을 당하지 않는다.〉 부자 아버지는 법을 지키는 시민이었기 때문에 법을 알았다. 그분은 법을 모르면 너무 비싼 대가를 치르기 때문에 법을 알았다. 「자신이 옳다는 것을 알면 두려움 없이 맞서 싸울 수 있단다」

교육을 많이 받은 내 아버지는 늘 나에게 튼튼한 회사에서 좋은 자리를 얻으라고 얘기했다. 그분은 〈열심히 일해 위로 올라가는 것〉의 미덕을 얘기했다. 그분은 직장에서 월급 봉투만 보고 살면 내가 순한 양밖에 안 된다는 점을 이해하지 못했다.

우리 아버지의 충고를 부자 아버지에게 말했을 때, 그분은 껄껄 웃기만 했다. 「그보다 차라리 출세를 빨리 할 수 있는 사다리를 갖는 게 낫지」 그분은 그렇게만 말했다.

어렸을 때 나는 회사를 직접 만들라는 부자 아버지의 말을 제대로 이해하지 못했다. 그런 일은 불가능해 보였고 무섭게도 보였다. 나는 그런 개념에 흥미를 느꼈지만, 어린 나로서는 언젠가 내 회사에서 어른들이 일한다는 가능성을 생각할 수가 없었다.

그렇기는 해도 나는 부자 아버지의 말을 듣고 교육을 많이 받은 내 아버지가 제시한 길은 따르지 않게 되었다. 부자 아버지가 때때로 나에게 했던 말이 내 회사를 갖을 수 있다는 생각을 유지시켰고 결국에는 다른 길을 가게 했다. 나는 열다섯, 열여섯 살이 되면서 교육을 많이 받은 내 아버지가 제시하는 길은 가지 않을 거라고 생각하기 시작했다. 내가 어떻게 다른 길을 가게 되었는지는 나도 잘 모른다. 하지만 나는 대부분의 학우들이 가는 길과는 다른 방향으로 가기로 결심했다. 그리고 그런 결심이 내 삶을 바꾸었다.

내가 20대 중반이 되면서부터 부자 아버지의 가르침은 좀더 의미심장하게 다가오기 시작했다. 그때 나는 막 해병대에서 제대해 제록스 사에서 일하고 있었다. 나는 많은 돈을 벌고는 있었지만, 월급 봉투를 받을 때마다 늘 실망했다. 세금 공제가 너무 많았고, 내가 열심히 일할수록 공제 금액도 더 많았다. 내가 점점 더 성공하자 상사들이 승진과 봉급 인상에 대해 얘기했다. 그것은 듣기 좋은 소리였지만, 나는 부자 아버지가 나에게 이렇게 묻는 것을 들었다.
「너는 지금 누굴 위해 일하고 있는 거니? 지금 누굴 부자로 만들고 있는 거니?」

내가 아직 제록스 사에서 일하던 1974년에 나는 처음으로 회사를 차려 〈내 사업을 하기〉 시작했다. 내 자산 부분에는 이미 몇몇 자산이 있었지만, 이제 나는 그것을 더 크게 만들어야겠다고 결심했다. 월급을 받을 때마다 세금이 잔뜩 붙는 것을 보면서 나는 부자 아버지의 가르침이 옳은 것임을 확신했다. 나는 가난하고 많은 교육을 받은 내 아버지의 가르침을 따를 때 내 미래가 어찌 될지 볼 수 있었다.

많은 고용주들은 직원들에게 자기 사업을 하도록 조언하는 것이 자신들의 사업에 해가 된다고 생각한다. 물론 어떤 사람들에게는 그럴 수도 있다. 하지만 내 경우에는 내 자신의 사업을 하면서 자산을 개발하는 것이 오히려 직장 생활에도 도움이 되었다. 나에게는 이제 목적이 있었다. 나는 일찍 출근해서 부지런히 일했고, 가능한 한 많은 돈을 모아 부동산에 투자해야겠다고 생각했다. 당시 하와이는 부동산 경기가 막 일고 있었다. 그래서 돈을 벌 기회가 많이 있었다. 그리고 나는 그런 기회를 잡기 위해 더 많은 제록스 제품을 팔기 시작했다. 내가 더 팔수록 버는 돈은 많았고, 당연히 내 월급에서 나가는 세금도 더 많았다. 그것은 깨달음의 순간이었다. 나는 빨리 직원이라는 함정에서 빠져나가야 한다고 생각했다. 그래서 나는 일을 덜 한 것이 아니라 더 열심히 했다. 1978년경에 나는 전국의 판매원들 가운데 상위 5위권에 속했다. 그럴수록 나는 쥐 경쟁에서 빨리 빠져나가야 한다고 생각했다.

불과 3년 만에 내가 세운 작은 회사(부동산 지주 회사)에서 버는 돈이 제록스 사에서 버는 돈보다 더 많아졌다. 그리고 내가 자산 분야에서, 그러니까 내 회사에서 버는 돈은 나를 위해 일하는 돈이었다. 그것은 내가 집집마다 다니며 복사기를 팔아서 버는 돈이 아니었다. 이제 부자 아버지의 가르침이 점점 더 의미를 주었다. 이윽고 내 재산에서 나오는 현금 흐름이 아주 많아져 나는 처음으로 포르셰를 샀다. 제록스 사의 동료 판매원들은 내가 판매 수수료로 그렇게 비싼 차를 산 것이라고 생각했다. 하지만 나는 판매 수수료를 쓰지 않았다. 나는 그 수수료를 내 자산에 투자하고 있었다.

내 돈이 나를 위해 열심히 일해서 더 많은 돈을 벌고 있었다. 내 자산 분야에 있는 모든 현금은 나의 훌륭한 직원이었다. 그것들이 열심히 일해서 더 많은 직원을 구했고 주인에게 세전 수입으로 포르셰를 사주었다. 나는 제록스를 위해 더 열심히 일했다. 내 계획은 성공하고 있었으며, 새 포르셰가 그 증거였다.

나는 부자 아버지에게서 배운 교훈으로 일개 고용인이 되는 〈쥐 경주〉에서 일찍 빠져나올 수 있었다. 그것이 가능했던 것은 내가 그런 교훈으로 획득한 적절한 금융 지식 때문이었다. 내가 〈금융 IQ〉

라 부르는 그런 금융 지식을 갖지 못했다면 재정적 독립은 훨씬 더 어려웠을 것이다. 나는 이제 금융 및 재정에 관한 강연들을 통해 사람들을 가르쳐 내 지식을 그들과 나누려 한다. 나는 강연을 할 때마다 사람들에게 금융 IQ는 아래의 네 가지 분야의 지식으로 구성된다고 얘기한다.

〈금융 IQ〉의 네 가지 구성 요소

첫째, 회계 지식이 필요하다. 이것은 제국을 건설하려면 필수적인 지식이다. 관리할 돈이 많아질수록 정확성도 더 필요하다. 그렇지 않으면 건물이 무너지게 된다. 이것은 좌뇌적인 지식, 즉 세부적인 지식인 금융 보고서를 읽고 이해하는 능력이다. 이런 능력이 있으면 여러 사업의 강점과 약점을 파악할 수 있다.

둘째, 투자 지식이 필요하다. 나는 이것을 〈돈이 돈을 버는 과학〉이라 부른다. 이것에는 전략과 계획이 포함된다. 이것은 우뇌적인 지식, 즉 창의적인 지식이다.

셋째, 시장에 대한 지식이 필요하다. 이것은 수요와 공급의 과학이다. 우선 시장의 〈기술적〉 측면을 알 필요가 있는데, 시장은 종종 감정적으로 움직인다. 1996년 성탄절의 티클 미 엘모Tickle Me Elmo 인형이 기술적 혹은 감정적 시장의 한 보기이다. 시장의 또 하나의 요인은 이른바 〈근본적〉, 혹은 경제적 의미의 투자이다. 어떤 투자가 현재의 시장 상황에 비춰볼 때 의미를 갖는가 갖지 못하는가이다.

많은 이들이 투자의 개념과 시장에 대한 이해가 아이들에게는 너무 어렵다고 생각한다. 그들은 아이들이 본능적으로 그런 측면을 알고 있음을 모른다. 엘모 인형에 친숙하지 않은 사람들은 성탄절 직전에 아이들이 많이 찾는 세사미 스트리트 인형을 생각하라. 대부분의 아이들은 그 인형을 원하며 성탄절 선물로 가장 선호한다. 많은 부모들은 그 회사가 일부러 그 제품을 시장에 내놓지 않으면서 계속 선전만 하는 것은 아닌지 의아하게 생각했다. 수요는 많고 공급은 적어서 아우성을 친다. 그 인형들이 부족한 상태에서, 매점꾼들은 그 기회를 이용해 부모들의 주머니를 털려고 한다. 그나마 가게에서 그 인형들을 사지 못한 부모들은 할 수 없이 다른 인형들을 산다. 엘모 인형이 그렇게도 인기가 좋았다는 것은 나로서는 이해하기 어렵다. 하지만 그것은 수요와 공급의 경제학을 잘 보여주는 예였다. 이와 똑같은 일이 주식과 채권, 부동산 시장에서도 일어난다.

넷째, 법률 지식이 필요하다. 예를 들어, 기업을 이용해 회계와 투자, 그리고 시장의 기술적 측면을 활용하면 많은 돈을 벌 수 있다. 기업이 제공하는 세금 혜택과 절세에 관한 지식이 있는 사람은 단순한 직원이거나 작은 사업체의 주인인 사람보다 훨씬 더 빨리 부자가 될 수 있다. 이것은 걷는 사람과 나는 사람의 차이와 같다. 이런 차이는 장기적인 관점에서 아주 크다. 기업이 줄 수 있는 혜택으로 다음의 것들이 있다.

1 세금 혜택. 기업은 개인이 할 수 없는 많은 일을 할 수 있다. 이를테면 세금을 내기 전에 지출을 할 수 있다. 이것은 너무도 흥미로운 측면이

지만, 상당한 자산이나 사업체가 없으면 활용할 수 없는 것이다.

직원들은 돈을 벌고 그 후에 세금을 내며 남은 돈으로 살려고 애를 쓴다. 하지만 기업은 돈을 벌고 지출을 한 후에 남은 돈으로 세금을 낸다. 이것은 부자들이 사용하는 아주 흔한 절세 방법이다. 이것은 활용하기에도 쉽고, 자신의 투자가 상당한 현금 흐름을 만들면 비싸지도 않다. 예를 들어, 자기 소유의 기업이 있으면 하와이에서 갖는 이사회 모임이 휴가가 된다. 자동차에 들어가는 할부금, 보험료, 유지비도 회사 돈으로 낸다. 헬스클럽의 회원권 역시 그러하다. 대부분의 식사비는 비용 처리가 가능하다. 그 밖에도 많은 이점이 있다. 하지만 이것은 합법적인 세전 현금으로 한다.

2 소송에서 보호받는다. 현대 사회에는 소송이 만연해 있다. 모두가 무언가 당신의 행동을 요구한다. 부자들은 기업과 신탁 같은 도구들로 많은 재산을 숨겨 자산을 채권자들로부터 보호받는다. 어떤 사람이 부자를 상대로 소송을 낼 때, 그 사람은 종종 수많은 법적 보호 장치에 부딪친다. 그리고 많은 경우에 그 부자가 실제로 아무것도 없음을 알게 된다. 그 부자들은 모든 것을 통제하지만 아무것도 소유하지 않는다. 가난한 사람들과 중산층은 모든 것을 소유하려 애쓰면서도 결국은 정부나 다른 사람들에게 재산을 빼앗긴다.

기업 소유에 대한 자세한 내용이 이 책의 목적은 아니다. 하지만 합법적인 자산이 있으면 기업이 제공하는 여러 혜택과 보호 장치를 더 많이 알 필요가 있다.

금융 IQ는 사실 많은 기술과 재능이 결합하여 효력을 발휘한다.

하지만 나는 위에 든 네 가지 지식이 기본적인 금융 IQ를 구성한다고 말하고 싶다. 정말로 부자가 되고 싶다면 이런 지식을 배워 개인 금융 IQ를 크게 높혀야 한다. 지금까지 말한 내 이론을 간략히 정리하면 다음과 같다.

기업이 있는 부자들	기업을 위해 일하는 사람들
돈을 번다	돈을 번다
돈을 쓴다	세금을 낸다
세금을 낸다	돈을 쓴다

전반적인 금융 전략의 일환으로서 자신의 자산을 활용하는 기업을 세울 것을 나는 강력하게 추천한다.

다섯번째 교훈

부자들은 돈을 만든다

우리는 학교에서 실수를 할 때마다 벌을 받는다.
하지만 인간은 실수를 통해 교훈을 얻고 배움을 얻는다.
부자가 되는 것도 마찬가지다.
아쉽게도 대부분의 사람들이 부자가 되지 못하는
근본 원인은 그들이 돈을 잃는 것을 걱정하기 때문이다.
이기는 사람들은 지는 것을 걱정하지 않는다.
실패를 피하는 사람들은 성공도 피한다.
현실 세계에서는 똑똑한 사람보다 용감한 사람이 앞서간다.

어젯밤에 나는 잠시 글쓰기를 멈추고 TV에서 알렉산더 그레이엄 벨의 일대기를 다룬 프로그램을 보았다. 젊은 시절의 벨은 전화 특허를 신청한 후에 점점 더 고통을 겪었다. 새 발명품에 대한 수요가 너무도 컸기 때문에 자신의 작은 회사 규모로는 도저히 감당해 낼 수가 없었던 것이다. 따라서 더 큰 회사가 필요했던 벨은 당시 대기업인 웨스턴 유니언에 가서 자신의 특허와 그 작은 회사를 팔려고 했다. 벨은 그 모든 것에 대한 대가로 10만 달러를 요구했다. 하지만 웨스턴 유니언의 사장은 코방귀를 뀌면서 거절을 했다. 그는 가격이 너무도 높다고 비웃었다. 프로그램의 나머지 부분은 전화의 역사로 꾸며졌다. 수십 억 달러짜리 산업이 형성되고, AT&T가 탄생한 내용도 그 프로그램에서 다루었다.

벨의 일대기가 끝난 직후에 저녁 뉴스가 나왔다. 그리고 뉴스 가운데 지역 경제에 기반을 둔 한 회사의 구조 조정 이야기가 나왔다. 그 회사의 근로자들은 화를 내며 기업주의 횡포를 비난했다. 일자리가 없어진 마흔다섯 살 가량의 중견 간부가 공장에 아내와 두 아이를 데려와 경비원들에게 사정했다. 들어가서 경영진과 얘기해 다시 일을 할 수 있는지 물어보겠다고 했다. 집을 산 지 얼마 안 되는데, 일자리를 잃으면 어떡하느냐는 것이다. TV 카메라가 그 사람을 비추면서 그 모습을 전세계에 방영했다. 말할 것도 없이, 그것은 나의 관심을 끌었다.

나는 1984년부터 전문적으로 사람들을 가르치고 있다. 그것은 좋은 경험이었고 보람 있는 일이었다. 또 당혹스런 일이기도 했다. 그동안 수천 명에게 강의를 해왔는데, 나를 포함해 우리 모두에게는 한 가지 공통점이 있다. 우리 모두에게는 엄청난 잠재력이 있다는 것이다. 그리고 우리 모두에게는 신이 준 능력이 있다. 그럼에도 우리는 종종 자기 의심 때문에 잠재력을 발휘하지 못한다. 우리가 주저하는 이유는 기술적인 지식의 부족 때문이 아니다. 그보다는 자기 확신의 부족 때문이다. 이것에는 사람마다 차이가 있다.

대부분의 우리는 학교를 졸업한 후에 대학 학위나 좋은 성적이 중요한 것이 아님을 알게 된다. 학교 밖의 현실 세계에서는 성적 이상의 다른 것이 필요하다. 우리는 종종 이것을 〈배짱〉, 〈담력〉, 〈용기〉, 〈투지〉, 〈끈기〉, 〈기지〉, 혹은 〈지혜〉라고 부른다. 그 이름이 무엇이건, 결국에는 이것이 학교 성적보다 훨씬 더 중요하다.

우리 모두에게는 나름대로 이와 같은 용기, 끈기, 혹은 지혜가 있다. 물론 이와 반대되는 특성도 있다. 우리는 때로 무릎으로 기면서 필요하면 구걸도 한다. 베트남에서 해병대 조종사로 일한 나는, 나에게 두 가지 특성 모두가 있음을 알게 되었다. 어느 하나가 다른 하나보다 더 나은 것은 아니다.

그럼에도 나는 사람들을 가르치면서 지나친 두려움과 자기 의심이 우리의 천재성을 억누르는 요인임을 알게 되었다. 나는 사람들이 해답을 알면서도 용기가 부족해서 실천하지 못하는 것을 볼 때 마음이 너무 아팠다. 현실 세계에서는 종종 똑똑한 사람보다 용감한 사람이 앞서가곤 한다.

내 개인적인 경험으로 볼 때 우리의 금융적 천재성은 기술적 지식과 용기 모두를 필요로 한다. 두려움이 너무 크면 천재성은 짓눌린다. 나는 나에게서 배우는 사람들에게 위험에 대처하는 법, 용감해지는 법, 그리고 천재성으로 그런 두려움을 힘과 지혜로 바꾸는 법을 배우라고 촉구한다. 이것은 어떤 사람에게는 효과가 있고 어떤 사람에게는 엄청난 두려움을 야기시킨다. 나는 대부분의 사람들이 돈과 관련해서 안전하게 사는 경향이 있음을 알게 되었다. 나는 지금까지 다음과 같은 질문들을 던지곤 했다. 〈왜 위험을 겪죠?〉, 〈왜 우리는 힘들게 금융 IQ를 개발해야 할까요?〉, 〈왜 우리는 돈에 대한 지식을 쌓아야 할까요?〉

그리고 나는 이렇게 대답한다. 「단지 더 많은 선택을 하기 위해서죠」

우리 앞에는 엄청난 기회들이 있다. 내가 젊은 발명가인 알렉산더 그레이엄 벨의 이야기를 했던 것처럼, 앞으로는 그런 사람들이 더 많아질 것이다. 빌 게이츠 같은 사람들도 많이 나올 것이고, 마이크로소프트 같은 성공적인 회사들도 전세계에서 많이 나타날 것이다. 그리고 도산을 하거나 정리 해고를 하고 구조 조정을 하는 회사들도 더 많아질 것이다.

그렇다면 왜 힘들게 금융 IQ를 개발해야 할까? 이 질문에 대한 답은 당신만이 할 수 있다. 하지만 나는 내가 왜 그러는지는 얘기할 수 있다. 내가 금융 IQ를 개발하는 것은 우리가 아주 신나는 시기에 살고 있기 때문이다. 나는 변화를 피하기보다는 변화를 환영하고 싶다. 나는 봉급 인상을 걱정하기보다는 많은 돈을 버는 데 매료되고 싶다. 우리는 지금 아주 신나는 시기에 살고 있다. 우리가 살고 있는 시기는 세계 역사상 유례가 없는 시기이다. 앞으로 수 세대 후의 사람들이 지금의 이 시기를 돌아보면서 얼마나 신나는 시대였는지 얘기할 것이다. 낡은 것이 죽고 새로운 것이 태어나는 시기였다고 말할 것이다. 혼란이 가득하고 아주 신나는 시기였다고 말할 것이다.

다시 한번 물어보겠다. 그렇다면 왜 힘들게 금융 IQ를 개발해야 할까? 왜냐하면 그렇게 할 때 크게 번창할 수 있기 때문이다. 그리고 그렇게 하지 않으면 지금의 이 시기는 끔찍한 시기가 될 것이다. 미래는 다른 사람들이 죽어가는 삶에 매달리는 동안에 용감하게 앞으로 나아가는 사람들의 시기가 될 것이다.

3백 년 전에는 땅이 재산이었다. 그래서 땅을 소유한 사람들은 재산을 소유했다. 그러다가 공장과 생산 라인이 재산이 되었다. 그래서 기업가들이 재산을 소유한 것이다. 이제는 정보가 재산이다. 그리고 가장 적절한 정보를 갖고 있는 사람이 재산을 소유한다. 문제는 정보가 빛의 속도로 전세계로 퍼진다는 것이다. 새로운 재산은 땅이나 공장과 달리 국경이나 경계로 제한될 수 없다. 앞으로의 변화들은 더 빠르고 더 극적일 것이다. 앞으로는 엄청난 수의 백만장자들이 나올 것이다. 동시에 뒤로 처지는 사람들도 나올 것이다.

오늘날 나는 너무도 많은 사람들이 낡은 사고에 매달리기 때문에 더 열심히 일하면서도 고생하는 것을 본다. 그들은 상황이 예전과 같기를 바란다. 그들은 변화에 저항한다. 나는 직장이나 집을 잃은 사람들을 알고 있다. 그리고 그런 사람들은 신기술이나 경제나 상사를 비난한다. 아쉽게도 그들은 자신들 스스로가 문제일 수도 있음을 알지 못한다. 낡은 사고가 이들의 가장 큰 부채이다. 그것이 부채인 이유는 그들이 그런 사고나 행동 방식이 어제의 자산이었음을, 그리고 어제는 이미 가고 없음을 모르기 때문이다.

어느 날 나는 〈캐시플로〉를 교육 도구로 사용해 투자를 가르치고 있었다. 어떤 사람이 친구를 데리고 그 수업에 참석했다. 그가 데리고 온 친구는 최근에 이혼을 했으며, 이혼 과정에서 크게 상처를 입었고, 이제 무언가 해답을 찾고 있었다. 그 여자를 데려온 이유는 내 수업이 그녀에게 도움이 될지 모른다고 생각했기 때문이라고 했다.

그 게임은 사람들이 돈에 대해서 배우도록 돕는 것이었다. 사람들은 그 게임을 하면서 수입 계산서가 대차 대조표와 연결되는 것을 배운다. 사람들은 그 둘 사이의 〈현금 흐름〉을 배우며, 부자가 되는 길은 자산 부분에서 나오는 현금 흐름을 계속 늘려 결국에는 지출을 넘게 하는 것임을 배운다. 이 수준에 도달하면 〈쥐 경주〉에서 나와 〈빠른 길〉로 들어가는 것이 가능해진다.

내가 이미 얘기했듯이, 어떤 사람들은 이 게임을 싫어하고, 어떤 사람들은 좋아하며, 또 어떤 사람들은 핵심을 알지 못한다. 이 여자는 무언가를 배울 소중한 기회를 놓쳤다. 게임의 초기 단계에 이 여자는 위에 보트가 있는 카드를 그렸다. 처음에 이 여자는 기분이 좋았다. 「와, 나에게 보트가 생겼네」 그러다가 자기 친구가 수입 계산서와 대차 대조표에서 숫자가 움직이는 방식을 설명하자 당혹감을 느꼈다. 자신은 숫자를 좋아하지 않기 때문이었다. 같은 탁자의 다른 사람들이 기다리는 동안, 그 여자의 친구가 수입 계산서와 대차 대조표, 그리고 월간 현금 흐름의 관계를 설명했다. 갑자기 그 여자는 숫자들이 움직이는 방식을 알고 나자 자기 보트가 큰 짐이 되는 것을 깨달았다. 이 게임은 그 여자에게 끔찍한 것이 되었다.

수업이 끝난 후 그 여자의 친구가 나에게 다가와서 그 여자가 지금 화가 나 있다고 했다. 그 여자가 수업에 참석한 것은 투자에 대해 배우기 위해서였는데 오랫동안 멍청한 게임만 했다고 불평한다는 것이다.

그 여자의 친구가 그녀에게 곰곰이 생각해 보고 그 게임이 어떤 식으로든 자신을 〈반영하는〉 것이 있는지 알아보라고 얘기했다. 그런 얘기를 듣기가 무섭게 그 여자는 돈을 돌려달라고 요구했다. 그 여자는 어떤 게임이 자신을 반영할 수 있다는 것이 너무 웃기다고 생각했다. 그래서 즉시 돈을 돌려받고는 자리를 떠났다.

나는 1984년부터 학교 제도가 하지 않는 것을 함으로써 수백만 달러를 벌었다. 학교에서는 대부분의 교사들이 강의만 한다. 나는 학창 시절에 강의를 너무도 싫어했다. 나는 곧 싫증을 느꼈고 집중력이 떨어졌다.

나는 1984년에 게임과 시뮬레이션을 통한 교육을 시작했다. 나는 늘 성인 학생들에게 그 게임을 그들이 아는 것을 다시 반영하는 것으로 생각하라고 촉구했다. 그러면서 나는 사람들에게 새로운 배움을 얻어야 한다고 얘기했다. 특히 그 게임은 우리들의 행위를 다시 반영한다. 게임은 즉각적인 피드백 시스템이다. 학교에서 강의를 하는 선생들과 달리, 그 게임은 각자에게 맞추어진 개인화된 강의를 다시 피드백한다.

그곳을 떠났던 그 여자의 친구가 나에게 다시 전화를 걸어 새로운 소식을 전했다. 그 여자는 자기 친구가 이제는 괜찮으며 진정되었다고 얘기했다. 그 여자는 마음을 가라앉힌 후에 그 게임과 자신의 삶 사이에 나름의 관계가 있음을 알게 되었다고 했다.

그 여자와 남편은 보트를 갖지는 못했지만 그 밖에 상상할 수 있는 것은 모두 소유했다. 그 여자가 이혼 후에 화가 난 것은 남편이 젊은 여자와 도망간 데다가 20년 간의 결혼 생활 동안 모은 자산이 거의 없기 때문이었다. 그래서 두 사람이 나눌 수 있는 것이 사실상 없었다. 20년 동안의 결혼 생활은 멋진 것이었지만, 이제 그들에게 남은 것은 쓰레기뿐이었다.

그 여자는 수입 계산서와 대차 대조표의 숫자들을 보고 자신이 화가 난 것은 그것들을 이해하지 못한 당혹감 때문이었음을 깨달았다. 그 여자는 재산 관리는 남자들의 일이라고 믿고 있었다. 그 여자는 집을 관리하고 살림을 했으며, 재산과 자산을 관리하고 운용하는 것은 남편의 몫이었다. 그 여자는 이제 결혼 생활의 마지막 5년 동안 남편이 돈을 숨겨왔음을 확신했다. 그 여자가 자신에게 화가 난 것은 그 돈이 어디로 갔는지, 그리고 남편의 애인이 누구였는지 몰랐기 때문이었다.

이런 게임과 똑같이, 세상은 늘 우리에게 즉각적인 피드백을 제공한다. 우리가 관심을 더 기울이면 더 많은 것을 배울 수 있다. 얼마 전에 나는 아내에게 이렇게 불평했다. 세탁소에서 내 바지를 줄인 것 같다고. 아내는 부드럽게 미소를 띠며 내 배를 찌르면서 이렇게 말했다. 「바지가 줄어든 것이 아니라 바로 당신이 살이 찐 거라구요!」

〈캐시플로〉란 게임은 모든 참가자에게 개인적 피드백을 주려고 만들어졌다. 이 게임의 목적은 당신에게 선택권을 주는 것이다. 당신이 보트가 있는 카드를 그려서 그 때문에 빚을 지게 되었을 때, 문제는 〈이제 어떻게 해야 하는가?〉이다. 〈당신이 사용할 수 있는 금전적인 선택권이 얼마나 되는가?〉 이것이 바로 게임의 목적이다. 즉, 참가자들에게 생각하는 법과 새롭고 다양한 금전적인 선택권을 만드는 법을 가르치는 것이다.

나는 지금까지 1천 명 이상이 이 게임을 하는 것을 지켜보았다. 이 게임의 〈쥐 경주〉에서 가장 빨리 나오는 사람들은 숫자를 이해하고 창의적인 금융적 사고를 갖고 있는 사람들이다. 이들은 다양한 금전적 선택권을 인식한다. 가장 늦게 나오는 사람들은 숫자에 친숙하지 못하고 투자의 힘을 이해하지 못하는 사람들이다. 부자들은 종종 창의적이며 계산된 위험성을 택한다.

그 동안 이 게임을 하면서 〈캐시플로〉에서 많은 돈을 번 사람들이 있었다. 하지만 이들도 그것으로 무엇을 해야 하는지는 모른다. 대부분의 이들은 현실 세계에서도 금전적으로는 성공하지 못했다. 이들은 돈을 벌긴 했지만, 다른 사람들이 늘 앞지르는 것 같다. 그리고 현실 세계에서도 그렇다. 많은 사람들이 돈이 많음에도 금전적으로 앞서가지 못한다.

선택권을 제한하는 것은 낡은 사고에 집착하는 것과 같다. 내 고등학교 친구 하나는 현재 세 가지 직업을 갖고 있다. 이 친구는 20년 전에 동창들 가운데 가장 부자였다. 그러나 우리가 살던 곳의 사탕수수 농장이 문을 닫았을 때, 이 친구가 일하던 회사도 농장과 함께 무너졌다. 그러자 이 친구의 마음속에는 한 가지 선택밖에 없었다. 그리고 그것은 낡은 선택이었다. 즉, 열심히 일하는 것이었다. 그런데 문제는 그 친구가 과거의 회사에서 누리던 우월성을 인정받을 수 있는 똑같은 직장을 찾을 수 없다는 것이었다. 그 결과 이 친구는 능력에 못 미치는 직장에서 일하고 있으며, 그래서 월급도 전보다 낮다. 이 친구는 이제 부업을 포함해 세 가지 직업을 가져야만 생존할 수 있다.

나는 사람들이 〈캐시플로〉를 하면서 불평하는 것을 보았다. 그들은 〈올바른〉 기회 카드들이 자신들에게 오지 않는다고 불평한다. 그러면서 그들은 그냥 앉아만 있는다. 나는 현실 생활에서도 그렇게 하는 사람들을 알고 있다. 그들은 〈올바른〉 기회가 올 때까지 기다리기만 한다.

나는 사람들이 〈올바른〉 기회 카드를 얻은 후에는 충분한 돈이 없는 것을 보았다. 그러면 이들은 돈만 더 있었다면 〈쥐 경주〉에서 빠져나왔을 것이라고 불평한다. 그래서 이들은 계속 그냥 앉아만 있는다. 나는 현실 생활에서도 이렇게 하는 사람들을 알고 있다. 그들은 멋진 기회들을 보면서도 돈이 없어 기회를 잡지 못한다.

어떤 사람들은 멋진 기회 카드를 뽑아 그것을 크게 읽으면서도 그것이 멋진 기회임을 알지 못한다. 이들에게는 돈도 있고, 시기도 적절하고, 뽑은 카드도 있다. 하지만 이들은 자신들을 보고 있는 기회를 알아보지 못한다. 이들은 그것이 어떻게 자신의 경제적 계획에 들어맞아 〈쥐 경주〉에서 나갈 계기를 제공하는지 알지 못한다. 나는 이런 사람들을 아주 많이 본다. 대부분의 사람들 바로 앞에는 아주 멋진 기회가 있다. 그럼에도 이들은 그것을 보지 못한다. 일년 후에는 그것을 알게 되지만, 그때는 이미 때가 늦었다.

금융 지능은 간단하게 말해서 더 많은 금전적 선택권을 갖는 것이다. 우리에게 기회가 오지 않을 때, 우리는 무엇을 해서 재정 상태를 개선할 수 있을까? 기회가 코앞에 있어도 돈이 없을 때, 그리고 은행은 우리 말에 귀기울여 주지 않을 때, 우리는 무엇을 해서 그런 기회를 활용할 수 있을까? 우리의 육감이 틀렸을 때, 그리고 우리가 기대하던 것이 일어나지 않을 때, 어떻게 해야 작은 금액을 백만 달러로 바꿀 수 있을까? 이것이 금융 지능이다. 중요한 것은 현실이기보다는, 우리가 얼마나 많은 금융적 해결책을 생각해서 작은 금액을 백만 달러로 바꿀 수 있는가이다. 금융 지능은 우리가 얼마나 창의적으로 금융 문제를 해결하는가에 관한 것이다.

대부분의 사람들은 하나의 해결책만 알고 있다. 즉, 열심히 일하고, 저축하고, 빌리는 것이다.

그렇다면 왜 금융 지능을 높혀야 할까? 왜냐하면 우리는 자신의 행운을 스스로 만들고 싶어하기 때문이다. 우리는 어떤 현실이든지 더 좋게 만들 수 있다. 행운은 만들어지는 것이라는 것을 아는 사람은 많지 않다. 그리고 돈도 그렇다. 우리가 더 많은 행운을 얻고 열심히 일하는 대신 돈을 만들고자 한다면 금융 지능이 중요하다. 당신이 〈올바른〉 일이 일어나기를 기다리는 사람이라면 아주 오래 기다려야 할 것이다. 이것은 8킬로미터 거리에서 모든 신호등이 녹색이 되어야만 여행을 시작하겠다고 기다리는 것과 같다.

어렸을 때 마이크와 나는 부자 아버지에게서 이런 얘기를 자주 들었다. 「돈은 실제로 존재하는 것이 아니다」 부자 아버지는 종종 우리가 치약 튜브로 〈돈을 만들려〉 했을 때 돈의 비밀에 아주 근접했다고 알려주곤 했다. 「가난한 사람들과 중산층은 돈을 위해 일한다」 그분은 그렇게 얘기했다. 「부자들은 돈을 만든다. 돈이 실제로 존재하는 것이라고 생각하는 사람들은 돈을 위해 열심히 일한다. 반면에 돈이 실제로 존재하는 것이 아니라는 것을 아는 사람들은 더 빨리 부자가 된다」

「그게 무슨 말이죠?」 마이크와 나는 그렇게 되묻곤 했다. 「돈은 실제로 존재하는 것이 아니라는 말이 무슨 뜻이죠?」

「우리가 동의하는 것이 돈의 본질이다」 부자 아버지는 그렇게 말하곤 했다.

우리 모두에게 있는 가장 강력한 재산은 마음이다. 우리가 마음을 잘 훈련시키면, 마음은 순식간에 엄청난 재산을 만들 수 있다. 3백 년 전에 왕들과 여왕들이 꿈꾸었던 것보다 더 많은 재산을 만들 수 있다. 그리고 마음을 훈련시키지 않으면 후손들에게까지 아주 가난한 처지만 물려줄 것이다.

오늘날의 〈정보 시대〉에서 돈은 기하급수적으로 늘고 있다. 몇몇 사람은 무일푼에서 벼락부자가 되고 있다. 아이디어와 계약만으로 그렇게 되고 있다. 주식 같은 투자로 먹고 사는 사람들은 그런 일이 늘 일어남을 알고 있다. 종종 무일푼에서 순식간에 백만장자가 되곤 한다. 그리고 이 일에는 돈이 교환되는 일은 전혀 없다. 이런 일은 계약으로 이루어진다. 거래인들이 하는 손짓이나, 리스본과 토론토를 연결하는 컴퓨터 화면에서 이루어진다. 혹은 중개인에게 사고 팔라는 전화를 해서 이루어진다. 돈은 전혀 움직이지 않는다. 다만 계약이 움직일 뿐이다.

또다시 묻겠다. 그러면 우리는 왜 금융 지능을 개발해야 할까? 앞에서 이미 내가 말했듯이 그것은 당신만이 대답할 수 있다. 나는 내가 그 동안 이 분야의 지능을 개발한 이유를 말할 수 있다. 내가 그렇게 하는 것은 빨리 돈을 벌고 싶기 때문이다. 그럴 필요가 있기 때문이 아니라, 그러고 싶기 때문이다. 이것은 환상적인 학습 과정이다. 내가 금융 지능을 개발하는 이유는 세상에서 가장 크고 가장 빠른 게임에 참여하고 싶기 때문이다. 그리고 나름의 작은 방식으로 전례가 없는 이 인류의 진화 과정에서 일부를 차지하고 싶기 때문이다. 오늘날에는 인간들은 몸이 아닌 마음으로 일을 한다. 더구나 그런 식으로 무언가가 일어난다. 그런 식으로 행동이 일어난다. 이런 상황은 웃기고 무섭지만 재미도 있다.

이런 이유로 나는 금융 지능을 개발한다. 나는 내 가장 소중한 자산에 투자한다. 나는 용감하게 앞으로 나아가는 사람들과 함께하고 싶다. 나는 뒤에 처진 사람들과 함께하고 싶지는 않다.

돈을 만드는 간단한 예를 들어보겠다. 1990년대 초에 피닉스의 경제는 엉망이었다. 당시 나는 「굿모닝 아메리카」라는 TV 프로그램을 보다가 금융 전문가가 나와 불경기와 호경기를 예측하는 것을 들었다. 그 사람은 이렇게 충고했다. 「돈을 모으세요」 그러면서 이렇게 얘기했다. 「매달 1백 달러를 저축하면 40년 후에 백만장자가 될 수 있죠」

글쎄, 매달 하는 저축도 좋은 방법이긴 하다. 그것도 하나의 선택이며, 대부분의 사람들은 그런 선택을 한다. 하지만 문제는 그렇게 하는 사람은 실제로 일어나는 일을 볼 수가 없다는 것이다. 그들은 훨씬 더 많은 돈으로 불릴 수 있는 좋은 기회를 놓친다. 세상은 그들을 지나가고 있다.

아까 얘기했듯이, 당시의 경제는 엉망이었다. 투자가들에게 그것은 완벽한 시장 조건이다. 그때 내 돈의 대부분은 주식 시장과 임대 주택에 있었다. 나에게는 현금이 부족했다. 모두가 파는 상황에서 나는 사고 있었다. 나는 돈을 모으지 않았다. 대신에 나는 투자를 했다. 아내와 나는 백만 달러 이상의 돈을 시장에 투입했고, 시장은 빠르게 성장했다. 그것은 가장 좋은 투자 기회였다. 경제는 엉망이었지만 나로서는 그런 상황을 놓칠 수가 없었다.

한때 10만 달러를 하던 집들이 이제는 7만 5천 달러였다. 하지만 나는 부동산 중개소에서 집을 사지는 않았다. 대신에 나는 파산 담당 변호사의 사무실에서 집을 샀다. 혹은 법원에 가서 경매 처분으로 나온 집을 사기도 했다. 그런 곳에서는 7만 5천 달러짜리 집을 2만 달러에 살 수도 있었다. 나는 친구에게서 90일 후에 2백 달러를 더 준다는 조건으로 2천 달러를 빌렸다. 나는 그 돈을 계약금으로 변호사에게 지불했다. 구매 절차가 진행되는 동안, 나는 신문에 광고를 냈다. 7만 5천 달러짜리 집을 6만 달러에, 현금도 안 받고 팔겠다는 내용이었다. 많은 사람들이 전화를 했다. 그리고 그 집이 법적으로 내 것이 된 후, 잠재 고객들은 그 집을 구경했다. 사람들은 열광했다. 그 집은 몇 분 만에 팔렸다. 나는 수수료로 2천5백 달러를 요구했다. 사람들은 기꺼이 그 돈을 주었다. 그 다음의 일은 신탁 회사와 법무 회사가 알아서 처리했다. 나는 친구에게 2백 달러의 이자를 붙여 2천 달러를 갚았다. 친구는 기뻐했다. 집을 산 사람도 기뻐했다. 변호사도 기뻐했다. 그리고 나도 기뻤다. 나는 2만 달러에 산 집을 6만 달러에 팔았다. 차액인 4만 달러가 내 자산 부분의 돈에서 만들어졌다. 집을 산 사람이 약속 어음을 준 것이었다. 모두 합해서 다섯 시간이 걸렸다.

이제 여러분은 금융 지식도 얻고 숫자에도 익숙해졌으니 이것이 왜 투자한 돈이 되는지 보여주겠다.

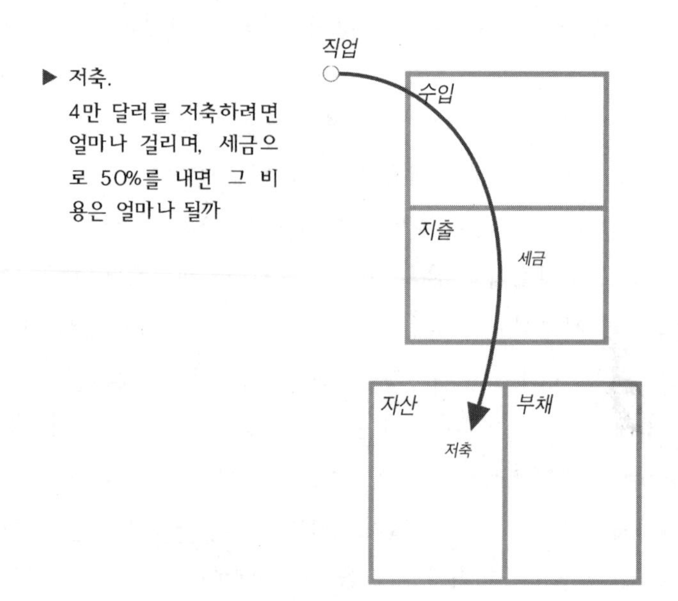

▶ 저축.
4만 달러를 저축하려면 얼마나 걸리며, 세금으로 50%를 내면 그 비용은 얼마나 될까

그 불경기 때 아내와 나는 여유 시간에 그런 간단한 거래를 여섯 건이나 할 수 있었다. 대부분의 우리 돈은 더 큰 부동산과 주식 시

장에 있었으며, 우리는 그 여섯 건의 구매에서 19만 달러 이상의 자산(이자가 10%인 어음)을 만들고, 거래를 만들어 팔 수 있었다. 그것은 대략 일년에 1만 9천 달러의 수입이며, 이런 수입의 대부분은 우리의 개인 기업을 통해 보호받았다. 그 일년에 1만 9천 달러의 수입은 대개 회사 차와 휘발유, 여행, 보험, 고객들과의 식사, 그 밖의 이런 저런 일에 사용되었다. 정부가 그 수입에 세금을 매기려 했을 때, 그 돈은 이미 법적으로 허용된 세전 지출에 소비되었다.

▶ 자산 부분에서 만들어진 4만 달러-세금을 내지 않고 만들어진 돈.
이자는 10%-우리는 현금 흐름으로 일년에 4천 달러를 벌었다

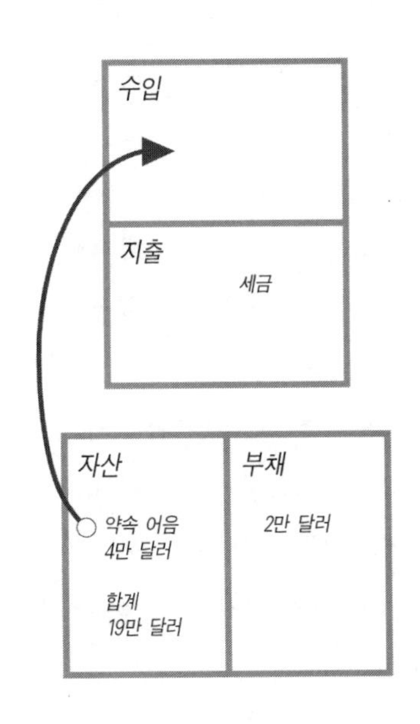

이것은 금융 지식을 이용해 돈을 만들고 보호하는 방식의 간단한 예이다.

얼마나 걸려야 19만 달러를 저축할 수 있는지 생각해 보라. 은행이 당신의 돈에 10%의 이자를 지불하는가? 내가 받은 그 약속 어음

은 30년짜리이다. 나는 그들이 19만 달러를 갚지 않기를 바란다. 그들이 원금을 갚으면 나는 세금을 내야 한다. 게다가 30년 동안 1만 9천 달러씩을 이자로 받으면 50만 달러 이상의 수입이 된다.

어떤 사람들은 그 사람이 갚지 않으면 어떻게 되느냐고 묻는다. 그런 일은 때로 일어나며, 그것은 좋은 소식이다. 피닉스의 부동산 시장은 1994년부터 1997년까지 미국에서 가장 뜨거운 시장의 하나였다. 그 6만 달러짜리 집을 다시 받아서 7만 달러에 팔면 된다. 그러면 대출 처리 비용으로 또 2천5백 달러가 들어온다. 그래도 새로 사는 사람에게는 현금이 필요 없는 거래가 된다. 이런 식으로 절차가 계속된다.

눈치 빠른 사람들은 내가 처음 집을 팔았을 때 2천 달러를 갚았음을 알 것이다. 기술적으로 나는 그 거래에서 한푼도 쓰지 않았다. 그래서 내 투자 회수율은 무한대이다. 이것은 아무 돈도 없이 많은 돈을 버는 예이다.

집을 다시 파는 두번째 거래에서 나는 2천 달러를 주머니에 넣고 대출을 다시 30년까지 연장한다. 내가 임금을 받아 돈을 벌 때 투자 회수율은 얼마가 될까? 그것은 나도 잘 모른다. 하지만 어쨌든 한 달에 1백 달러씩 40년을 모아야 할 것이다. (사실은 한 달에 150달러가 되어야 하는데, 왜냐하면 세금을 내야 하고 다시 5%의 이자에 또 이자 소득세를 내기 때문이다.) 이것은 그렇게 영리한 방법이 아니다. 안전할지는 모르지만 영리한 방법은 아니다.

내가 이 책을 쓰는 1997년의 지금 시장 상황은 5년 전과 정반대이다. 피닉스의 부동산 시장은 미국 사람들의 질투 대상이다. 우리가 6만 달러에 팔았던 그 집들은 이제 11만 달러의 가치를 갖고 있다.

물론 아직도 이런 식의 거래는 가능하다. 하지만 그런 거래는 소중한 자산인 내 시간을 잡아먹을 것이다. 적당한 매물을 찾는 데 많은 시간이 걸리기 때문이다. 요즘에는 그런 매물이 거의 없다. 하지만 지금도 많은 구매자들이 그런 거래를 찾고 있으며, 금융적으로 의미가 있는 거래는 별로 없다. 이제는 시장이 변했다. 이제는 다른 기회들을 찾아 자산 부분에 넣어야 한다.

〈어떻게 그런 일을 할 수 있죠?〉, 〈그것은 법을 위반하는 거예요〉, 〈당신은 거짓말을 하고 있어요〉.

사람들은 그렇게 말하면서 〈어떻게 그렇게 할 수 있는지 저에게도 알려주세요〉라고 묻는 경우는 많지 않다.

이런 일에 필요한 수학은 간단하다. 대수나 적분 같은 것은 필요치 않다. 나는 많은 서류를 작성하지 않는다. 거래의 법적인 측면과 사무적인 측면은 전문 회사가 처리한다. 나는 지붕을 고치거나 화장실을 손볼 필요도 없다. 그런 일은 집주인이 한다. 그것은 자기들 집이니까. 때로는 갚지 않는 사람도 있다. 그리고 그것은 좋은 일이다. 왜냐하면 지연 비용을 받거나, 혹은 그들이 이사를 가서 집을 다시 팔기 때문이다. 법원이 이런 것을 처리한다.

여러분의 지역에서는 이런 일이 불가능할 수도 있다. 그곳의 시장 상황은 전혀 다를 수도 있기 때문이다. 하지만 내가 보여주고 싶은 것은, 간단한 금융적 절차만으로도 많은 돈을 벌 수 있고, 그 일에 들어가는 돈과 위험성은 거의 없다는 점이다. 이것은 돈이 단지 계약을 맺을 때만 필요한 한 예이다. 고등학교만 졸업해도 이런 일은 할 수 있다.

그럼에도 대부분의 사람들은 하지 않는다. 대부분의 사람들은 일반적인 조언, 즉 〈열심히 일해서 돈을 모아라〉라는 말에만 귀를 기울인다.

나는 불과 30시간의 수고만으로 대략 19만 달러가 자산 부분에 만들어졌다. 그리고 세금은 전혀 내지 않았다.

아래의 두 방법 중 어느 쪽이 더 힘들어 보이는가?

1 열심히 일해서 50%를 세금으로 내고 남은 것은 저축한다. 이 경우 여러분의 저축은 5%의 이자를 벌며, 그 5%에 다시 이자 소득세가 붙는다.
2 시간을 두고 금융 지능을 개발해서 두뇌의 힘과 자산 부분의 힘을 키운다.

게다가 첫번째 방법을 선택한다면 19만 달러를 모으는 데 아주 소중한 자산인 시간이 얼마나 많이 드는지 생각해 보라.

이제는 당신도 내가 다음의 말을 하는 부모들을 보면서 왜 속으로 고개를 젓는지 이해할 것이다. 〈우리 아이는 학교에서 공부 잘하고 좋은 교육을 받고 있습니다.〉 그것은 좋은 일일 수도 있지만 과연 적절한 일일까?

나는 위의 투자 전략이 작은 것임을 안다. 이것은 작은 것이 큰 것으로 자랄 수 있음을 보여주기 위한 것이다. 내 성공은 이번에도 강력한 금융 기반의 중요성을 보여준다. 그리고 강력한 금융 기반은 강력한 금융 교육에서 출발한다. 앞서 얘기한 바 있지만, 다시 한번 얘기할 가치가 있다. 금융 IQ는 다음의 네 가지 세부적 기술로 구성된다.

1 **금융 지식**. 숫자들을 읽는 능력.

2 **투자 전략**. 돈이 돈을 만드는 과학.

3 **시장의 법칙**. 수요와 공급. 알렉산더 그레이엄 벨은 시장이 원하는 것을 시장에 주었다. 빌 게이츠도 그랬다. 7만 5천 달러짜리 집을 2만 달러에 사서 6만 달러에 판 것도 시장이 만드는 기회를 포착한 결과였다. 어떤 사람은 사고, 어떤 사람은 판다.

4 **법률 지식**. 회계, 기업, 그리고 정부의 규제와 규칙을 아는 것. 나는 규칙을 지키며 하라고 권유한다.

이와 같은 기본적 토대, 즉 이런 기술의 결합이 있으면 재산을 늘리는 데 성공할 수 있다. 그 방법은 여러 가지이다. 우리가 살 수 있는 것은 많다. 주택, 회사, 주식, 채권, 뮤추얼 펀드, 귀금속, 혹은 야구 카드도 있다.

1996년이 되면서 부동산 시장이 다시 활기를 찾으면서 모두가 부동산에 뛰어들었다. 주식 시장이 호황을 맞으면서는 모두가 주식에 뛰어들었다. 미국 경제는 다시 튼튼해졌다. 나는 1996년에 팔기 시작했고 이제는 전세계의 여러 곳을 여행하고 있다. 이제는 투자 환경이 변했다. 적어도 구매하는 측면에서는 부동산 시장은 끝이 났다. 나는 이제 자산 부분에서 가치가 느는 것을 보기만 하며 팔기 시작할지도 모른다. 의회에서 어떤 법들이 통과되느냐가 관건이다. 나는 그 여섯 건의 작은 집 거래들 가운데 일부가 팔리기 시작해서 4만 달러짜리 어음이 현금으로 바뀔 것이라고 예상한다. 그렇게 되면 내 회계사를 불러서 현금에 대비하고 절세 방법을 찾으라고 얘기해야 할 것이다.

내가 강조하고 싶은 것은 투자 기회는 오고 가며, 시장은 호황과 불황을 반복하고, 경제도 호경기와 불경기를 반복한다는 것이다. 세상은 우리에게 늘 좋은 기회를 주고 있다. 매일같이 그런 기회가 나타난다. 하지만 우리는 그런 기회를 보지 못한다. 하지만 기회들은 늘 있다. 그리고 세상이 더 변하고 기술이 더 발전할수록 우리가 잡을 수 있는 기회들은 더 많다.

그렇다면 우리는 왜 힘들게 금융 지능을 개발해야 할까? 이번에도 그 답은 당신만이 알고 있다. 나는 내가 왜 공부하고, 왜 금융 지능을 개발하는지 알고 있다. 내가 그렇게 하는 것은 늘 변화가 있음을 알기 때문이다. 나는 과거에 매달리기보다 변화를 환영하고 싶다. 나는 호경기와 불경기가 있음을 잘 안다. 내가 계속해서 금융 지능을 개발하려 하는 이유는 시장이 변할 때마다 어떤 사람들은 무릎으로 기면서 일자리를 구걸하기 때문이다. 반면에 다른 사람들은 삶에서 받은 선물을 잘 활용한다. 우리 모두에게는 때로 그런 선물이 주어지며, 우리는 그것을 큰 돈으로 불려야만 한다. 이것이 금융 지능이다.

사람들은 종종 내가 무엇으로 큰 돈을 벌었는지 묻곤 한다. 나는 개인적 투자의 더 많은 예를 들지 않으려 한다. 내가 그러는 이유는 그것이 자랑을 하거나 잘난 척을 하는 것일 수도 있기 때문이다. 나는 그렇게 하고 싶지 않다. 내가 내 개인적 예를 드는 것은 실제적이고 간단한 경우들의 숫자적이고 연대기적인 설명을 보여주기 위해서일 뿐이다. 또 그것이 쉬운 것임을 당신에게 보여주기 위해서이다. 그것은 당신이 금융 지능의 네 가지 측면을 잘 알수록 더 쉬워진다.

개인적으로 나는 두 가지 주요 수단 즉, 부동산과 작은 주식을 통해 금융적 성장을 달성한다. 나는 부동산을 기반으로 사용한다. 매일매일 내 부동산은 현금 흐름을 제공하고 때때로 가치 상승을 선물로 주고 있다. 작은 규모의 주식은 빠른 성장을 위해 사용한다.

나는 내가 하는 모든 것을 추천하지는 않는다. 그것들은 어디까지나 하나의 예에 불과하다. 너무 복잡하고 내가 그것을 잘 이해하지 못할 때, 나는 투자를 하지 않는다. 간단한 수학과 일반 상식만 있으면 금전적으로 좋은 결과를 얻을 수 있다.

내가 그런 예를 드는 데는 다섯 가지 이유가 있다.

1 사람들이 더 배우도록 자극한다.
2 기반이 튼튼하면 그것이 쉬운 것임을 사람들이 알게 한다.
3 누구든지 많은 재산을 모을 수 있음을 보여준다.
4 자신의 목표를 달성하는 수많은 길이 있음을 보여준다.
5 그것이 어려운 학문이 아님을 보여준다.

나는 1989년에 오리건 주 포틀랜드의 아름다운 동네를 조깅하곤 했다. 그곳은 사치스런 집이 거의 없는 교외 지역이었다. 그곳의 집들은 작고 아담했다.

도처에 〈팝니다〉라는 표시가 붙어 있었다. 목재 시장이 엉망이었으며, 주식 시장은 바닥을 기었고, 경기는 불황에 처해 있었다. 나는 어떤 거리에서 다른 집보다 〈팝니다〉라는 표시가 오래 붙어 있는 집을 발견했다. 그 집은 낡아 보였다. 어느 날 조깅을 하며 그 집을 지나갈 때, 나는 우연히 집주인과 부딪쳤다. 집주인은 집이 안 팔려서 애를 먹고 있는 것 같았다.

「집값을 얼마나 받으실 생각인지요?」 내가 물었다.

집주인은 힘없이 미소를 지었다. 「값을 한번 불러 보구려」 그 사람이 말했다. 「벌써 일년도 넘게 매물로 내놨다우. 이제는 누가 와서 구경도 하지 않아요」

「제가 구경해 보겠습니다」 그리고 나는 반 시간 후에 집주인이 부른 가격보다 2만 달러 싸게 그 집을 샀다.

그 집은 작고 귀여운, 침실이 두 개 딸린 집이었다. 창문마다 화려한 장식이 되어 있었다. 밝은 청색에 회색이 곁들여진 그 집은 1930년에 지어진 것이었다. 안에는 아름다운 벽난로가 있었고 아담한 침실이 둘이나 되었다. 그 집은 세를 놓기엔 완벽한 집이었다.

내가 주인에게 현금으로 5천 달러를 주고 산 그 4만 5천 달러짜리 집은 사실 6만 5천 달러의 가치가 있었다. 다만 누구도 그 집을 사려 하지 않을 뿐이었다. 집주인이 일주일 후에 집을 비웠다. 그 사람은 기쁘게 이사를 갔다. 그리고 그 지방의 대학 교수가 첫번째 임차인으로 들어왔다. 융자금과 비용, 그리고 관리비를 지불한 후 매달 40달러도 안 되는 돈이 내 주머니로 들어왔다. 그것은 결코 신나는 일은 아니었다.

그로부터 일년 후, 침체해 있던 오리건 주의 부동산 시장이 회복되기 시작했다. 캘리포니아의 투자가들은 아직도 호황기에 있던 그곳의 부동산 시장에서 번 돈으로 북쪽으로 올라와 오리건 주와 워싱턴의 집들을 사기 시작했다.

나는 그 작은 집을 9만 5천 달러에 캘리포니아에서 온 젊은 부부에게 팔았다. 그들은 그것이 괜찮은 거래라고 생각했다. 그리고 나는 내 돈을 넣을 새 집을 찾아 나섰다. 한 달쯤 후에 나는 방이 열두 개인 연립 주택을 찾았다. 오리건 주 비버튼에 있는 인텔 공장의 바로 옆이었다. 집주인들은 독일에 살고 있었으며 그곳의 가치를 전혀 모르고 있었다. 그리고 그곳에서 빨리 나가고 싶어했다. 나는 27만 5천 달러를 주고 45만 달러짜리 건물을 사려 했다. 집주인들이 30만 달러에 동의했다. 나는 그 집을 산 후 2년 동안 보유했다. 이번에도 법적 교환 절차를 이용해, 우리는 그 건물을 49만 5천 달러에 팔고 애리조나 피닉스에 있는 방 서른 개짜리 건물을 샀다. 그때쯤 해서 우리는 비를 피해 피닉스로 이사해 있었다. 그래서 어쨌거나 먼젓번 건물을 팔아야만 했다. 전에 오리건의 시장이 그랬던 것처럼 피닉스의 부동산 시장도 침체되어 있었다. 피닉스에 있는 방 서른 개짜리의 그 건물은 가격이 87만 5천 달러였다. 그리고 그중에서 22만 5천 달러가 현금이었다. 그 건물에서 나오는 현금 흐름은 한 달에 5천 달러가 조금 넘었다. 애리조나 시장이 회복되기 시작하면서 1996년에 콜로라도의 투자가가 우리에게 120만 달러를 제시했다.

아내와 나는 팔려고 하다가 기다리기로 했다. 자본 소득 법률이 의회에서 바뀔 수도 있었다. 그렇게 되면 우리 건물은 다시 15 내지 20%로 올라갈 것이다. 게다가 월 5천 달러의 현금 흐름은 괜찮은 것이었다.

이 사례의 요점은 어떻게 작은 금액이 큰 금액으로 자랄 수 있는가이다. 이번에도 중요한 것은 금융 보고서와 투자 전략, 시장 감각, 그리고 법률에 대한 이해이다. 이런 것들을 잘 모르는 사람들은 당연히 표준적인 교리를 따라야만 한다. 즉, 안전하게 하면서 재산의 분산을 피하고 안정적인 투자만을 해야 한다. 하지만 〈안정적인〉 투자의 문제는 그것이 안전한 만큼 수익은 적다는 것이다.

대부분의 중개 회사들은 자신들과 자신들의 고객을 보호하기 위해 투기적인 거래에는 손을 대지 않는다. 그리고 이것은 현명한 방침이다.

초보자들에게는 정말로 뜨거운 거래가 제시되지 않는다. 많은 경우에 부자를 더 부자로 만드는 최상의 거래는 게임을 이해하는 사람들에게 제시된다. 〈실력〉이 뛰어나지 않은 사람에게 그런 투기적 거래를 제시하는 것은 기술적으로 불법이다. 하지만 물론 그런 일도 일어난다.

내가 그런 〈실력〉을 더 갖출수록 내게 찾아오는 기회는 더 많아진다. 우리가 금융 지능을 개발해야 하는 또다른 이유는 그렇게 해야 더 많은 기회가 오기 때문이다. 그리고 금융 지능이 높아질수록 좋은 거래를 판별하는 능력도 높아진다. 금융 지능이 높으면 나쁜 거래를 판별하거나 나쁜 거래를 좋은 거래로 만들 수 있다. 내가 더 많이 배울수록 돈을 더 많이 버는 이유는 간단하다. 그 과정에서 경험을 쌓고 지혜를 얻기 때문이다. 나에게는 안전하게 살면서 열심히 일만 하고 금융 지혜는 얻지 못하는 친구들이 있다. 금융 지능을 개발하는 데는 많은 시간이 걸린다.

내 전반적인 철학은 내 자산 부분 안에 씨를 심는 것이다. 그것이 내 방식이다. 나는 작게 시작하면서 씨를 심는다. 어떤 것은 자라고, 어떤 것은 자라지 않는다.

우리가 운영하는 부동산 회사에는 수백만 달러짜리 재산도 몇 개 있다. 이 회사는 우리가 만든 REIT, 즉 부동산 투자 신탁(Real

Estate Investment Trust)이다. 내가 강조하는 것은 그런 큰 물건의 대부분이 처음에는 5천 내지 1만 달러에서 시작되었다는 점이다. 다행히도 그 모든 현금이 빠르게 커가는 시장에 투입되었고 세금을 줄였다. 그리고 여러 해 동안 여러 차례 거래되면서 부동산이 점점 더 커졌다.

우리에게는 또 주식 포트폴리오도 있는데, 아내와 나는 우리가 개인적 뮤추얼 펀드라고 부르는 회사를 중심으로 그것을 운영한다. 우리에게는 매달 여유돈으로 투자를 하는 우리 같은 투자가들만을 상대하는 친구들이 있다. 우리는 미국이나 캐나다에서 새로 주식 시장에 공개되는 회사 주식을 산다. 이런 식으로 얼마나 빨리 이득을 볼 수 있는지 한 가지 예를 들면, 회사가 공개되기 전에 주당 25센트를 주고 산 10만 주가 있다. 6개월 후 이 회사가 상장되었을 때, 그 10만 주는 주당 2달러가 되었다. 이 회사가 경영을 잘하면 주가는 계속 높아질 것이고, 그러면 그 주식이 주당 20달러 이상으로 올라갈 수도 있다. 때로는 우리가 2만 5천 달러로 일년도 못 돼 백만 달러를 번 적도 있다.

이것은 자신이 하는 일을 잘 알면 도박이 아니다. 하지만 어떤 거래에 돈을 던지고 기도만 하면, 그것은 도박이다. 어느 경우에나 중요한 점은 기술적 지식과 지혜를 사용하고 게임을 좋아해서 실패의 확률, 즉 위험성을 줄이는 것이다. 물론 위험성은 늘 있다. 이것을 줄이려면 금융 지능이 필요하다. 그래서 누구에게는 위험한 것이 다른 누구에게는 덜 위험하다. 바로 이런 이유로 나는 사람들에게 주식이나 부동산보다는 금융 교육에 더 많은 투자를 하라고 촉구한다. 우리가 더 영리해질수록 실패할 확률은 줄어든다.

내가 개인적으로 투자하는 주식 게임은 대부분의 사람들에게는 극히 위험성이 높으며 절대로 추천할 수 없는 것이다. 나는 이런 게임을 1979년부터 했고 나름대로 많은 대가도 치렀다. 하지만 이런 투자가 대부분의 사람들에게 왜 위험한 것인지 알고 나면, 당신도 목표를 더 높게 세워서 2만 5천 달러로 일년에 백만 달러를 벌 수도 있다.

이미 얘기했듯이, 내가 지금까지 썼던 것은 추천의 대상이 아니다. 그것은 단지 간단하고 가능한 것의 예일 뿐이다. 내가 하는 일도 큰 그림에서 보면 작은 일에 불과하지만, 일반인들도 충분한 준비와 지식만 있으면 일년에 10만 달러를 벌 수 있다. 시장과 당신의 명석함에 따라 이런 일은 5년에서 10년 사이에 가능할 수도 있다. 생활비를 계속 줄이면서 추가 수입으로 10만 달러를 얻으면 어떤 일을 하건 괜찮은 수입이다. 이렇게 되면 하고 싶을 때 일을 하고 원하면 일을 하지 않으면서 정부의 조세 제도를 자신에게 유리하게 활용할 수 있다.

내 개인적인 기반은 부동산이다. 내가 부동산을 좋아하는 이유는 그것이 안정적이고 천천히 움직이기 때문이다. 나는 튼튼한 기반을 유지한다. 현금 흐름도 꾸준한 편이고, 관리만 잘하면 가치가 높아질 가능성이 꽤 크다. 부동산을 튼튼한 기반으로 갖고 있으면 좀더 과감하게 투기적인 주식을 살 수 있는 장점이 있다.

나는 주식 시장에서 큰 이득을 볼 때 그에 대한 세금을 납부하고 남은 돈은 부동산에 재투자해서 내 자산 기반을 한층 더 강화시킨다.

부동산에 대해 한마디 덧붙이면, 나는 그 동안 전세계를 다니며 투자에 대한 강연을 해왔다. 어느 곳에 가건 사람들은 부동산을 싸게 살 수 없다고 내게 말했다. 하지만 내 경험으로는 그렇지 않다. 뉴욕이나 도쿄, 혹은 그곳의 교외에서도 대부분의 사람들이 보지 못하는 좋은 기회가 있다. 현재 부동산 가격이 치솟고 있는 싱가폴에도 조금만 벗어나면 여전히 기회를 찾을 수 있다. 그래서 나는 사람들이 〈여기서는 그렇게 할 수 없어요〉라고 말하는 것을 들을 때마다 그들의 말이 사실은 이런 것일 수도 있다고 상기시킨다. 〈나는 여기서는 그렇게 하는 방법을 모르고 있어요…… 아직까지는.〉

좋은 기회는 눈으로 보는 것이 아니다. 좋은 기회는 마음으로 보는 것이다. 대부분의 사람들이 부자가 되지 못하는 이유는 금융적인 훈련을 받지 못해 바로 앞의 기회도 보지 못하기 때문이다.

나는 종종 이런 질문을 받는다. 〈내가 어떻게 시작해야 할까요?〉

나는 마지막 장에서 내가 금전적인 자유를 얻는 데 활용한 10단계를 제시할 것이다. 하지만 늘 재미있게 해야 한다는 것은 기억하라. 이것은 게임에 불과하다. 때로는 이기고 때로는 배운다. 하지만 재미있게 해야 한다. 대부분의 사람들이 이기지 못하는 이유는 지는 것을 더 걱정하기 때문이다. 이런 이유로 나는 학교가 우스운 곳이라고 생각한다. 우리는 학교에서 실수는 나쁜 것이라고 배운다. 그리고 우리는 실수를 할 때마다 벌을 받는다. 하지만 인간이 배우는 방식을 보면 실수를 통해 교훈을 얻고 배움을 얻는다. 우리는 넘어짐으로써 걷는 법을 배운다. 우리가 넘어지지 않으면 걸을 수가 없다. 자전거 타는 법을 배울 때도 마찬가지다. 내 무릎에는 아직도 상처가 남아 있다. 그러나 나는 이제 자연스럽게 자전거를 탈 수 있다. 부자가 되는 것도 마찬가지다. 아쉽게도 대부분의 사람들이 부자가 되지 못하는 근본 원인은 그들이 지는 것을 걱정하기 때문이다. 이기는 사람들은 지는 것을 걱정하지 않는다. 하지만 지는 사람들은 그것을 걱정한다. 실패는 성공으로 가는 지름길이다. 실패를 피하는 사람들은 성공도 피한다.

나는 돈이라는 것은 내가 하는 테니스 게임과 비슷하다고 생각한다. 나는 열심히 하고, 실수를 하고, 고치고, 또 실수를 하고, 또 고치고, 그러면서 실력이 나아진다. 게임에서 지면 나는 상대편에게 다가가 악수를 청한다. 그리고 미소를 지으면서 이렇게 말한다. 〈다음 토요일에 봅시다.〉

투자가에는 두 가지 유형이 있다.

1 **가장 흔한 타입으로, 꾸러미(패키지) 투자를 사는 사람들이다.** 이들은 부동산 회사나 주식 중개인이나 금융 컨설턴트를 찾아가 무언가를 산다. 그것은 뮤추얼 펀드, REIT, 주식, 혹은 채권이다. 이것은 가장 쉽고 안전한 투자 방법이다. 이를테면 어떤 사람이 컴퓨터 가게에 가서 완제품을 사는 것과 같다.

2 **투자를 창출하는 투자가들이다.** 이런 투자가는 대개 거래를 조립한다. 컴퓨터의 부품을 사서 조립하는 사람들과 같다. 이것은 일종의 맞춤이다. 나는 컴퓨터 부품의 조립에 대해서는 아무것도 모른다. 하지만 나는 기회의 조각들을 맞추는 법을, 혹은 그렇게 하는 사람들을 알고 있다.

두번째 유형의 투자가가 전문적인 투자가라고 할 수 있다. 때로는 몇 년이 걸려야 그 모든 조각을 맞출 수도 있다. 그리고 때로는 맞추지 못할 수도 있다. 내 부자 아버지는 이와 같은 두번째 유형의 투자가가 되라고 얘기했다. 조각들을 맞추는 법을 배우는 것이 중요하다. 왜냐하면 바로 거기서 크게 이길 수 있는 기회가 나오기 때문이다. 물론 때로 흐름이 거꾸로 갈 때는 크게 질 수도 있다.

당신이 되고 싶은 것이 두번째 유형의 투자가라면 세 가지 주요 기술을 익혀야만 한다. 이런 기술은 금융 지능을 갖추기 위해 필요한 그 기술들에 추가되는 것이다.

1 다른 사람들이 놓치는 기회를 찾아야 한다. 다른 사람들이 눈으로 보지 못하는 것을 마음으로 보아야 한다. 예를 들어, 어떤 친구가 낡고 초라한 집을 하나 샀다. 그 집은 보기에도 끔찍한 것이었다. 모두가 그런 집을 왜 샀는지 의아하게 생각했다. 그 친구가 본 것은 그 집에 빈 집터가 딸려 있다는 점이었다. 그 집을 산 후에 그 친구는 집을 허물고 그 빈 집터를 건축업자에게 팔았다. 이 친구가 받은 가격은 구매가의 세 배에 달했다. 내 친구는 두 달 동안 일해서 7만 5천 달러를 벌었다. 그렇게 많은 돈은 아니었지만 적어도 최저 임금보다는 많았고 그렇게 힘들지도 않았다.

2 돈을 조달하는 법을 알아야 한다. 일반인들은 대개 은행에만 간다. 앞에서 언급한 두번째 유형의 투자가는 자본을 조달하는 법을 알아야만 한다. 그리고 은행이 없어도 이런 방법은 많이 있다. 처음에 나는 은행을 통하지 않고도 집을 사는 법을 배웠다. 중요한 것은 집 자체가 아니라 돈을 조달하는 기술이었다.

나는 사람들이 이렇게 말하는 것을 자주 듣는다. 〈은행이 내게 돈을 빌려주지 않아요〉 혹은 〈내게는 그것을 살 돈이 없어요〉. 당신이 두번째 유형의 투자가가 되고 싶다면 대부분의 사람들이 못하는 그 방법을 알아야만 한다. 바꿔 말하면, 대다수의 사람들은 돈이 없다는 이유로 거래를 하지 않는다. 당신이 이런 장애를 피할 수 있다면 그런 기술을 모르는 사람들보다 훨씬 더 앞서갈 수 있다.

나는 은행에 돈 한푼 없을 때 집이나 주식, 혹은 연립 주택을 산 적이 여러 번 있다. 전에 나는 120만 달러를 주고 연립 주택을 샀다. 내가 한 것은 이른바 〈묶기〉였는데, 이것은 팔려는 사람과 구매자 사이를 계약서로 묶는 것이다. 그런 후에 나는 10만 달러의 예치금을 조달했고, 그렇게 해서 나머지 돈을 조달할 90일의 시간을 벌었다. 내가 왜 그렇게 했을까? 답은 간단하다. 나는 그 건물의 가치가 200만 달러임을 알고 있었다. 나는 그 돈을 조달하지 않았다. 대신에 10만 달러를 제공한 그 사람이 거래를 찾은 대가로 5만 달러를 주었고, 그 사람이 내 자리를 넘겨받았고, 나는 그 일에서 물러났다. 모두 합해서 3일밖에 걸리지 않았다. 이번에도 중요한 것은 사는 것이 아니라 아는 것이다. 투자는 사는 것이 아니다. 그보다는 무언가를 아는 것이다.

3 똑똑한 사람들을 활용하는 법을 알아야 한다. 영리한 사람들은 자기보다 더 영리한 사람들을 고용하거나 그들과 함께 일한다. 조언을 필요로 할 때 조언자를 현명하게 선택할 줄 알아야 한다.

배울 것은 무척 많다. 하지만 그 보상은 엄청나다. 이런 기술을 배우고 싶지 않으면 첫번째 유형의 투자가가 되는 것을 권한다. 자기가 아는 것이 가장 큰 재산이다. 자기가 모르는 것은 가장 큰 위험이다.

위험성은 늘 있다. 그러므로 위험성을 피하는 대신 관리하는 법을 배워야 한다.

여섯번째 교훈

부자들은 돈을 위해 일하지 않고, 배움을 위해 일한다

톰 크루즈가 나오는 「제리 맥과이어」라는 영화에는
멋진 구절이 많이 있다. 그중에서 가장 인상 깊었던 장면은
톰 크루즈가 회사를 떠나는 장면이다. 그가 회사에서 잘리고 난 후
동료 직원들에게 이렇게 묻는다. 「나랑 같이 갈 사람 누구 없어요?」
그러자 사람들이 모두 숨을 죽인 채 눈치만 본다.
그중에서 한 여자가 겨우 이렇게 얘기한다.
「같이 가고 싶지만 석 달 후에 승진하기 때문에……」

나는 1995년에 싱가폴에서 한 신문과 인터뷰를 했다. 젊은 여기자가 제때에 도착해 인터뷰가 즉시 시작되었다. 우리는 멋진 호텔의 로비에 앉아 커피를 마시며 내가 싱가폴에 온 목적을 얘기했다. 나는 지그 지글러와 같이 강연을 하기로 되어 있었다. 지그는 동기유발에 대해 얘기할 것이었고, 나는 〈부자가 되는 비결〉에 대해 얘기할 예정이었다.

「언젠가는 저도 당신처럼 베스트셀러 작가가 되고 싶습니다」 여기자는 그렇게 말했다. 나는 그 여기자가 신문에 쓴 몇몇 기사를 본 적이 있는데, 그것들은 아주 훌륭한 것이었다. 그 여기자는 도발적이면서도 간결한 문체로 글을 썼다. 그녀의 기사들은 독자들의 관

심을 사로잡았다.

「당신의 글은 아주 훌륭합니다」 내가 말했다. 「그런데 왜 꿈을 이루려고 하지 않죠?」

「아무리 해도 잘 안 되는 것 같아요」 여기자는 조용히 대답했다. 「모두가 내 소설이 훌륭하다고 말하지만, 나에게는 어떤 일도 일어나지 않았어요. 그래서 나는 지금도 신문사에서 일해요. 적어도 월급은 나오니까요. 선생님, 제게 해주실 무슨 제안이라도 있으신가요?」

「그래요」 내가 밝게 대답했다. 「여기 싱가폴에 있는 내 친구가 사람들에게 세일즈 기술을 훈련시키는 학교를 운영하고 있습니다. 그 친구는 싱가폴에 있는 많은 대기업 중역들에게 세일즈 기술을 가르칩니다. 내가 볼 때 당신이 그 강의를 들으면 큰 도움이 될 것 같아요」

여기자의 몸이 굳어졌다. 「그럼 나더러 세일즈 기술을 배우라는 말인가요?」

내가 고개를 끄덕였다.

「지금 농담하시는 거죠, 그렇죠?」

이번에는 내가 고개를 저었다. 「그게 뭐가 잘못됐다는 거죠?」 나는 이제 뒤로 물러서고 있었다. 여기자는 무언가에 기분이 상해 있었다. 그래서 나는 괜히 말했다는 생각이 들었다. 처음에는 도움을 주려고 했지만, 이제는 방어적인 태도를 취했다.

「나는 영문학 석사 학위를 갖고 있어요. 내가 왜 세일즈 학교에 가서 세일즈맨이 되는 법을 배워야 하죠? 나는 전문가예요. 내가 학교에 가서 전문가 교육을 받은 것은 세일즈맨이 되지 않기 위해서

였어요. 나는 세일즈맨을 싫어해요. 그들은 돈밖에 몰라요. 그런데 내가 왜 세일즈맨 교육을 받아야 하죠?」 여기자는 이제 화난 표정으로 가방을 싸기 시작했다. 인터뷰는 모두 끝났다.

커피 테이블 위에는 내가 처음으로 썼던 책이 놓여 있었다. 제목은 이런 것이었다. 『부자가 되어 즐겁게 살려면 학교에 가지 말라? *If you want to be rich and happy, don't go to school?*』 내가 그 책과 함께 여기자가 끼적거려 놓은 메모지를 집었다. 「이것이 보입니까?」 내가 메모지를 가리키며 물었다.

여기자가 자기 메모지를 내려다보았다. 「그런데요?」 여기자는 혼란스런 표정으로 말했다.

내가 다시 일부러 그녀의 메모지를 가리켰다. 그 메모지 위에는 이렇게 적혀 있었다. 〈로버트 기요사키, 베스트셀러 저자.〉

「나를 〈가장 책을 많이 파는 저자〉라고 하지, 가장 잘 〈쓰는〉 저자라고 하지는 않죠」

여기자의 눈이 금방 커졌다.

「내 글솜씨는 엉망입니다. 하지만 당신 글솜씨는 훌륭합니다. 나는 세일즈 학교를 다녔습니다. 그리고 당신은 석사 학위를 받았습니다. 그것들을 합하면 〈가장 책을 많이 파는 저자〉와 〈가장 글을 잘 쓰는 저자〉가 됩니다」

여기자의 눈이 이글거렸다. 「나는 세일즈 따위는 배우지 않을 거예요. 당신 같은 사람들은 글쓰기와 관련이 없어요. 나는 전문적으로 훈련받은 작가예요. 반면에 당신은 세일즈맨이에요. 이건 불공평해요」

여기자는 급히 가방을 챙겨 들고 커다란 유리문을 지나 습기 찬 싱가폴의 아침 속으로 사라졌다.

적어도 그녀는 다음날 아침 나에 대해서 공평하고 우호적인 기사를 실었다.

이 세상에는 똑똑하고, 재능 있고, 유식하고, 영리한 사람들이 무척 많다. 우리는 매일 그런 사람들을 만난다. 우리 주위에는 그런 사람들이 엄청 많다.

며칠 전에 내 차가 말썽을 부렸다. 나는 차를 끌고 정비소에 갔다. 젊은 정비공이 내 차를 몇 분 만에 고쳤다. 그 사람은 엔진 소리만 들어도 어디가 잘못됐는지 알 수 있었다. 나는 그에게 정말 감명을 받았다.

하지만 아쉽게도 뛰어난 재능만으로는 충분치가 않다.

나는 재능 있는 사람들이 얼마나 적게 버는지를 알고 늘 놀라곤 한다. 얼마 전에 미국인 가운데 연봉이 10만 달러가 넘는 사람이 5%도 안 된다는 얘기를 들었다. 나는 연봉이 2만 달러도 안 되는 똑똑하고 유능한 사람들을 알고 있다. 의료 분야를 전문으로 하는 어떤 경영 컨설턴트가 내게 말했다. 너무도 많은 의사들이 금전적으로 고생하고 있다는 것이다. 나는 그 동안 의사만 되면 돈이 굴러 들어 올 것이라고 생각했다. 하지만 그 컨설턴트는 이런 말을 했다.
「그들에게 한 가지 기술만 더 있으면 부자가 될 수 있죠」

그 말의 뜻은 대부분의 사람들이 한 가지 기술만 더 익히면 수입이 금방 크게 는다는 것이다. 나는 전에 금융 지능이 회계와 투자, 마케팅, 그리고 법률의 시너지 효과라고 얘기했다. 그 네 가지 기술을 결합하면 돈으로 돈을 버는 것이 더 쉬워진다. 돈에 대해서 대부분의 사람들이 아는 유일한 기술은 열심히 일하는 것이다.

이런 기술의 시너지 효과에 관한 좋은 예는 그 신문사의 여기자이다. 그 여자가 세일즈와 마케팅의 기술을 부지런히 익히면 금방 수입을 크게 늘릴 수 있다. 내가 그 여자라면 세일즈와 함께 광고 카피에 대해서도 배울 것이다. 그런 후에 나는 신문사에서 일하는 대신 광고 회사에서 일자리를 알아볼 것이다. 그렇게 하면 월급은 낮아질 수도 있지만, 대신에 성공적인 광고에서 사용되는 〈간단 명료한〉 광고 기술을 배울 수 있다. 그 여자는 또 PR 기술도 배울 필요가 있다. 그것은 아주 중요한 기술이다. 그리고 공짜 선전으로 대중에게 접근하는 법도 배워야 한다. 그런 후에 일과 후나 주말에 멋진 소설을 쓸 수 있다. 소설이 끝나면 훨씬 더 쉽게 책을 팔 수 있다. 그러면 그 여자는 짧은 시간에 〈가장 책을 많이 파는 저자〉가 될 수 있다.

내가 아까 말한 그 책을 처음 썼을 때, 출판사에서는 제목을 『교육의 경제학 *The Economics of Education*』으로 바꾸자고 제의했다. 나는 출판사 사장에게 그런 제목으로는 두 권밖에 못 판다고 얘기했다. 내 가족과 제일 친한 친구만이 그 책을 살 것이다. 어쩌면 그나마 공짜로 달라고 할지도 모른다. 『부자가 되어 즐겁게 살려면 학교에 가지 말라?』는 기분 나쁜 제목을 택한 것은 그래야 선전이 잘되기 때문이다. 나는 교육을 지지하고 교육 개혁을 원한다. 그렇지 않으면 내가 왜 낡은 학교 제도를 바꿔야 한다고 주장하겠는가? 그래서 나는 TV와 라디오에 더 많이 출연할 수 있는 제목을 택했다. 나는 그렇게 해서 기꺼이 논쟁에 참여하고 싶었다. 많은 사람들은 내가 말도 안 되는 소리를 한다고 생각했다. 하지만 그 책은 자꾸만 팔렸다. 그래서 그 책은 나온 지 일주일 만에 〈베스트셀러〉가 되었다.

내가 1969년에 미국 해양 사관학교를 졸업했을 때, 교육을 많이 받은 내 아버지는 기분이 좋았다. 캘리포니아의 스탠더드 정유 회사가 나에게 유조선 선단에 일자리를 제공했다. 내 성적이 그다지 좋지 않았기 때문에 월급은 동기들에 비해 낮은 수준이었다. 하지만 졸업 후에 처음 얻은 직장으로서는 괜찮았다. 내가 받은 초임은 시간외 근무까지 포함해서 연봉 4만 2천 달러였다. 그리고 나는 7개월만 일하면 되었다. 5개월 동안은 휴가를 갈 수 있었다. 내가 원했다면 베트남에 있는 자회사로 갈 수도 있었다. 그리고 그렇게 했다면 5개월의 휴가 대신에 월급을 배로 올릴 수도 있었다.

내 앞에는 좋은 기회가 펼쳐져 있었다. 하지만 나는 6개월 후에 그 회사를 그만두고 해병대에 입대했다. 비행기 조종하는 법을 배우기 위해서였다. 내 행동에 대해 가난한 아버지는 굉장히 놀라셨으며, 부자 아버지는 축하해 주었다.

요즘 학교와 일터에서는 〈전문화〉라는 말이 유행한다. 그러니까 돈을 더 벌거나 승진을 하려면 〈전문성〉을 키워야 한다는 것이다. 이런 이유로 의사들은 즉시 내과, 외과, 소아과 같은 전문 분야를 시작한다. 의사들뿐 아니라 회계사, 설계사, 변호사, 혹은 조종사 같은 사람들도 그렇게 한다.

교육을 많이 받은 내 아버지도 같은 생각을 갖고 있었다. 그래서 그분은 마침내 박사 학위를 받았을 때 환호성을 질렀다. 그분은 학교에서는 전문화된 분야를 더 많이 공부하는 사람들에게 보상을 준다고 시인했다.

부자 아버지는 내게 그와 정반대되는 일을 하라고 충고했다. 「많은 것에 대해서 조금씩 아는 게 더 낫다」 그분은 그렇게 얘기했다.

그래서 나는 여러 해 동안 그분의 회사에서 여러 분야의 일을 했다. 한동안 나는 회계 부서에서 일을 했다. 내가 회계사는 안 될지라도 그 분야의 업무는 배울 수 있기 때문이었다. 나는 또 버스 운전사와 건설 노동자로도 일했고 세일즈와 예약 파트, 그리고 마케팅 파트에서도 일했다. 그분은 마이크와 나를 〈키우고〉 있었다. 그래서 은행가, 변호사, 회계사, 혹은 중개인들과 얘기하는 자리에 우리가 함께 있기를 원했다. 그분은 우리가 제국의 모든 분야에 대해 조금씩 알기를 원했다.

내가 스탠더드 정유 회사의 고수입 직장을 그만두었을 때, 교육을 많이 받은 내 아버지와 나는 솔직한 얘기를 나누었다. 그분은 당혹감을 감추지 못했다. 그분은 내가 그렇게 좋은 직장을 그만둔 이유를 이해하지 못했다. 어느 날 저녁 아버지가 내게 물었다. 「왜 그 회사를 그만두었니?」 나는 아무리 애를 써도 설명을 할 수가 없었다. 내 논리는 그분의 논리와 맞지 않았다. 문제는 내 논리가 부자 아버지의 논리라는 점이었다.

교육을 많이 받은 내 아버지에게는 안정적인 직장이 가장 중요했다. 내 부자 아버지에게는 배움이 가장 중요했다.

교육을 많이 받은 내 아버지는 내가 학교에 간 것은 해군 장교가 되기 위해서라고 생각했다. 반면에 부자 아버지는 내가 학교에 간 것은 국제 무역을 배우기 위해서였음을 알았다. 그래서 나는 학생으로서 선박 수송과 관련된 온갖 일들을 하고 배웠다. 부자 아버지는 내게 유럽으로 가는 배를 타지 말고 태평양에 남을 것을 권유했다. 그분은 〈신흥 국가들〉이 유럽이 아닌 아시아에 있음을 잘 알았다. 마이크를 비롯한 대부분의 동기들이 기숙사에서 파티를 하는 동안 나는 일본과 대만, 태국, 싱가폴, 홍콩, 베트남, 한국, 타히티, 사모아, 그리고 필리핀의 문화, 경제, 혹은 사업 방식을 연구했다. 물론 나도 파티는 했지만 기숙사에서는 아니었다. 나는 빠르게 성장하고 있었다.

교육을 많이 받은 아버지는 내가 왜 회사를 그만두고 해병대에 입대했는지 이해할 수 없었다. 나는 아버지에게 비행기 조종을 배우고 싶다고 얘기했다. 하지만 실제로 나는 군대를 이끄는 법을 배우고 싶었다. 부자 아버지는 회사를 운영하는 데 가장 힘든 부분이 사람들을 관리하는 것이라고 설명했다. 그분은 육군에서 3년을 복무했다. 하지만 교육을 많이 받은 아버지는 징집을 면제받았다. 부자 아버지는 위험한 상황에서 사람들을 이끄는 법을 배우는 것에 대한 가치를 얘기했다. 「네가 다음에 배워야 할 것은 리더십이다」 부자 아버지가 말했다. 「좋은 리더가 되지 못하면 등에 총을 맞게 된다. 그건 사업에서도 마찬가지다」

1973년에 베트남에서 돌아온 후 나는 비행기를 좋아했음에도 제대를 했다. 그리고 제록스 사에 취직했다. 내가 그 회사에 입사한 것은 한 가지 이유 때문이었다. 나는 좋은 보수를 바라고 입사하지는 않았다. 나는 수줍음을 잘 탔고, 그래서 세일즈는 내가 가장 두려워하는 것이었다. 제록스 사는 미국에서 가장 훌륭한 세일즈 교육 프로그램을 갖고 있었다.

부자 아버지는 나를 자랑스럽게 생각한 반면 교육을 많이 받은 아버지는 나를 창피하게 생각했다. 지식인이었던 아버지는 세일즈맨이 하찮은 직업이라고 생각했다. 나는 제록스 사에서 4년 동안 일하면서 마침내 문을 두드리고 거절을 당하는 두려움을 극복했다.

그렇게 해서 판매왕 후보에 자주 오르게 된 후에 나는 제록스 사를 그만두었다. 그리고 또다시 좋은 회사의 좋은 자리를 뒤로 한 채 다른 곳으로 갔다.

1977년에 나는 처음으로 회사를 만들었다. 부자 아버지가 마이크와 나에게 회사를 넘겨받는 훈련을 시켰다. 그래서 나는 이제 회사를 만드는 법과 운영하는 법을 배워야만 했다. 내 최초의 제품인 나일론 합성 지갑은 극동 지역에서 생산되어 뉴욕의 창고로 운송되었다. 이제는 학교와 사회에서 배운 것을 시험할 단계였다. 실패하면 나는 알거지가 될 것이다. 부자 아버지는 서른 살 이전에 알거지가 되는 게 좋다고 생각했다. 「그래야 다시 일어설 수 있잖니」 부자 아버지는 그렇게 말했다. 내 서른 살 생일 전날에 최초의 선적이 한국을 떠나 뉴욕으로 향했다.

지금도 나는 국제적인 비즈니스를 하고 있다. 그리고 부자 아버지가 얘기했던 대로 나는 신흥 국가들을 찾고 있다. 오늘날 내 투자 회사는 남미와 아시아, 노르웨이, 그리고 러시아에 있다.

다음과 같은 내용의 흔한 얘기가 있다. 〈일자리는 '겨우 알거지를 모면하는' 것이다.〉 그리고 아쉽게도 이 얘기는 수많은 사람들에게 적용되는 것 같다. 학교는 금융 지능을 지능으로 생각하지 않는다. 그래서 대부분의 근로자들은 〈수입에 맞춰〉 생활한다. 그것은 일을 하고 청구서를 처리한다는 것을 의미한다.

그리고 다음과 같은 내용의 끔찍한 경영 이론도 있다. 〈근로자는 해고되지 않을 만큼만 일을 하고, 고용주는 근로자가 그만두지 않을 만큼만 지급한다.〉 사실 대부분의 회사가 주는 급여를 보면 이 말에 나름의 진실이 있음을 알 수 있다.

그 결과 대부분의 근로자는 앞서나가지 못한다. 그들은 자신들이 배운 것을 실천한다. 즉, 〈안전한 직장〉을 얻는다. 대부분의 근로자는 단기적으로 보상을 주는 급여와 혜택을 위해 일하는 데 초점을 맞춘다. 하지만 이것은 장기적으로는 재앙을 초래한다.

대신에 나는 젊은 사람들에게 돈을 벌 목적보다 배움을 얻을 목적으로 직장을 찾으라고 권유한다. 주위를 보면서 어떤 기술을 얻고 싶은지 결정하고 그런 후에 특정한 직업을 선택해야 〈쥐 경주〉에 빠지지 않는다.

평생 청구서만 처리하는 그 과정에 일단 빠지게 되면 작은 금속 바퀴를 끊임없이 돌리는 햄스터의 운명을 피할 수 없다. 녀석들은 뒷다리로 열심히 바퀴를 돌리고, 그래서 바퀴는 열심히 돌아가지만, 다음날이 되어도 녀석들은 여전히 같은 우리 속에 있다.

톰 크루즈가 나오는 「제리 맥과이어」라는 영화에는 멋진 구절이 많이 있다. 그중에서도 가장 멋진 것은 〈내게 돈을 보여주시오〉일 것이다. 하지만 가장 인상 깊었던 장면은 톰 크루즈가 회사를 떠나는 장면이다. 그가 회사에서 잘리고 난 후 동료 직원들에게 이렇게 묻는다. 〈나랑 같이 갈 사람 누구 없어요?〉 그러자 사람들이 모두 숨을 죽인 채 눈치만 본다. 그중에서 한 여자가 겨우 이렇게 얘기한다. 〈같이 가고 싶지만 석 달 후에 승진하기 때문에…….〉

아마도 이 말이 그 영화에서 가장 진실에 가까운 말일 것이다. 사람들은 바로 이런 얘기를 하면서 열심히 일을 하고 청구서를 처리한다. 나는 교육을 많이 받은 내 아버지가 매년 봉급 인상을 기대하다가 매번 낙심했음을 잘 안다. 그래서 그분은 다시 학교에 가 더 높은 자격을 따서 다시 승진을 하려 했다. 하지만 이번에도 그것은 실망으로 끝이 났다.

나는 사람들에게 이렇게 묻는다. 「그런 일상 생활의 결과가 뭘까요?」 그 작은 햄스터처럼 사람들도 자신들의 수고가 과연 어떤 보람이 있는지 의문을 품을 것이다.

〈은퇴한 사람들의 전국 연합〉에서 상근 이사로 일했던 시릴 브릭필드는 이렇게 얘기한다. 「개인 연금은 지금 제대로 정착되지 못하고 있어요. 우선 먼저, 오늘날의 근로자 가운데 50%가 연금에 가입하지 않고 있습니다. 이것만으로도 큰 걱정의 대상이죠. 그리고 나머지 50% 가운데 75 내지 80%가 한 달에 55달러, 150달러, 혹은 300달러를 지불하는 비효율적인 연금에 가입해 있습니다」

『은퇴의 신화 *The Retirement Myth*』라는 자신의 책에서 크레이그 S. 카펠은 이렇게 얘기한다.

> 나는, 전국적인 규모의 연금 컨설팅 회사를 방문해서 최고 경영자를 위한 비싼 연금 계획을 설계하는 중견 관리자를 만났다. 내가 그 사람에게, 모퉁이에 조그만한 사무실조차 가지지 못한 사람들은 연금 제도에 관해 무엇을 기대할 수 있냐고 질문을 했을 때, 그 사람은 확신에 찬 미소를 지으며 이렇게 대답했다.
>
> 「총알을 기대할 수 있죠」
>
> 「뭐라구요?」 내가 물었다.
>
> 「그게 무슨 말이죠?」
>
> 그 사람은 어깨를 으쓱하며 대답했다.
>
> 「전후 베이비붐 세대는 더 나이가 들어 자신들이 살아갈 수 있을 정도의 충분한 돈이 없음을 깨닫게 된다면, 그들은 늘 자신들의 머리를

박살낼 수가 있죠」

카펠은 이어서 과거의 퇴직 연금과 더 위험한 새로운 퇴직 연금의 차이를 설명한다. 이것은 오늘날의 근로자들에게는 햇빛 찬란한 청사진이 아니다. 의료 비용과 장기적인 양로원 비용을 추가하면 그 청사진은 더 끔찍해진다. 그는 자신의 1995년 책에서 양로원 비용이 일년에 3만 달러에서 12만 5천 달러에 달한다고 지적했다.

이미 의료 사회 보장 제도가 시행되는 국가의 여러 병원들은 다음과 같은 힘든 결정을 내려야만 한다. 〈누구를 살리고, 누구를 죽일 것인가?〉 이들은 순전히 환자들에게 얼마의 돈이 있는지, 혹은 환자가 얼마나 늙었는지에 기초해서 결정을 내린다. 이들은 늙은 환자보다 젊은 환자에게 더 의료 혜택을 주려 한다. 더 늙고 가난한 환자는 줄에서 밀려나고 만다. 그래서 부자들이 더 좋은 교육 기회를 갖는 것처럼 더 오래 살 가능성도 높고, 반면에 가난한 사람들은 죽을 가능성이 더 높다.

그래서 나는 이런 궁금증을 갖는다. 근로자들은 미래를 보고 있는 것일까, 아니면 그냥 다음 월급날만 기다리면서 앞일은 생각하지 않는 것일까?

나는 돈을 더 벌려는 사람들과 얘기할 때마다 늘 같은 것을 권유한다. 바로 장기적인 안목으로 삶을 보라고 권유한다. 단순히 돈과 안정을 위해 일하는 것이 아니라(물론 이것도 중요하기는 하다), 두번째 기술을 배울 수 있는 두번째 직업을 가질 필요가 있다. 우리 주위에는 세일즈 기술을 가르치는 회사들이 많이 있다. 이런 회사들을 위해 일하면서 실패와 거절의 두려움을 극복하는 법을 배울 필요가 있다. 이런 두려움이야말로 사람들이 성공하지 못하는 주요 원인이다. 장기적으로는 교육이 돈보다 더 소중하다.

내가 이런 제안을 할 때, 사람들은 이렇게 대답한다. 「그럴 필요까지 있을까요?」 혹은 「나는 관심이 있는 일만 하고 싶어요」

〈그럴 필요까지 있느냐〉는 말에 대해 나는 이렇게 묻는다. 「그럼 당신은 평생 일만 하면서 자신이 번 것의 50%를 정부에 주려 합니까?」 또다른 대답, 즉 〈관심이 있는 일만 하고 싶다〉는 대답에 대해 나는 이렇게 얘기한다. 「나는 체육관에 가는 일에 관심이 없습니다. 하지만 나는 더 좋은 기분과 더 오랜 삶을 위해 그곳에 갑니다」

아쉽게도 다음과 같은 격언에는 나름의 진실이 있다. 〈늙은 개에게 새 기술을 가르칠 수는 없다.〉 변화에 익숙하지 않은 사람에게 변화는 힘든 것이다.

하지만 무언가 새것을 배우기 위해 일하라는 제안에 거부감을 느끼는 사람들에게, 나는 다음과 같은 격려의 말을 해주고 싶다. 즉, 인생은 체육관에 가는 것과 비슷하다. 가장 힘든 부분은 가겠다는 결정을 내리는 것이다. 일단 이 단계를 지나면 그 다음은 쉽다. 나도 체육관에 가기가 너무 싫었던 적이 여러 차례 있다. 하지만 일단 그곳에 가서 몸을 움직이면 다음에는 즐겁다. 운동이 끝난 후에는 늘 가기를 잘했다고 기쁘게 생각한다.

당신이 일을 통해 새로운 것을 배우지 않고 대신에 자기 분야에서 전문가가 되기를 원한다면, 당신이 일하는 회사에 노조가 있는지 확인하라. 노조는 전문가들을 보호하기 위해 만들어지는 것이다.

교육을 많이 받은 내 아버지는 주지사와 사이가 틀어진 후 하와이의 교원 노조를 맡게 되었다. 그분은 내게 그것이 가장 힘든 일이었다고 얘기했다. 반면에 부자 아버지는 평생 자기 회사에 노조가 들어서지 못하도록 애를 썼다. 그리고 그분은 성공했다. 노조가 거의 결성될 때마다 부자 아버지는 그것을 막을 수 있었다.

개인적으로 나는 어느 편도 들지 않는다. 왜냐하면 양쪽 모두에 나름의 필요성과 혜택이 있기 때문이다. 당신이 학교에서 권장하는 대로 전문가가 되고 싶다면 노조의 보호를 받아야 한다. 예를 들어, 내가 비행기 조종사의 직업을 계속 가졌다면 강력한 조종사 노조가 있는 회사를 찾았을 것이다. 왜 그럴까? 내가 평생을 바쳐 배울 기술이 오직 한 분야에서만 가치가 있는 것이기 때문이다. 내가 그 분야에서 쫓겨나면, 내 평생의 기술은 다른 분야에서 그와 같은 가치를 갖지 못할 것이다. 자기 분야에서 쫓겨난 고참 조종사는 가령 똑같이 높은 보수를 받는 자리를 교직에서 찾기는 어려울 것이다. 전문적인 기술은 한 분야에서 다른 분야로 쉽게 이동할 수 없다. 항공 분야에서 조종사가 대우를 받는 그 기술은 학교 제도에서도 같은 대우를 받기는 어렵다.

이 점은 오늘날의 의사들에게도 마찬가지다. 의료계에서 일어나는 수많은 변화 때문에 의료계의 많은 전문가들이 관련 조직에 동조할 수밖에 없는 실정이다. 학교 교사들은 당연히 노조에 가입해야 한다. 현재 미국에서는 교원 노조가 가장 크고 힘이 세다. NEA (National Education Association)라고 불리는 전국 교육 연합은 미국에서 막강한 정치적 영향력을 행사한다. 교사들은 교원 노조의 보호를 필요로 한다. 그들의 기술도 교육계 이외의 분야에서는 가치가 제한되기 때문이다. 따라서 기본 명제는 〈전문가가 되려면 노조의 보호를 받아야 한다〉는 것이다. 이렇게 하는 것이 현명한 일이다.

나는 가끔 내가 가르치는 학생들에게 이렇게 묻는다. 「여러분 가운데 맥도널드보다 햄버거를 더 잘 만드는 사람들이 있습니까?」 그러면 거의 모든 학생이 손을 든다. 그런 후에 나는 다시 묻는다. 「이렇게 많은 분들이 맥도널드보다 더 맛있는 햄버거를 만드는데, 어째서 맥도널드가 여러분보다 더 많은 돈을 벌까요?」

그 답은 분명하다. 즉, 맥도널드는 사업 시스템이 뛰어나다. 그렇게도 많은 인재들이 가난한 이유는 그들이 더 좋은 햄버거를 만드는 데만 신경을 쓰고 사업 시스템에 대해서는 거의 모르기 때문이다.

하와이에 있는 내 친구 하나는 훌륭한 미술가이다. 그 친구는 상당히 많은 돈을 번다. 어느 날 그 친구 어머니의 변호사가 그 친구에게 전화를 걸어 어머니가 유산으로 3만 5천 달러를 남겼다고 얘기했다. 그것은 어머니의 재산에서 변호사와 정부가 자신들의 몫을 챙긴 후 남은 것이다. 그 얘기를 들은 친구는 그 돈의 일부를 광고에 사용해 사업을 늘릴 수 있다고 생각했다. 그로부터 2개월 후 그 친구는 처음으로 잡지에 컬러 전면 광고를 실었다. 그 잡지는 부자들만을 겨냥하는 고급스런 잡지였다. 그 친구의 광고는 3개월 동안 실렸다. 하지만 친구는 아무 회신도 받지 못했고, 유산으로 받은 돈은 모두 없어졌다. 그 친구는 이제 잡지 회사를 상대로 소송을 준비 중에 있다.

이것은 어떤 사람이 맛있는 햄버거를 만들면서도 사업에 대해서는 거의 모르는 전형적인 예이다. 내가 그 친구에게 잡지에 광고를 게재하면서 무엇을 배웠느냐고 물었을 때, 그 친구는 이렇게만 대답했다. 「광고 판매원들은 사기꾼들이야」 이어서 내가 그 친구에게 세일즈와 마케팅에 관한 강의를 들을 생각이 없느냐고 물었다. 그러자 그 친구는 이렇게 대답했다. 「그럴 시간도 없고 그런 일에 돈을 낭비하고 싶지도 않아」

이 세상에는 가난한 인재들이 무척 많다. 많은 경우에 이들이 가난하거나 금전적으로 고생하거나 자신의 능력보다 더 적게 버는 이유는, 그들이 아는 것 때문이 아니라 그들이 모르는 것 때문이다. 이들은 더 좋은 햄버거를 만드는 기술의 완성에만 초점을 맞추면서, 햄버거를 팔고 배달하는 기술은 등한시한다. 어쩌면 맥도널드가 가장 좋은 햄버거를 만들지 못할 수도 있다. 하지만 이들은 기본적이고 평균적인 햄버거를 팔고 배달하는 데에는 가장 뛰어나다.

가난한 아버지는 내가 전문가가 될 것을 권유했다. 그분은 그렇게 해야 더 많은 급여를 받을 수 있다고 생각했다. 아버지는 하와이 주지사로부터 이제는 정부에서 일할 수 없다는 말을 들은 후에도 계속해서 나에게 전문가가 될 것을 촉구했다. 아버지는 교원 노조의 정당성을 주장하며, 높은 기술과 교육을 갖춘 그 전문가들에게 더 많은 혜택과 보호를 제공하려 애썼다. 아버지와 나는 종종 언쟁을 벌였지만, 가난한 아버지는 지나친 전문화가 노조의 필요성을 야기시키는 것이라는 점에는 동의하지 않았다. 그분은 우리가 더 전문화될수록 더 함정에 빠지고 그런 전문성에 더 의존적으로 된다는 것을 이해하지 못했다.

부자 아버지는 마이크와 내가 우리 자신을 〈키우도록〉 권유했다. 많은 기업들이 바로 그런 일을 하고 있다. 그들은 경영 대학원 출신의 젊고 똑똑한 학생을 찾아내서 그 사람이 언젠가 회사를 넘겨받도록 〈키우기〉 시작한다. 그래서 이들 똑똑하고 젊은 직원들은 한 부서에서 전문가가 되지 않는다. 그들은 여러 부서를 이동하며 사업 시스템의 모든 측면을 배운다. 부자들은 종종 자기 아이들이나 다른 사람들의 아이들을 〈키운다〉. 그들의 아이들은 그렇게 해서 사업체의 운영에 대한 전반적인 지식과 다양한 부서들이 서로 연결되는 방식을 배운다.

2차 대전 세대들은 회사를 옮기는 것은 〈나쁘다〉고 생각했다. 하지만 오늘날에는 회사를 옮기는 것은 영리한 것으로 생각된다. 사람들이 더 깊은 전문성을 추구하기보다 여러 회사를 옮기는 상황이라면, 돈을 〈버는〉 것보다는 무엇을 〈배우는〉 것이 더 낫지 않을까? 단기적으로는 그것이 보다 적은 수입을 의미하겠지만, 장기적으로는 훨씬 더 큰 수입으로 이어질 수 있다.

성공에 필요한 주요 관리 기술은 다음과 같다.

1 현금 흐름의 관리

2 시스템의 관리(자신과 가족과의 시간도 포함)

3 사람들의 관리

가장 중요한 전문적 기술은 판매와 시장에 대한 이해이다. 팔 수 있는 능력, 그러니까 (고객이건, 직원이건, 상사이건, 배우자이건, 혹은 아이들이건) 다른 사람과 의사 소통할 수 있는 능력이 개인적 성공의 기본적 기술이다. 글쓰기, 말하기, 그리고 협상하기 같은 의사 소통의 기술이 성공적인 삶에 핵심적인 요소이다. 나는 이런 기술을 익히기 위해 애를 쓰며, 내 지식을 넓히기 위해 강연에 참석하거나 교육용 테이프를 산다.

이미 얘기했듯이, 교육을 많이 받은 내 아버지는 능력이 높아질 수록 점점 더 열심히 일했다. 하지만 전문성을 더 키울수록 점점 더 함정에 빠졌다. 그분의 월급은 올라갔지만 선택은 더 줄어들었다. 그분은 정부 내에서의 일자리를 잃은 직후에 자신이 직업적으로 얼마나 취약한지 알게 되었다. 그것은 마치 프로 운동 선수가 갑자기 부상을 당하거나 너무 늙어 운동을 할 수 없는 것과 같다. 한때는 잘 나가던 그들의 좋은 자리는 없어졌고, 이제는 의지할 수 있는 제한적인 기술도 없다. 아마도 그래서 내 가난한 아버지가 그 후 그렇게도 노조에 열심이셨던 것 같다. 그분은 노조가 얼마나 도움이 될 수 있었는지 깨닫게 되었다.

부자 아버지는 마이크와 내가 많은 것에 대해 조금씩 알아야 한다고 충고했다. 그분은 우리에게 우리보다 더 똑똑한 사람들과 일하고 똑똑한 사람들을 모아 팀을 만들어 일하도록 권유했다. 오늘날 그것은 직업적인 전문가들의 〈시너지 효과〉라고 불릴 것이다.

요즘 나는 전직 교사들이 일년에 수십만 달러를 버는 경우를 자주 본다. 그들이 그렇게 돈을 많이 버는 것은 자기 분야의 전문적인 기술과 함께 다른 기술도 갖고 있기 때문이다. 그들은 가르칠 수도 있고 세일즈와 마케팅도 할 수 있다. 나는 어떤 기술보다 세일즈와 마케팅 기술이 더 중요하다고 생각한다. 세일즈와 마케팅 기술이 대부분의 사람들에게 어려운 이유는 무엇보다 고객의 거절에 대한 두려움 때문이다. 우리가 의사 소통과 협상 문제, 그리고 거절의 두려움을 더 잘 다룰수록 삶은 더 쉬워진다. 내가 베스트셀러 작가가 되고 싶어했던 그 신문사의 기자에게 충고했던 것처럼, 나는 오늘날의 누구에게나 충고한다. 기술적으로 전문가가 되는 데는 장점도 있지만 단점도 있다. 내 친구들 가운데도 천재성을 갖고 있으면서도 다른 사람들과 효과적인 의사 소통을 하지 못해 수입이 비참한 친구들이 있다. 나는 그들에게 일년만 세일즈 기술을 배우라고 충고한다. 설사 아무것도 얻지 못한다 해도 의사 소통 기술만큼은 향상될 것이다. 그리고 그 대가는 아주 크다.

배움과 세일즈와 마케팅에 관심을 갖는 것 외에도, 우리는 좋은 학생과 함께 좋은 선생도 되어야 한다. 정말로 부자가 되려면, 우리는 받는 것과 함께 줄 줄도 알아야 한다. 우리가 금전적인 면이나 직업적으로 고생을 하는 이유는 받을 줄 모르고 줄 줄 모르기 때문이다. 내가 아는 많은 사람들이 가난한 이유는 좋은 학생도 아니고 좋은 선생도 아니기 때문이다.

내 두 분 아버지는 모두 관대한 분이셨다. 두 분 모두 먼저 주려고 했다. 가르침은 그분들이 주는 한 가지 방식이었다. 그분들은 더 많이 줄수록 더 많이 받았다. 한 가지 큰 차이는 돈을 주는 방식이었다. 부자 아버지는 많은 돈을 나누어주었다. 그분은 교회와 자선단체, 그리고 재단에 돈을 주었다. 그분은 돈을 받으려면 주어야 한다는 것을 알고 있었다. 돈을 주는 것은 대부분의 위대한 부자 가문의 비결이다. 그렇기 때문에 록펠러 재단이나 포드 재단 같은 단체가 있는 것이다. 이런 단체들은 그들의 재산을 받아 늘리고, 그러면서 그것을 영구히 주기 위해 만들어진 것이다.

내 가난한 아버지는 늘 이렇게 얘기했다. 「나에게 여유돈이 생기면 그때 주겠다」 문제는 언제나 여유돈은 없다는 것이었다. 그래서 그분은 더 열심히 일을 해서 더 많은 돈을 벌려 했다. 그분은 〈주면 받으리라〉라는 돈의 가장 중요한 법칙에 초점을 맞추지 않았다. 대신에 그분은 〈받은 다음에 주려〉 했다.

결론적으로 나는 두 분 아버지 모두의 영향을 받았다. 나의 한쪽 부분은 골수 자본가로서 돈이 돈을 만드는 게임을 좋아한다. 그리고 다른쪽 부분은 사회적으로 책임지는 교사로서 점점 더 커지는 〈가진 자〉와 〈못 가진 자〉의 차이를 크게 염려한다. 나는 개인적으로 낡고 고루한 교육 제도가 점점 커가는 이 차이에 큰 책임이 있다고 생각한다.

제3부

부자가 되기 위해 아직도 더 알아야 할 것들

사람들이 부자가 되지 못하는 다섯 가지 이유

나는 골프공을 한 번도 잃지 않은 골프 선수를 본 적이 없다.
또 실연을 한 번도 하지 않고 사랑에 빠진 사람을 본 적도 없다.
그리고 돈을 한 번도 잃지 않고 부자가 된 사람을 본 적도 없다.
대부분의 사람들이 돈 문제에서 이기지 못하는 이유는
돈을 잃는 고통이 부자가 되는 기쁨보다 훨씬 더 크기 때문이다.
사람들은 부자가 되는 꿈을 꾸지만 돈을 잃는 것을 더 무서워한다.

사람들이 공부를 하고 금융 지식을 갖춘 후에도 장애물에 봉착해서 재정적으로 독립하지 못할 수가 있다. 그들은 다섯 가지 기본적인 이유 때문에 금융 지식을 갖춘 후에도 풍요로운 자산 부분을 개발하지 못할 수가 있다. 그런 자산 부분을 개발하면 많은 현금 흐름이 나올 수 있고, 자유를 얻어 꿈에 그리던 삶을 살 수 있는데도 말이다. 그렇게 되면 하루 종일 일만 하면서 청구서만 처리할 필요가 없는데도 말이다. 그들이 그렇게 하지 못하는 다섯 가지 이유는 다음과 같다.

▶ 사람들이 부자가 되지 못하는 다섯 가지 이유

1 두려움
2 냉소주의
3 게으름
4 나쁜 습관
5 거만함

사람들이 부자가 되지 못하는 첫번째 이유 : 돈을 잃는다는 두려움

나는 지금까지 돈을 잃는 것을 좋아하는 사람을 본 적이 없다. 그리고 지금까지 살면서 돈을 잃은 적이 없는 사람을 본 적이 없다. 하지만 나는 한번도 돈을 잃은 적이, 그러니까 투자를 한 적이 없는 가난한 사람들은 많이 보았다.

돈을 잃는다는 두려움은 현실적인 문제다. 누구나 그런 두려움을 갖고 있다. 부자들도 마찬가지다. 하지만 문제가 되는 것은 두려움이 아니다. 두려움을 다루는 방식이 문제이다. 잃는 것을 다루는 방식이 문제인 것이다. 실패를 다루는 방식이 삶의 차이를 만들어낸다. 이 점은 삶의 어느 것에나 적용된다. 돈에만 적용되는 것이 아니다. 부자와 가난한 사람의 기본적인 차이는 그런 두려움을 다루는 방식이다.

두려워하는 것은 괜찮다. 돈에 대해서 겁쟁이가 되는 것은 괜찮다. 그래도 우리는 부자가 될 수 있다. 우리 모두는 무언가에는 영웅이고 다른 무언가에는 겁쟁이다. 내 친구의 아내는 응급실 간호원이다. 그녀는 피를 보면 즉시 행동을 취한다. 하지만 그녀는 내가 하는 투자 얘기를 들으면 도망을 친다. 나는 피를 볼 때 도망을 치지 않는다. 단지 기절을 할 뿐이다.

내 부자 아버지는 돈에 대한 공포심을 이해했다. 「어떤 사람들은 뱀을 무서워하고, 어떤 사람들은 돈을 잃는 것을 무서워한다. 둘 다 공포심이라고 할 수 있지」 그분은 그렇게 얘기했다. 그래서 돈을 잃는다는 공포심에 대한 그분의 해결책은 다음과 같은 작은 구절이었다.

「위험과 걱정을 싫어한다면…… 일찍 시작해라」

이런 이유로 은행들은 젊었을 때 저축하는 습관을 기르라고 권유한다. 젊었을 때 시작하면 쉽게 부자가 될 수 있다. 여기서 자세하게 말하고 싶지는 않지만, 스무 살에 저축을 시작하는 사람과 서른 살에 저축을 시작하는 사람은 큰 차이가 난다. 아주 큰 차이가 난다.

흔히 말하기를 이 세상의 경이로움 가운데 하나는 복리 이자의 힘이라고 한다. 맨해튼 섬의 구입은 역사상 가장 멋진 거래 가운데 하나라고 한다. 뉴욕의 구입가는 싸구려 장신구와 구슬로 지불한 24달러였다. 하지만 그 24달러가 연리 8%로 투자되었다면 1995년에는 28조 달러 이상으로 늘었을 것이다. 그 돈이면 맨해튼을 산 후에 LA의 상당 부분까지 살 수 있다.

내 이웃은 유명한 컴퓨터 회사에서 일하고 있다. 그 사람은 그 회사에서 25년 동안 일했다. 그 사람은 5년만 있으면 4백만 달러의 퇴직 연금을 받고 회사를 떠난다. 그 돈은 주로 고수익의 뮤추얼 펀드에 투자되어 있으며, 그 사람은 그것을 사채와 정부 채권으로 바꿀 예정이다. 그 사람은 회사를 떠날 때 55세에 불과할 것이고, 일 년에 30만 달러 이상의 현금 흐름을 확보해 월급보다 많은 돈을 받을 것이다. 따라서 우리가 잃는 것을 두려워하고 위험을 감수하길 두려워해도 이와 같은 일들은 가능하다. 하지만 일찍 시작해야만 하고 반드시 퇴직 계획을 짜는 것이 필요하다. 그리고 믿을 수 있는 금융 컨설턴트를 고용해 그 조언에 따라 투자를 해야 한다.

하지만 남은 시간이 많지 않거나 일찍 은퇴하고 싶다면 어떻게 해야 할까? 돈을 잃는다는 두려움을 어떻게 극복해야 할까?

내 가난한 아버지는 아무것도 하지 않았다. 그분은 그냥 그 문제를 피하면서 그런 얘기를 하지 않으려 했다.

반면에 부자 아버지는 내가 텍사스인처럼 생각해야 한다고 얘기했다. 「나는 텍사스와 텍사스인들을 좋아한다」 그분은 곧잘 그렇게 말했다. 「텍사스에서는 모든 것이 더 크다. 텍사스인들은 이길 때 크게 이긴다. 그리고 질 때도 크게 진다」

「그럼 텍사스 사람들은 잃는 것을 좋아하나요?」 내가 물었다.

「내 말은 그런 뜻이 아니다. 어떤 사람도 잃는 것을 좋아하지는 않지」 부자 아버지가 말했다. 「내가 얘기하는 것은 위험성이나 보상, 그리고 실패에 대한 텍사스인의 태도다. 그들이 삶을 다루는 방식 말이지. 그들은 삶을 크게 살지. 돈에 대해서라면 바퀴벌레처럼 사는 우리 주위의 대다수 사람들과는 다르지. 바퀴벌레들은 누군가 빛을 비출까 봐 두려워하지. 그들은 식료품 가게 점원이 동전 하나를 덜 줄 때 툴툴거리지」

부자 아버지는 설명을 계속했다.

「내가 가장 좋아하는 것은 텍사스인의 태도다. 그들은 이길 때 자랑을 하고, 질 때는 허풍을 떨지. 텍사스인들은 이렇게 말을 해. 〈알거지가 되려면 크게 되어라.〉 그들은 시시한 것 때문에 알거지가 되었다고는 인정하지 않지. 하지만 우리 주위 대다수의 사람들은 잃는 것이 너무 두려워서 알거지가 될 시시한 것도 갖고 있지 않다」

부자 아버지는 마이크와 나에게 종종 이렇게 얘기했다. 경제적으로 성공하지 못하는 가장 큰 이유는 대부분의 사람들이 너무 안전하게 살기 때문이라고. 「사람들은 그들이 잃는다는 것을 너무 두려워해서·결국엔 잃게 되지」

이전에 NFL의 유명한 쿼터백이었던 프랜 타켄튼은 그것을 이런 식으로 얘기했다. 「이기는 것은 지는(잃는) 것을 두려워하지 않는 것이다」

나 역시 살아오면서 이기는 것은 대개 지고 난 후에 뒤따라오는 것임을 알게 되었다. 나는 자전거 타는 법을 배울 때까지 여러 차례 넘어져야만 했다. 나는 골프공을 한 번도 잃지 않은 골프 선수를 본 적이 없다. 또 실연을 한 번도 하지 않고 사랑에 빠진 사람을 본 적도 없다. 그리고 돈을 한 번도 잃지 않고 부자가 된 사람을 본 적도 없다.

그래서 대부분의 사람들이 돈 문제에서 이기지 못하는 이유는 돈을 잃는 고통이 부자가 되는 기쁨보다 훨씬 더 크기 때문이다. 텍사스인들은 또 이렇게 얘기한다. 「누구나 천국에 가고 싶어한다. 하지만 누구도 죽고 싶어하지는 않는다」 대부분의 사람들은 부자가 되는 꿈을 꾸지만 돈을 잃는 것을 더 무서워한다. 그래서 그들은 절대로 천국에 가지 못한다.

부자 아버지는 마이크와 나에게 자신이 텍사스에 갔던 얘기를 하곤 했다. 「위험성과 잃는 것, 그리고 실패를 다루는 방식을 정말로 배우고 싶다면 샌 안토니오에 가서 알라모를 방문해라. 알라모는 싸우기로 결심한 용감한 사람들의 위대한 이야기이다. 그들은 엄청난 적군을 앞에 두고 승리의 희망이 전혀 없음을 알고 있었지. 하지만 그들은 항복이 아니라 죽음을 선택했다. 그것은 공부할 가치가 있는 좋은 이야기이다. 물론 그럼에도 비극적인 군사적 패배이기는 하다. 그들은 결국 엉덩이를 차이고 만 꼴이지. 어찌 보면 실패였다고 할 수도 있다. 그들은 졌다(잃었다). 그런데 텍사스인들은 실패를 어떻게 다룰까? 그들은 아직도 이렇게 소리친다. 〈알라모를 기억하라!〉」

마이크와 나는 그 얘기를 아주 많이 들었다. 부자 아버지는 늘 중요한 거래를 시작하면서 신경이 날카로울 때 그 얘기를 하곤 했다. 자신이 할 수 있는 모든 일을 하고 이제는 결과만 남았을 때, 그분은 우리에게 그 얘기를 했다. 실수를 하거나 돈을 잃는 것이 두려울 때마다 그분은 그 얘기를 했다. 부자 아버지는 그 얘기에서 힘을 얻었다. 그 얘기를 하면 늘 금전적 손실을 금전적 승리로 바꿀 수 있다고 생각할 수 있었다. 부자 아버지는 실패가 자신을 더 강하고 똑똑하게 만들 뿐이라는 것을 잘 알았다. 그렇다고 그분이 잃는 것을 원한 것은 아니었다. 그분은 단지 자신이 누구인지, 어떻게 손실을 감수해야 하는지 알고 있을 뿐이었다. 그분은 손실을 승리로 바꾸었다. 그래서 그분은 승리자가 되었고 다른 사람들은 패배자가 되었다. 그래서 그분은 용감하게 선을 넘었고 다른 사람들은 물러났다. 「그렇기 때문에 나는 텍사스인들을 아주 좋아한단다. 그들은 큰 실패를 관광지로 만들어 많은 돈을 번단다」

하지만 오늘날 내게 가장 큰 의미를 주는 그분의 말은 이것일 것이다. 「텍사스인들은 자신들의 실패를 파묻지 않는다. 그들은 그것에서 힘을 얻는다. 그들은 실패에서 교훈을 얻는다. 텍사스인들은 실패를 거울로 삼아 승리를 거둔다. 하지만 그런 방식은 텍사스인들만의 방식이 아니다. 그것은 모든 승리자를 위한 방식이다」

나는 아까 자전거에서 떨어진 것이 자전거 타는 법을 배우는 과정의 일부였다고 얘기했다. 마찬가지로 나는 자전거에서 떨어졌기 때문에 자전거 타는 법을 더 배우려 했던 기억이 난다. 넘어져 무릎을 다쳤다고 해서 자전거 타는 법을 배우지 않으려고 하지는 않았다. 나는 또 공을 한 번도 잃지 않은 골프 선수를 본 적이 없다고 얘기했다. 정상급의 프로 골프 선수가 되려면 공이나 경기를 잃는(지는) 것이 골프 선수를 더 훌륭하게 만들고, 더 열심히 연습하게 만들고, 더 많이 공부하게 만들어야 한다. 그 때문에 그들은 더 좋은 선수가 되어야만 한다. 승자들에게는 지는 것이 오히려 힘을 준다. 패자들에게는 지는 것이 힘을 빠지게 한다.

존 D. 록펠러는 이런 말을 남겼다. 〈나는 늘 끔찍한 실패를 기회로 만들려고 애를 쓴다〉.

그리고 일본계 미국인인 나는 이렇게 얘기할 수 있다. 많은 사람들이 진주만은 미국의 실수였다고 얘기한다. 하지만 나는 그것은 일본의 실수였다고 얘기한다. 「도라, 도라, 도라」라는 영화를 보면 침울한 일본군 제독이 진주만 습격에서 승리를 거둬 환희에 차 있는 부하들에게 이렇게 얘기한다. 「아마도 우리가 잠자는 거인을 깨운 것 같다」 이후 〈진주만을 기억하라〉는 말은 미국인들의 구호가 되었다. 이것이 미국의 가장 큰 패배 가운데 하나를 승리로 바꾸었다. 엄청난 실패가 미국인들에게 힘을 주었고, 미국은 곧 세계 열강으로 부상했다.

실패는 승자들에게는 힘이 된다. 하지만 패자들에게 실패는 짐이 된다. 이것이 승자들의 가장 큰 비밀이다. 이것이 패자들은 모르는 비밀이다. 승자들의 가장 위대한 비밀은 실패가 승리를 자극한다는 것이다. 그래서 그들은 실패를 두려워하지 않는다. 다시 프랜 타켄튼의 말을 빌리면, 〈이기는 것은 지는(잃는) 것을 두려워하지 않는 것이다〉. 프랜 타켄튼 같은 사람들이 지는 것을 두려워하지 않는 이유는 그들이 자신들을 잘 알기 때문이다. 그들은 지는 것을 싫어한다. 그래서 그들은 지는 것은 더 잘되기 위한 힘이 될 뿐임을 잘 안다. 지는 것을 싫어하는 것과 지는 것을 두려워하는 것 사이에는 큰 차이가 있다. 대부분의 사람들은 돈을 잃는 것을 너무 두려워해서 돈을 잃게 된다. 그들은 시시한 것 때문에 알거지가 된다. 돈에 관한 한 그들은 너무 안전하게 살고 너무 작게 산다. 그들은 큰 집과 큰 차를 사지만 큰 투자는 하지 않는다. 미국인들의 90% 이상이 재정적으로 고생하는 주요 이유는 그들이 잃지 않으려 하기 때문이다. 그들은 이기려 하지 않는다.

그들은 금융 전문가나 회계사, 혹은 주식 중개인들에게 가서 균형적인 포트폴리오를 산다. 대부분이 많은 현금을 CD, 저수익의 채권, 안전한 뮤추얼 펀드, 그리고 몇몇 개별 주식에 넣는다. 이것은 안전하고 지각 있는 포트폴리오이다. 하지만 이길 수 있는 포트폴리오는 아니다. 이것은 잃지 않으려 애쓰는 사람의 포트폴리오이다.

그렇다고 내 말을 오해하지는 말라. 그렇게 하는 것은 인구의 70% 이상이 활용하는 포트폴리오일 것이다. 안전한 포트폴리오는 아예 포트폴리오가 없는 것보다는 훨씬 더 낫다. 이것은 안전을 좋아하는 사람에게는 훌륭한 포트폴리오이다. 하지만 안전하게 하면서 〈균형적인〉 투자 포트폴리오를 갖는 것은 성공적인 투자가들이 게임을 하는 방식은 아니다. 당신에게 돈이 별로 없는데 부자가 되고 싶다면 〈균형〉보다 〈초점〉을 추구해야 한다. 성공한 사람들을 보면 처음부터 균형 있게 포트폴리오를 구성한 것이 아니었음을 알 수 있다. 균형적인 사람들은 아무 결과도 내지 못한다. 그들은 한곳에만 머문다. 앞으로 나아가려면 먼저 균형을 깨면서 가야 한다. 당신이 어떻게 걸음마를 배웠는지 생각해 보라.

토머스 에디슨은 균형 있는 사람이 아니었다. 그 사람은 한 분야에 집중하는 초점적인 인물이었다. 빌 게이츠도 균형적인 사람이 아니었다. 그 사람도 초점적이었다. 조지 소로스도 초점적이었다. 조지 패튼은 자기 탱크들을 광범위하게 사용하지 않았다. 그 사람은 한곳에 초점을 유지해 독일군 전열의 약한 부분을 공략했다. 프랑스 사람들은 마지노선을 넓게 유지했는데, 그 결과가 어떻게 되었는지 한번 보라.

당신에게 부자가 될 생각이 있다면 초점을 맞추어야 한다. 당신의 〈많은〉 달걀을 〈몇몇〉 바구니에 넣어야 한다. 가난한 사람들과 중산층이 하는 일을 하지 말라. 그들은 〈몇몇〉 달걀을 〈많은〉 바구니에 넣는다.

잃는 것이 싫다면 안전하게 하라. 잃는 것이 당신을 약하게 만든다면 안전하게 하라. 균형적인 투자를 하라. 당신이 스물다섯 살이 넘었는데 위험을 겪는 것이 무섭다면 변하지 말고 안전하게 하라. 하지만 일찍 시작하라. 당신의 밑알을 일찍부터 쌓아라. 왜냐하면 시간이 걸리기 때문이다.

하지만 당신에게 쥐 경주에서 빠져나오고 싶은 자유에 대한 꿈이 있다면, 먼저 자신에게 다음과 같은 질문을 하라. 〈나는 실패에 대해 어떻게 반응하는가?〉 실패가 당신에게 승리의 힘을 준다면, 아마 당신은 그것을 좇아야 할 것이다. (하지만 어디까지나 〈아마〉이다.) 실패가 당신을 약하게 만들거나 당신으로 하여금 투덜거리게 만든다면(무언가 자기 뜻대로 되지 않을 때마다 변호사를 불러서 소송을 준비하는 철부지 망나니들이 그렇다), 그때는 안전하게 해야 한다. 낮에 하는 당신의 일을 계속해서 하라. 혹은 채권이나 뮤추얼 펀드를 사라. 하지만 기억하라. 그런 금융 상품에도 위험성은 있다. 물론 더 안전하기는 하지만.

내가 텍사스인과 프랜 타켄튼을 언급하면서 이런 얘기를 하는 것은 자산 부분을 키우는 것이 쉽기 때문이다. 사실 그것은 특별한 재능을 요하는 게임은 아니다. 그 일에 많은 교육이 필요하지는 않다. 5학년 수준의 수학이면 족하다. 하지만 자산 부분을 키우는 것은 곧은 마음가짐과 자세가 필요한 게임이다. 그 일에는 배짱과 인내, 그리고 실패에 대한 멋진 태도가 필요하다. 패자들은 실패를 피한다. 하지만 실패는 패자들을 승자들로 바꾼다. 알라모를 기억하라.

사람들이 부자가 되지 못하는 두번째 이유 : 냉소주의

〈하늘이 무너진다. 하늘이 무너진다.〉 대부분의 사람들은 「꼬마 병아리」의 이야기를 알고 있다. 녀석은 농장을 돌아다니며 임박한

종말을 경고했다. 우리는 그와 비슷한 사람들을 알고 있다. 하지만 우리 모두 각자의 안에 나름의 〈꼬마 병아리〉를 갖고 있다.

그리고 이미 얘기했듯이, 냉소주의자는 사실 꼬마 병아리이다. 우리 모두 두려움과 의심으로 생각이 흐려질 때 꼬마 병아리를 갖게 된다.

우리는 모두 의심을 갖고 있다. 〈나는 똑똑하지 않아〉, 〈나는 그렇게 뛰어나지 않아〉, 〈아무개가 나보다 더 뛰어나〉 등. 혹은 우리의 의심이 때로 우리를 마비시킨다. 우리는 이른바 〈어쩌지〉 게임을 한다. 〈내가 투자한 후에 경제가 무너지면 어쩌지?〉 혹은 〈내가 통제력을 잃고 돈을 돌려주지 못하면 어쩌지?〉, 〈상황이 예상과 다르면 어쩌지?〉 혹은 우리의 친구나 사랑하는 사람들은 우리가 묻지 않아도 우리의 약점을 지적하곤 한다. 그들은 종종 이렇게 얘기한다. 〈무엇 때문에 네가 그렇게 할 수 있다고 생각하는 거니?〉 혹은 〈그렇게는 절대로 되지 않아. 너는 지금 잘 알지도 못하는 것을 얘기하고 있어.〉 이와 같은 의심의 말들은 너무 강력해 우리의 행동을 방해한다. 그럴 때마다 우리는 뱃속에서 끔찍한 기분을 느낀다. 또 때로 잠도 자지 못한다. 앞으로 나아가지도 못한다. 그래서 우리는 안전한 곳에 머물게 되고 그 사이에 기회는 지나간다. 삶이 지나가는 것을 그저 지켜만 본다. 그러면서 우리는 몸이 굳은 채 꼼짝도 하지 않는다. 우리 모두 살면서 이런 기분을 느낀 적이 있다. 물론 정도의 차이는 있을 것이다.

피델리티 사의 유명한 뮤추얼 펀드 〈마젤란〉을 운영하는 피터 린치는 하늘이 무너진다는 경고를 〈소음〉이라고 부른다. 그리고 우리 모두 그 〈소음〉을 듣는다.

〈소음〉은 우리 머리 안에서 만들어지거나 밖에서 들려온다. 이를테면 친구, 가족, 동료, 혹은 언론이다. 피터 린치는 1950년대의 그때를 회상한다. 그 당시 언론에서는 핵전쟁의 위험을 크게 보도했는데, 그 소식을 들은 사람들은 방공호를 만들고 음식과 물을 저장하기 시작했다. 사람들이 방공호를 만들지 않고 그 돈을 현명하게 시장에 투자했다면, 아마도 그들은 지금쯤 경제적으로 독립해 있을 것이다.

몇 년 전에 LA에서 폭동이 일어났을 때, 미국 전역에서 총기 판매가 급증했다. 어떤 사람이 워싱턴 주에서 덜 익은 햄버거 고기 때문에 죽자 애리조나 주의 보건부가 모든 식당들에게 쇠고기를 충분히 익히라고 지시한다. 어떤 제약회사가 전국 방송에 사람들이 독감에 걸리는 광고를 내보낸다. 그 광고는 2월에 나간다. 그러면 감기 환자가 늘고 더불어 감기약 판매고도 는다.

대부분의 사람들이 가난한 이유는 투자에 관해서, 이 세상은 〈하늘이 무너진다, 하늘이 무너진다〉라고 외치며 돌아다니는 꼬마 병아리들로 가득 차 있기 때문이다. 그리고 이런 외침이 먹히는 이유는 우리 모두가 나름대로 꼬마 병아리이기 때문이다. 소문들과 파멸에 대한 얘기들이 우리의 의심과 두려움을 자극하지 않게 하려면 상당한 용기가 필요하다.

1992년에 보스턴에 사는 리처드라는 친구가 피닉스에 사는 우리 부부를 찾아왔다. 그 친구는 우리가 주식과 부동산으로 일군 것에 감명을 받았다. 당시 피닉스의 부동산 시장은 침체되어 있었다. 우리는 이틀 동안 그 친구와 같이 지내며 우리가 생각하기에 아주 좋은 현금 흐름과 자본 증가의 기회를 보여주었다.

아내와 나는 부동산 중개인이 아니다. 우리는 엄밀히 말하면 투자가이다. 어떤 휴양지 마을에서 집을 하나 찾아낸 후, 우리가 중개인에게 전화를 해서 그날 오후 친구가 그 집을 샀다. 침실 두 개짜리 주택의 가격이 4만 2천 달러에 불과했다. 비슷한 집들이 당시에 6만 5천 달러에 팔리고 있었다. 그래서 친구에게는 아주 좋은 거래였다. 그 친구는 기쁜 마음으로 그 집을 산 후 보스턴으로 돌아갔다.

그로부터 2주 후에 중개인이 전화를 걸어 우리 친구가 그 거래에서 물러났다고 얘기했다. 내가 친구에게 즉시 전화를 걸어 이유를 물어보았다. 그 친구가 말하길, 이웃 사람에게 자신이 이러저러한 집을 한 채 샀다고 얘기하니까 그 이웃이 집값을 너무 높게 지불한 것 같다고 얘기를 했다는 것이다.

내가 리처드에게 그 이웃 사람이 투자가냐고 물어보았다. 리처드는 〈아니〉라고 대답했다. 내가 다시 그럼 왜 그 사람 얘기를 듣느냐고 물었을 때, 리처드는 다소 방어적인 태도를 취하면서 더 알아보고 싶다고만 얘기했다.

1994년이 되자 피닉스의 부동산 시장이 다시 회복되었고, 그 작은 집의 임대료는 월 1천 달러가 되었다. (겨울 성수기에는 2천5백 달러까지 나갔다.) 그 집은 1995년에 9만 5천 달러의 가치를 갖게 되었다. 리처드가 그때 5천 달러만 투자했다면 쥐 경주에서 빠져나오는 일이 가능했을 것이다. 하지만 리처드는 지금까지도 별 진전이 없다. 그리고 피닉스에는 지금도 그런 좋은 거래가 있다. 다만 이제는 더 힘들게 찾아야만 한다.

리처드의 후퇴는 내게 그리 놀라운 것은 아니었다. 그것은 흔히

〈구매자의 후회〉라고 불리며, 우리 모두 그런 후회를 한다. 그런 의심이 우리를 막는다. 그 결과 꼬마 병아리가 이겼으며, 자유의 기회가 사라진 것이다.

예를 하나 더 들면, 나는 내 자산의 일부를 CD(양도성 예금증서)가 아닌 세금 우대 증서로 갖고 있다. 나는 그 증서로 연간 16%의 이자를 받으며, 그것은 은행 이자인 5%보다 확실히 높은 것이다. 그 증서는 부동산으로 보장을 받고 주법으로 시행되는데, 이것 역시 대부분의 은행들보다 나은 것이다. 다만 부족한 것이 있다면 유동성일 뿐이다. 그래서 나는 그것들을 2년 내지 7년짜리 CD로 생각한다. 내가 사람들에게 이런 얘기를 할 때마다, 특히 CD를 갖고 있는 사람들에게 얘기를 할 때마다, 그들은 늘 그것이 위험한 것이라고 얘기한다. 그들은 내가 그것을 처분해야 한다고 얘기한다. 내가 그들에게 어디서 그런 정보를 얻었느냐고 물으면, 그들은 친구나 투자 전문지에서 얻었다고 대답한다. 그들은 그런 일을 한 적이 없으면서도 그런 일을 하는 사람에게 왜 안 되는지 얘기를 한다. 내가 원하는 최저 수익률은 16%이지만, 의심으로 가득 찬 사람들은 5%에 만족하고 만다. 의심은 값비싼 대가를 치른다.

내 요점은 그런 의심과 냉소주의 때문에 대부분의 사람들이 가난하고 안전하게 산다는 것이다. 세상은 우리가 부자가 되기를 기다리고 있다. 그럼에도 사람들은 의심 때문에 가난하게 산다. 이미 얘기했듯이, 쥐 경주에서 빠져나오는 일은 기술적으로 쉽다. 그 일에는 많은 교육이 필요하지 않다. 하지만 사람들은 의심 때문에 그렇게 하지 못한다.

「냉소주의자들은 결코 이기지 못한다」 부자 아버지가 말했다.

「그리고 냉소주의는 의심과 두려움 때문에 생긴다. 냉소주의자들은 비판을 하고, 승자들은 분석을 한다」 부자 아버지는 그렇게 말하는 것을 좋아했다. 부자 아버지는 냉소주의는 눈을 가리고, 분석은 눈을 뜨게 한다고 설명했다. 승자들은 분석을 통해 냉소주의자들이 눈이 멀었음을 본다. 그러면서 그들은 사람들이 놓치는 기회를 알아본다. 그리고 사람들이 놓치는 것을 찾는 것이 모든 성공의 열쇠이다.

부동산은 재정적인 독립이나 자유를 찾는 사람들에게 강력한 투자 도구이다. 이것은 독특한 투자 도구이다. 그럼에도 내가 사람들에게 그런 얘기를 할 때마다 사람들은 이렇게 말을 한다. 〈나는 화장실을 고치고 싶지 않아요.〉 이것은 피터 린치가 지적한 〈소음〉이다. 이것은 내 부자 아버지가 냉소주의자들의 얘기라고 지적한 것이다. 분석은 하지 않고 비판만 하는 사람들이다. 눈을 열지 않고 의심과 두려움 때문에 마음을 닫는 사람들이다.

그래서 사람들이 〈나는 화장실을 고치고 싶지 않아요〉라고 말할 때, 나는 이렇게 쏘아붙이고 싶다. 〈그럼 나는 그런 일을 좋아합니까?〉 그들은 화장실이 그들이 원하는 것보다 더 중요하다고 말하는 것이다. 나는 쥐 경주에서 빠져나올 수 있는 자유를 얘기하는데, 그들은 화장실만을 얘기한다. 이런 사고 방식이 대부분의 사람들을 가난하게 만든다. 그들은 분석하는 대신에 비판한다.

「〈나는 하고 싶지 않다〉가 성공의 열쇠를 쥐고 있단다」 부자 아버지는 그렇게 말했다.

나 역시 화장실을 고치고 싶지 않기 때문에, 나는 화장실을 고치는 적절한 관리자를 찾기 위해 애를 쓴다. 그리고 주택이나 연립을 관리하는 훌륭한 관리자를 찾으면 내 현금 흐름은 높아진다. 하지만 더 중요한 것은 훌륭한 관리자가 있으면 내가 화장실을 직접 고칠 필요가 없기 때문에 더 많은 부동산을 살 수 있다는 점이다. 훌륭한 관리자는 부동산에서 성공의 열쇠이다. 내 경우에는 훌륭한 관리자를 찾는 것이 부동산보다 더 중요하다. 훌륭한 관리자는 종종 부동산 중개인보다 먼저 좋은 거래의 소문을 듣는다. 그래서 그들은 더욱 소중한 존재이다.

부자 아버지가 〈나는 하고 싶지 않다〉가 성공의 열쇠를 쥐고 있다고 말한 것은 그런 뜻이었다. 나도 화장실을 고치고 싶지 않기 때문에 어떻게 하면 더 많은 부동산을 사서 쥐 경주에서 빨리 나올 수 있는지 알아냈다. 〈나는 화장실을 고치고 싶지 않다〉고 말하는 사람들은 종종 그 강력한 투자 수단을 스스로 부정한다. 그들에게는 자유보다 화장실이 더 중요한 것이다.

나는 종종 주식 시장에서 이렇게 말하는 사람들을 본다. 〈나는 돈을 잃고 싶지 않아요.〉 글쎄, 그럼 나나 다른 사람들은 돈을 잃고 싶을까? 그들이 돈을 더 못 버는 이유는 돈을 잃지 않겠다고 결심하기 때문이다. 그들은 분석하는 대신에 또 하나의 강력한 투자 수단인 주식 시장에 대해 마음을 닫는다.

1996년 12월에 나는 어떤 친구와 차를 타고 이웃의 주유소를 지나가고 있었다. 그 친구가 위를 보니 휘발유 값이 올라가는 것이 보였다. 내 친구는 걱정꾼 혹은 〈꼬마 병아리〉이다. 그 친구에게는 늘 하늘이 무너지고 있으며, 대개는 그 친구에게 그런 일이 생긴다.

우리가 집에 왔을 때, 그 친구는 나에게 왜 휘발유 값이 계속 올라갈 것인지에 대해 온갖 통계를 보여주었다. 나는 이미 어떤 정유 회사의 상당한 주식을 갖고 있었음에도 그런 통계를 한 번도 본 적이 없었다. 나는 그 정보를 보고 즉시 새로 유정을 발견할 가능성이 있는 저평가된 정유 회사를 알아보고 찾아냈다. 나는 내 중개인이 새로 찾아낸 그 회사에 흥분을 했고, 주당 65센트에 그 회사의 주식 1만 5천 주를 샀다.

1997년 2월에 바로 그 친구와 내가 바로 그 주유소를 지나갔는데, 아니나다를까, 휘발유 값이 이미 15% 가까이 올라가 있었다. 이번에도 그 〈꼬마 병아리〉는 걱정과 불평을 했다. 나는 미소를 짓고 있었는데, 왜냐하면 1997년 1월에 그 정유 회사가 석유를 발견해서 그 1만 5천 주가 주당 3달러 이상으로 올라갔기 때문이다. 그리고 휘발유 값은 내 친구의 말이 사실이라면 계속해서 올라갈 것이다.

꼬마 병아리들은 분석하는 대신에 마음을 닫는다. 대부분의 사람들이 주식 투자에서 〈멈춤(stop)〉이 어떻게 작용하는지 이해한다면, 잃지 않으려고 투자하는 대신에 이기려고 투자하는 사람들이 더 많아질 것이다. 〈멈춤〉은 주가가 떨어지기 시작하면 자동적으로 주식을 팔게 해서 손실을 극소화하고 이득을 극대화하도록 돕는 컴퓨터 명령이다. 이것은 잃는 것을 겁내는 사람들에게 아주 좋은 도구이다.

그래서 나는 사람들이 자신들이 원하는 것보다 〈나는 하고 싶지 않다〉에 집중하는 얘기를 들을 때마다 그들의 머릿속에서 〈소음〉이 크다는 것을 안다. 꼬마 병아리가 그들의 머리를 감싸쥐고 이렇게 외치는 것이다. 〈하늘이 무너지고 있으며 화장실이 망가지고 있다.〉 그래서 그들은 〈하고 싶지 않다〉를 피하면서 엄청난 대가를 치른다. 그들은 자신들이 삶에서 원하는 것을 결코 얻지 못할 수도 있다.

부자 아버지는 내게 꼬마 병아리를 보는 방법을 소개했다. 「샌더스 대령이 한 것처럼 하면 된다」 그 사람은 예순여섯 살에 사업을 말아먹고 사회 보장 혜택에 의지해서 살기 시작했다. 하지만 그것으로는 충분치가 않았다. 그 사람은 전국을 다니며 자신의 닭고기 튀김 요리법을 팔았다. 그렇게 1,009번을 퇴짜맞고 나서야 어떤 사람이 〈OK〉를 했다. 그 후 샌더스 대령은 대부분의 사람들이 포기를 하는 그 나이에 백만장자가 되었다. 「그 사람은 용감하고 끈질긴 사람이었다」 부자 아버지는 할랜 샌더스에 대해서 그렇게 얘기했다.

따라서 당신이 의심에 차 있고 다소 두려움을 느낀다면 샌더스 대령이 자신의 꼬마 병아리에게 했던 일을 하라. 그 사람은 그 꼬마 병아리를 튀겼다.

사람들이 부자가 되지 못하는 세번째 이유 : 게으름

바쁜 사람들이 종종 가장 게으르다. 우리 모두 돈을 버느라 너무 바쁜 사업가의 얘기를 들은 적이 있다. 그런 사람이 열심히 일하는 것은 아내와 아이들에게 잘해 주기 위해서이다. 그런 사람은 사무실에서 오래 일하며 주말에도 일을 갖고 집에 온다. 그러던 어느 날 그 사람이 집에 와보면 집이 텅텅 비어 있다. 아내가 아이들과 함께 가버린 것이다. 그 사람은 자신과 아내에게 문제가 있었음을 알고 있었다. 하지만 그 사람은 둘의 관계를 튼튼하게 만들려고 노력하지 않고 직장에서만 바쁘게 지냈다. 실의에 찬 그 사람은 직장에서 실적이 떨어지고 결국 일자리를 잃는다.

오늘날 나는 너무 바빠서 자기 재산을 돌보지 않는 사람들을 종종 본다. 그리고 너무 바빠서 건강을 돌보지 않는 사람들도 있다. 원인은 모두 같다. 그들은 너무 바쁘며, 그들이 그렇게 바쁜 이유는 직면하고 싶지 않은 무언가를 피하기 위해서다. 그들에게 누가 얘기할 필요는 없다. 그들은 이미 잘 알고 있다. 사실 누군가 그들에게 얘기하면, 그들은 화를 내거나 짜증을 낸다.

그들은 직장이나 아이들 때문에 바쁘지 않을 때는 종종 TV를 보거나, 낚시를 하거나, 골프를 치거나, 혹은 쇼핑을 하면서 바쁘게 지낸다. 하지만 그들은 깊은 곳에서 자신들이 무언가 중요한 것을 피하고 있음을 잘 안다. 이것은 가장 흔한 형태의 게으름이다. 바쁘게 지내면서 게으른 것이다.

그렇다면 게으름의 치료법은 무엇인가? 그 답은 약간의 욕심이다.

많은 경우에 우리는 욕심이나 욕망이 나쁜 것이라고 생각하면서 자랐다. 〈욕심쟁이는 나쁜 사람이야.〉 우리 어머니는 곧잘 그렇게 얘기했다. 하지만 우리 모두는 내면적으로 무언가 좋은 것, 새로운 것, 혹은 흥미로운 것을 갖고 싶은 욕망이 있다. 그래서 부모들은 종종 이런 욕망을 통제하기 위해 죄의식을 이용해 그런 욕망을 잠재우려 한다.

「너는 왜 네 생각만 하니? 이 집에 너만 있는 건 아니잖니」 우리 어머니는 곧잘 그렇게 얘기했다. 또 우리 아버지는 이렇게 얘기했다. 「나더러 뭘 사달라구? 돈이 나무에서 자라는 줄 아니? 우리가 부자가 아닌 걸 너도 알잖니」

그런 말보다는 그런 말에 따르는 죄의식의 감정이 나를 상심하게 했다.

혹은 그와는 반대되는 감정도 있다. 「나는 너에게 이것을 사주기 위해 뼈빠지게 고생을 했다. 내가 이것을 사주는 이유는 내가 어렸을 때는 이런 것을 갖지 못했기 때문이다」 내 이웃 중에는 완전히 알거지이면서도 차를 차고에 넣지 못하는 사람이 있다. 그 사람의 차고에는 아이들 장난감이 가득 차 있다. 그 집의 버릇없는 아이들은 원하는 것이면 뭐든지 갖는다. 〈나는 내 아이들이 결핍을 모르게 하고 싶습니다.〉 그 사람은 늘 그렇게 얘기한다. 그 사람은 아이들의 대학 진학이나 자신의 퇴직 후를 위해서 저축한 것은 전혀 없다. 하지만 그 사람의 아이들은 온갖 장난감을 다 갖고 있다. 그 사람은 최근에 새 신용 카드를 발부받아서 아이들과 함께 라스베이거스에 갔다. 〈나는 아이들을 위해서 그렇게 합니다.〉 그 사람은 그렇게 얘기했다.

부자 아버지는 〈나로서는 할 수가 없어요〉라는 말을 금지시켰다.

하지만 나는 우리 집에서 늘 그런 얘기를 들었다. 부자 아버지는 아이들에게 이렇게 말하도록 가르쳤다. 「어떻게 하면 내가 그것을 할 수 있을까요?」 부자 아버지는 〈나로서는 할 수가 없어요〉라는 말은 머리를 닫아버린다고 설명했다. 그 말을 하면 더 이상 생각할 필요가 없는 것이다. 하지만 〈어떻게 하면 내가 그것을 할 수 있을까요?〉라는 말은 머리를 열어준다. 그러면 우리는 생각할 수밖에 없고 답을 찾을 수밖에 없다.

그러나 가장 중요한 것은, 부자 아버지는 〈나로서는 할 수가 없어요〉라는 말이 거짓말이라고 생각했다. 그리고 인간의 정신은 그것을 알고 있었다. 「인간의 정신은 아주 아주 강력하다」 그분은 그렇게 얘기했다. 「인간의 정신은 무엇이든 할 수 있음을 알고 있다」

우리가 〈나로서는 할 수가 없다〉는 게으른 마음을 가질 때, 우리 안에서는 전쟁이 일어난다. 우리의 정신은 화가 나며, 우리의 게으른 마음은 자신의 거짓말을 방어해야 한다. 우리의 정신은 이렇게 소리친다. 〈어서 와. 체육관에 가서 운동을 하자.〉 반면 게으른 마음은 이렇게 얘기한다. 〈하지만 나는 피곤해. 나는 오늘 정말 열심히 일했어.〉 혹은 인간 정신이 이렇게 얘기한다. 〈나는 이제 가난에는 진저리가 나. 거기서 빠져나가 부자가 되자.〉 이런 얘기에 게으른 마음은 이렇게 대답한다. 〈부자들은 욕심쟁이야. 게다가 그것은 너무 어려워. 그것은 안전하지 않아. 내가 돈을 잃을 수도 있어. 나는 지금도 아주 열심히 일하고 있어. 어쨌든 나는 할 일이 너무 많아. 오늘밤에 내가 해야 할 일을 한번 봐. 직장 상사가 내일까지 그 일을 마치라고 했어.〉

〈나로서는 할 수가 없다〉는 말은 또 슬픔을 불러일으킨다. 무력감은 침울함으로 이어지고 우울증을 야기시킨다. 다른 말로 표현하면 〈무관심〉이다. 하지만 〈어떻게 하면 내가 그것을 할 수 있을까?〉라는 말은 가능성과 흥미로움, 그리고 꿈으로 이어진다. 그래서 부자 아버지는 무엇을 사고 싶은가에 관심을 보이지 않았다. 그보다는 〈어떻게 하면 내가 그것을 할 수 있을까?〉가 더 강한 마음과 역동적 정신을 만든다는 데 중점을 두었다.

그래서 그분은 마이크나 나에게 무엇을 주는 적이 거의 없었다. 대신에 그분은 이렇게 묻곤 했다. 「네가 그것을 어떻게 할 수 있을까?」 그리고 그 일에는 대학도 포함되었으며, 우리는 대학 등록금을 스스로 마련했다. 그분이 우리에게 가르치려 한 것은 우리가 바라는 목표가 아닌 그 목표를 달성하는 과정이었다.

오늘날 내가 보는 문제는 아주 많은 사람들이 자신들의 욕심에 죄의식을 느낀다는 것이다. 이것은 어린 시절부터 시작된 낡은 인식이다. 사람들에게는, 삶에서 얻을 수 있는 더 좋은 것을 갖고 싶은 욕망이 있다. 그럼에도 대부분의 사람들은 잠재적으로 이렇게 말하도록 길러졌다. 〈우리는 그것을 가질 수 없어〉 혹은 〈우리는 그렇게 할 수가 없어〉.

나는 쥐 경주에서 빠져나오기로 결심했을 때 이렇게 자문했다. 〈어떻게 해야 내가 다시는 일을 하지 않을 수 있을까?〉 그러자 내 마음이 해답과 해결책을 토해 내기 시작했다. 가장 어려운 부분은 우리 부모님의 〈우리는 그럴 여유가 없다〉는 생각과 싸우는 것이었다. 혹은 〈왜 너만 생각하니?〉 혹은 〈남들 생각도 좀 해라〉. 그 밖에도 내 욕심을 억누르기 위해 죄의식을 심어주려는 말들이었다.

우리는 어떻게 게으름을 물리칠 수 있을까? 그 답은 약간의 욕심이다. 우리는 자신을 생각할 줄 알아야 한다. 우리는 앉아서 이렇게 자문해야 한다. 〈내가 건강하고, 섹시하고, 잘생기면 무엇을 얻을 수 있을까?〉 혹은 〈내가 다시 일할 필요가 없을 때 내 삶은 어떻게 될까?〉 혹은 〈나에게 그 모든 돈이 생기면 무엇을 할까?〉 그런 약간의 욕심, 더 좋은 것을 갖겠다는 욕망이 없으면 발전은 불가능하다. 우리의 세상이 발전하는 것은 우리 모두 더 좋은 삶을 갈망하기 때문이다. 새로운 발명품이 만들어지는 것은 우리가 더 좋은 것을 바라기 때문이다. 우리가 학교에 가서 열심히 공부하는 것은 더 좋은 것을 원하기 때문이다. 따라서 자신이 해야 할 무언가를 자신이 피하고 있다면, 그때마다 이렇게 자문할 필요가 있다. 〈그렇게 하면 무엇이 있을까?〉 약간의 욕심을 부려라. 그것이 게으름을 치료하는 가장 좋은 방법이다.

하지만 매사가 그렇듯이 욕심이 과하면 결과가 좋지 않다. 그러나 마이클 더글러스가 「월 스트리트」라는 영화에서 한 말을 기억하라. 〈욕심은 좋은 거야.〉 부자 아버지는 그것을 다르게 얘기했다. 「죄의식은 욕심보다 나쁜 거다. 죄의식은 우리 몸에서 정신을 앗아가기 때문이지」 그리고 나는 엘레노어 루스벨트 여사의 말을 가장 멋지게 생각한다. 〈자기 마음이 옳다고 느끼는 것을 하세요. 어쨌든 비판을 받는 것은 마찬가지기 때문이죠. 그것을 해도 욕을 먹고 안 해도 욕을 먹습니다.〉

사람들이 부자가 되지 못하는 네번째 이유 : 습관

우리의 삶은 교육보다 습관의 반영이다. 아놀드 슈왈츠제네거가 나오는 「코난」이라는 영화를 본 후에 내 친구가 이렇게 얘기했다. 「나도 슈왈츠제네거 같은 몸을 갖고 싶다」 다른 친구들도 고개를 끄덕였다.

「듣자니까 그 사람도 한때는 말라깽이였다고 하던데」 또다른 친구가 덧붙였다.

「그래, 나도 그런 얘기를 들었어」 또다른 친구가 덧붙였다. 「듣자니까 그 사람은 거의 매일 체육관에서 운동하는 습관이 있대」

「그래, 당연히 그럴 거야」

「아냐」 냉소주의자인 친구가 말했다. 「그 사람은 틀림없이 태어날 때부터 근육질이었을 거야. 그리고 이제는 아놀드 얘기는 그만

하고 맥주나 마시자」

이것은 습관이 행동을 통제하는 예이다. 나는 부자 아버지에게 부자들의 습관을 물은 적이 있다. 그분은 직접 대답하는 대신 이번에도 예를 통해 가르치려 했다.

「네 아버지는 언제 청구서를 처리하니?」 부자 아버지가 물었다.

「매달 초에 합니다」 내가 말했다.

「그렇게 하면 남는 것이 있니?」 그분이 물었다.

「거의 없습니다」 내가 말했다.

「그것이 네 아버지가 고생하는 주요 원인이다」 부자 아버지가 말했다. 「네 아버지에게는 나쁜 습관이 있다」

「네 아버지는 다른 모든 것을 먼저 지불한다. 그러면서 자신을 위해서는 남는 것이 있을 때만 지불한다」

「사실은 그렇습니다」 내가 말했다. 「하지만 아버지에게는 처리할 청구서가 있습니다. 그렇지 않나요? 그럼, 그러지 말아야 한다는 얘기인가요?」

「물론 그런 말은 아니다」 부자 아버지가 말했다. 「나도 청구서를 제때에 처리해야 한다고 굳게 믿고 있다. 다만 나는 나를 위해 가장 먼저 지불하지. 정부에 지불하는 것은 그 다음이야」

「하지만 돈이 충분치 않으면 어떻게 하나요?」 내가 물었다. 「그럼 어떻게 하냐구요?」

「그래도 같애」 부자 아버지가 말했다. 「그래도 나는 나를 위해 가장 먼저 지불하지. 돈이 부족할 때도 그래. 내게는 내 자산 부분이 정부보다 훨씬 더 중요해」

「하지만,」 내가 말했다. 「그러면 정부가 가만 있을까요?」

「그건 아니지. 그러니까 정부에 지불해야지」 부자 아버지가 말했다. 「내가 정부에 지불하지 말라고 말하는 것은 아니다. 다만 나는 나를 위해 가장 먼저 지불하지. 돈이 부족할 때도 그래」

「하지만,」 내가 다시 말했다. 「어떻게 그렇게 할 수 있죠?」

「그것은 어떻게가 아니야. 문제는 〈왜〉야」 부자 아버지가 말했다.

「좋습니다. 왜죠?」

「자극 때문이지」 부자 아버지가 말했다. 「내가 그들에게 지불하지 않으면 누가 더 크게 불평을 할까? 나일까, 빚쟁이들일까?」

「당연히 빚쟁이들이 더 크게 불평을 하겠죠」 내가 당연한 질문에 그렇게 대답했다. 「아저씨가 자신을 위해 지불하지 않아도 스스로 무슨 말을 하지는 않겠죠」

「이제 알겠니? 나를 위해 지불을 하게 되면 정부나 다른 빚쟁이들의 압력이 너무 높아서 나는 결국 다른 수입원을 찾을 수밖에 없어. 지불하라는 압력이 내게 자극을 주는 거지. 나는 그 동안 추가적인 일을 했고, 다른 회사들을 차렸고, 주식 거래를 했고, 그 밖에 그런 사람들이 내게 소리치지 못하도록 만드는 온갖 것을 했어. 그런 압력 때문에 나는 더 열심히 일했고, 어쩔 수 없이 생각했고, 나중에는 돈에 대해서 더 영리하고 적극적인 사람이 되었지. 내가 내 자신을 위해 가장 나중에 지불했다면 어떤 압력도 느끼지 않고 알거지가 되었을 거야」

「그럼, 정부나 그런 사람들의 빚 독촉이 두려워서 자극을 받았다는 말인가요?」

「그렇지」 부자 아버지가 말했다. 「너도 알겠지만, 정부의 빚쟁이들은 아주 무서운 사람들이야. 하긴, 빚쟁이란 대체로 그렇지. 대부분의 사람들은 그들에게 굴복하게 돼. 사람들은 그들에게는 지불하고 자신을 위해서는 지불하지 않아. 그들이 너무나 무섭기 때문이지. 나는 그런 두려움을 이용해 더 강해지겠다고 결심했어. 하지만 다른 사람들은 더 약해지지. 어떻게 추가 수입을 올릴 수 있을지 생각할 수밖에 없는 것은 체육관에 가서 몸을 튼튼하게 만드는 것과 비슷해. 내가 정신적인 돈의 근육을 단련시킬수록 나는 더 튼튼해져. 이제 나는 그런 사람들을 무서워하지 않는다」

나는 부자 아버지의 말을 좋아하게 되었다. 「그러니까 나를 위해 먼저 지불하면 금전적으로, 정신적으로, 그리고 재정적으로 더 튼튼해진다는 말씀이죠」

부자 아버지가 고개를 끄덕였다.

「그리고 나를 위해 가장 나중에 지불하거나 전혀 지불하지 않으면 더 약해지는 거죠. 그래서 상사, 관리자, 세금 징수원, 빚쟁이, 혹은 집주인 같은 사람들이 평생 나를 내두르는 거죠. 나에게 좋은 돈 습관이 없다는 이유만으로 말이에요」

부자 아버지가 고개를 끄덕였다.

사람들이 부자가 되지 못하는 다섯번째 이유 : 거만함

거만함은 자기 중심적인 무지이다.

「내가 아는 것이 내게 돈을 벌어준다. 내가 모르는 것은 내가 돈을 잃게 만든다. 나는 거만했을 때마다 돈을 잃었다. 왜냐하면 내가 거만할 때, 나는 내가 모르는 것은 중요하지 않다고 정말로 믿었기 때문이다」 부자 아버지는 곧잘 내게 그렇게 말했다.

알고 보니 많은 사람들이 거만함을 통해 자신들의 무지를 숨기려 했다. 그런 일은 내가 회계사나 다른 투자가들과 금융 보고서를 의논할 때 종종 일어난다.

그들은 의논을 할 때 한사코 고집을 부린다. 내가 볼 때 그들은 알지도 못하면서 얘기한다. 그들이 거짓말을 하는 것은 아니지만 진실을 말하는 것도 아니다.

이 세상에는 자신들이 무엇을 말하는지 전혀 모르는 돈과 금융, 그리고 투자 분야의 사람들이 많다. 이 분야의 너무도 많은 사람들이 중고차 세일즈맨처럼 파는 데만 열중한다.

자신이 어떤 분야에서 무지하다는 것을 깨달을 때는 그 분야의 전문가나 관련 서적을 찾아서 공부를 해야 한다.

부자가 되기 위해 갖추어야 할 10가지 힘

대부분의 사람들은 부자가 되지 않기로 선택한다.
인구의 90%에게 부자가 되는 것은 〈너무나 골치 아픈〉 일이다.
그래서 그들은 다음과 같은 변명거리를 만든다.
〈나는 돈에는 관심이 없어〉 혹은
〈나는 절대로 부자가 되지 못할 거야〉 혹은
〈나는 걱정할 필요가 없어. 아직도 젊으니까〉 혹은
〈돈을 좀 벌면 그때 가서 미래를 생각하면 되지 뭐〉 혹은
〈내 남편(아내)이 재산 관리를 합니다〉.

부를 획득하는 것이 내게는 쉬웠다고 말할 수 있다면 좋겠지만, 사실 그렇지는 않았다.

그래서 〈나는 어떻게 시작해야 하죠?〉라는 질문을 받으면 내가 매일같이 하는 사고 과정을 해답으로 제시한다. 멋진 거래를 찾는 것은 아주 쉬운 일이다. 나는 그것을 약속한다. 그것은 자전거를 타는 것과 똑같다. 약간의 실수를 하고 나면 누워서 떡 먹기다. 하지만 돈에 대해서는 그런 〈실수를 하겠다〉는 결심이 중요하다.

백만 달러 규모의 〈평생의 거래〉를 찾으려면 우리의 금융 천재성을 불러내야만 한다. 나는 우리 모두에게는 금융 천재성이 있다고 믿는다. 문제는 우리의 천재성이 잠을 자면서 우리가 불러내기만을

기다린다는 것이다. 그것이 잠을 자는 이유는 우리의 문화가 우리에게 〈돈은 모든 악의 뿌리〉라고 가르쳤기 때문이다. 우리의 문화는 우리에게 전문 직업을 가져서 돈을 위해 일하도록 가르쳤다. 그러면서 돈이 우리를 위해 일하게 하는 방법은 가르치지 않았다. 또 우리에게 미래의 금융상의 문제는 걱정하지 말라고 얘기했다. 우리가 나중에 퇴직하면 회사나 정부가 우리를 돌볼 것이라는 것이다. 하지만 결국에는 똑같은 학교 제도에서 공부한 우리의 아이들이 우리의 퇴직 연금 비용을 지불하게 된다. 우리의 문화는 아직도 열심히 일해서 돈을 벌어 쓰라고, 그리고 돈이 부족하면 늘 더 많이 빌릴 수 있다고 얘기한다.

아쉽게도 서구 사회의 90%가 그런 교리를 믿고 있다. 여전히 그런 교리를 믿는 이유는 간단하다. 일자리를 찾아서 돈을 위해 일하는 것이 더 쉽기 때문이다. 당신이 그런 대중의 한 사람이 아니라면, 나는 당신에게 내가 개인적으로 밟았던 몇몇 단계를 제시하고자 한다. 당신이 그런 단계를 밟는다면 아주 좋다. 그렇지 않다면 자신의 단계들을 만들어라. 당신의 금융적 천재성은 스스로 단계들을 만들 만큼 충분히 똑똑하다.

나는 페루에 있을 때 마흔다섯 살의 금광 전문가를 만난 적이 있다. 내가 그 사람에게 어떻게 확신을 갖고 금광을 찾는지 물어보았다. 그 사람은 이렇게 대답했다. 「도처에 금이 있습니다. 하지만 대부분의 사람들은 그것을 보도록 훈련받지 못했죠」

나는 그것이 사실이라고 생각한다. 나는 밖에 나가 하루 만에 너더댓 건의 부동산 거래를 찾아낼 수 있다. 그 동안에 평균적인 사람은 밖에 나가 아무것도 찾지 못한다. 같은 이웃을 둘러볼 때도 그렇다. 그 이유는 그들이 충분한 시간을 갖고 금융 천재성을 개발하지 않았기 때문이다.

나는 신이 당신에게 주신 이 천재성을 개발하는 과정으로 다음의 10단계를 제시한다. 이것은 부자가 되기 위해 갖추어야 할 10가지 힘이다. 이 힘은 오직 당신만이 통제할 수 있다.

사람들이 부자가 되기 위해 갖추어야 할 10가지 힘

첫번째, 정신의 힘 : 나에게는 현실보다 더 큰 이유가 필요하다.

대부분의 사람들에게 부자가 되거나 경제적으로 자유롭고 싶은지 물으면, 그들은 〈그렇다〉고 대답할 것이다. 하지만 그러다가 현실이 들어선다. 길은 너무 멀어 보이고 오를 언덕은 너무 많아 보인다. 그러면 그냥 돈을 위해 일하면서 나머지는 중개인에게 넘기는 것이 더 쉽다.

전에 나는 미국 올림픽 팀 수영 선수가 되려는 젊은 여자를 만났다. 그녀는 매일 새벽 네시에 일어나 세 시간 동안 수영을 하고 학교에 가야만 했다. 그리고 토요일 밤에 친구들과 파티도 하지 않았다. 그녀는 다른 사람들처럼 공부를 해 성적을 올려야만 했다.

내가 그녀에게 무엇 때문에 그렇게 초인적인 희생을 했느냐고 물었을 때, 그녀는 이렇게 대답했다. 「나는 내 자신과 내가 사랑하는 사람들을 위해 그 일을 합니다. 내가 장애를 넘고 희생하는 것은 사랑 때문입니다」

그녀가 그렇게 하는 이유 혹은 목적은 〈원함〉과 〈원하지 않음〉의 결합이다. 사람들이 나에게 왜 부자가 되기를 원하는지 그 이유를 물을 때, 나는 그것은 깊은 감정적 〈원함〉과 〈원하지 않음〉의 결합이라고 대답한다.

몇 가지 예를 들어보겠다. 먼저 〈원하지 않음〉이다. 이것들이 〈원함〉을 만들어낸다. 나는 평생 일하기를 〈원하지 않는다〉. 나는 부모님이 동경한 안정적인 직업과 교외의 집을 〈원하지 않는다〉. 나는 고용인이 되기를 〈원하지 않는다〉. 나는 우리 아버지가 일 때문에 너무 바빠서 늘 내 풋볼 경기에 오지 않았음을 싫어했다. 나는 아버지가 평생 일을 했고 돌아가셨을 때 정부가 아버지가 일한 것의 대부분을 가져갔음을 싫어했다. 아버지는 돌아가셨을 때 자신이 그렇게 열심히 일한 대가조차 자식들에게 넘겨줄 수 없었다. 부자들은 그렇게 하지 않는다. 그들은 열심히 일하고 그것을 아이들에게 넘겨준다.

이제는 〈원함〉이다. 나는 자유롭게 세상을 여행하길 원하고, 내가 좋아하는 방식대로 살길 원한다. 나는 젊었을 때 그렇게 되길 원했다. 나는 무엇보다 자유롭길 원한다. 나는 내 시간과 인생을 통제하길 원한다. 나는 돈이 나를 위해 일하게 만들고 싶다.

이것들이 내 뿌리 깊은 감정상의 이유들이다. 당신은 어떤가? 그 이유들이 충분히 강하지 않으면, 그때는 앞에 놓인 현실의 길이 더 클 수도 있다. 나는 그 동안 돈을 잃은 적도 많고 여러 차례 물러선 적도 많다. 하지만 내 마음 깊은 곳의 감정적 이유들이 나를 계속해서 나아가게 만들었다. 나는 마흔 살까지는 자유롭길 원했다. 하지만 나는 마흔일곱 살이 되어서야 많은 경험과 배움을 얻은 후에 자유를 얻게 되었다.

이미 얘기했듯이, 그렇게 되는 것은 쉽다고 말할 수 있다면 정말 좋겠다. 그러나 그것은 쉽지 않다. 하지만 어려운 것도 아니다. 강력한 이유나 목적이 없으면 삶에서는 무엇이든지 어렵기 마련이다.

두번째, 선택의 힘 : 나는 매일 선택한다.

이것이 사람들이 자유 국가에서 살고자 하는 주요 이유이다. 우리는 선택할 수 있는 힘을 원한다.

우리 손에 현금이 들어올 때마다, 우리에게는 미래에 부자가 될지, 가난한 사람이 될지 혹은 중산층이 될지 선택할 수 있는 힘이 생긴다. 우리의 지출 습관은 우리가 누구인지를 반영한다. 가난한 사람들은 가난한 지출 습관을 갖고 있다.

어렸을 때 내가 누린 혜택은 내가 모노폴리 게임을 아주 좋아했다는 것이다. 어느 누구도 나에게 모노폴리가 아이들 놀이라고 얘기하지 않았다. 그래서 나는 어른이 되어서도 그 게임을 계속 했다. 나에게는 또 부자 아버지가 있어서 그분이 나에게 자산과 부채의 차이를 알려주었다. 그래서 나는 이미 오래 전에, 어린 소년이었을 때, 부자가 되기로 선택했다. 그리고 나는 내게 필요한 것은 진짜 자산을 얻는 법을 배우는 것뿐임을 알고 있었다. 내 가장 친한 친구인 마이크는 자산 부분을 넘겨받았다. 하지만 그 친구도 그것을 유지하는 법을 배우기로 선택해야만 했다. 많은 부잣집 가문들이 다음 세대에 자산을 잃는 것은 자산을 잘 지키도록 훈련받은 사람이 없었기 때문이다.

대부분의 사람들은 부자가 되지 않기로 선택한다. 인구의 90%에게 부자가 되는 것은 〈너무나 골치 아픈〉 일이다. 그래서 그들은 다음과 같은 변명거리를 만든다. 〈나는 돈에는 관심이 없어〉 혹은 〈나는 절대로 부자가 되지 못할 거야〉 혹은 〈나는 걱정할 필요가 없어. 아직도 젊으니까〉 혹은 〈돈을 좀 벌면 그때 가서 미래를 생각하면 되지 뭐〉 혹은 〈내 남편(아내)이 재산 관리를 합니다〉. 이런 얘기들의 문제는 그런 생각을 하기로 선택하는 사람들에게서 두 가지를 빼앗는다는 것이다. 하나는 시간으로, 이것은 우리의 가장 소중한 자산이다. 그리고 다른 하나는 배움이다. 돈이 없다는 이유가 배우지 않는다는 구실이 될 수는 없다. 하지만 우리 모두는 매일같이 그런 선택을 한다. 우리는 시간과 돈, 그리고 우리가 머릿속에 넣는 것을 갖고 무엇을 할지 선택을 한다. 이것은 선택의 힘이다. 우리 모두에게는 선택할 힘이 있다. 나는 부자가 되기로 선택하며, 매일같이 그런 선택을 한다.

먼저, 교육에 투자하라. 사실 우리에게 있는 유일한 진짜 자산은 우리의 마음이다. 마음은 우리 스스로가 지배력을 행사할 수 있는 가장 강력한 도구이다. 내가 선택의 힘에 대해 얘기했던 것처럼, 우리 모두에게는 충분히 나이가 들었을 때 머릿속에 무엇을 넣을지에 대한 선택권이 있다. 하루 종일 MTV를 볼 수도 있고, 골프 잡지를 읽을 수도 있고, 도자기 강좌나 투자 전략에 관한 강좌를 들을 수도 있다. 선택은 우리가 한다. 대부분의 사람들은 먼저 투자에 대해 배우는 것에 투자하기보다 그냥 투자 상품을 사기만 한다.

부자인 내 친구 하나가 최근에 도둑을 맞았다. 그 친구의 집에 들어온 도둑들은 TV와 VCR을 가져가고 그 친구가 읽는 책은 모두 남겨두었다. 이 경우처럼 인구의 90%는 TV 수상기를 사며, 나머지 10%만이 사업 관련 서적이나 투자 관련 테이프를 산다.

그럼 나는 어떻게 할까? 나는 세미나에 참석한다. 나는 세미나가 적어도 이틀 이상인 것을 좋아한다. 왜냐하면 그 정도 기간이면 어떤 주제에 몰입할 수 있기 때문이다. 1973년에 나는 TV를 보고 있었다. 그런데 어떤 사람이 나와서 현금 없이 부동산을 사는 법에 대한 3일짜리 세미나를 광고했다. 나는 그 강좌에 385달러를 소비했고, 그 강좌는 나에게 적어도 2백만 달러를 벌어주었다. 하지만 더 중요한 것은, 그것이 내게 삶을 사주었다는 것이다. 나는 그 강좌 덕택에 남은 평생 일을 할 필요가 없게 되었다. 나는 매년 적어도 두 차례는 그런 강좌에 참석한다.

나는 오디오 테이프를 아주 좋아한다. 그 이유는 빠르게 되감을 수 있기 때문이다. 나는 피터 린치의 테이프를 듣고 있었다. 그런데 그 사람이 내가 절대로 동의하지 않는 무언가를 말했다. 나는 거만하거나 비판적으로 되지 않고 그냥 〈되감기〉를 누른 후 5분짜리 그 테이프의 내용을 20차례 이상 들었다. 어쩌면 더 많이 들었을 것이다. 그러다가 갑자기, 내 마음을 계속 열어둠으로써, 나는 그 사람이 왜 그런 말을 했는지 이해했다. 그것은 마술 같았다. 나는 마치 그 위대한 투자가의 마음속으로 들어간 것만 같았다. 나는 그 사람의 엄청난 경험과 지식에서 놀라운 깊이와 통찰력을 얻었다.

나는 똑같은 문제나 상황에 대해 아직도 예전의 사고 방식과 함께 피터 린치의 방식도 동시에 갖고 있다. 나는 하나가 아닌 두 가지 사고를 갖고 있다. 어떤 문제나 흐름을 분석하는 하나 이상의 방식을 갖고 있으며, 이것은 아주 소중한 것이다. 오늘날 나는 종종 이렇게 얘기했다. 〈피터 린치라면 이것을 어떻게 할까? 도널드 트럼프라면, 워런 버핏이라면, 조지 소로스라면?〉 내가 그들의 엄청난 정신적 힘에 접근하는 유일한 길은 그들이 하는 얘기를 겸손하게 읽거나 듣는 것이다. 거만하거나 비판적인 사람들은 위험을 두려워하는 자부심 낮은 사람들이다. 왜냐하면, 우리가 무언가 새로운 것을 배울 때, 그때 우리는 실수를 해야만 배운 것을 완전히 이해하기 때문이다.

당신이 여기까지 읽었다면, 거만함은 당신의 문제가 아닐 것이다. 거만한 사람들은 좀처럼 테이프를 사거나 책을 읽지 않는다. 그들은 왜 그럴까? 왜냐하면 그들은 자신을 우주의 중심이라고 생각하기 때문이다.

너무나도 많은 〈지적인〉 사람들이 새로운 생각이 자신들의 사고방식과 충돌할 때 논쟁을 벌이거나 기존의 자신들의 논리를 방어한다. 이 경우에는 그들의 〈거만함〉과 이른바 〈지성〉의 결합은 〈무지〉와도 같다. 우리 모두는 교육을 많이 받았거나 스스로 똑똑하다고 믿으면서도 자신의 대차 대조표는 엉망인 사람들을 안다. 정말로 지적인 사람은 새로운 생각을 환영한다. 새로운 생각은 다른 축적된 생각들의 상승 효과에 보탬이 되기 때문이다. 듣는 것이 말하는 것보다 더 중요하다. 그렇지 않다면 신이 우리에게 귀 둘과 입 하나를 주지 않았을 것이다. 너무도 많은 사람들이 입으로만 생각하면서 새로운 생각과 가능성을 듣고 흡수하지 않는다. 그들은 논쟁만 하지 질문하지는 않는다.

나는 내 재산을 긴 관점으로 본다. 나는 대부분의 복권 구입자들과 카지노 도박사들이 갖고 있는 〈빨리 부자가 되는〉 사고 방식을 좋아하지 않는다. 나도 주식을 사고 팔기는 한다. 하지만 나는 교육을 중요시한다. 당신이 비행기를 조종하고 싶다면, 나는 먼저 공부를 하라고 권유한다. 나는 늘 주식이나 부동산을 사는, 하지만 가장 큰 자산인 마음에는 투자하지 않는 사람들을 보면서 놀라곤 한다. 당신이 어떤 집을 산다고 해서 부동산 전문가가 되는 것은 아니다.

세번째, 협조의 힘 : 친구들을 세심하게 선택한다.

무엇보다도, 나는 친구들을 선택할 때 경제적인 측면에서 선택하지 않는다. 내 친구들 중에는 아주 가난한 사람들과 매년 수백만 달러를 버는 사람들이 모두 있다. 나는 이들 모두에게서 배우며, 그들에게서 배우기 위해 의식적으로 노력한다.

물론 나도 때로는 그 사람이 돈이 있다는 이유로 사귀려 한다. 하지만 나는 돈 때문에 그러지는 않는다. 내가 원하는 것은 그들의 지식이다. 어떤 때는 돈이 있는 그런 사람들이 친한 친구가 되지만, 모두가 그러는 것은 아니다.

하지만 내가 지적하고 싶은 한 가지 차이가 있다. 나는 돈이 있는 친구들이 돈에 대해 얘기하는 것을 알게 되었다. 그렇다고 그들이 건방지게 구는 것은 아니다. 그들은 돈 문제에 관심이 있을 뿐이다. 그래서 나는 그들에게서 배우며, 그들은 나에게서 배운다. 경제적으로 곤경에 처해 있는 내 친구들은 돈이나 사업, 혹은 투자에 대해서 얘기하기를 좋아하지 않는다. 그들은 종종 그것이 무례하거나 지적이지 않은 것이라고 생각한다. 그래서 나는 경제적으로 고생하는 친구들에게서도 배운다. 그들을 통해 내가 하지 말아야 할 것을 알게 된다.

나에게는 짧은 기간 동안에 수십 억 달러를 번 친구들도 있다. 이들 가운데 세 사람은 같은 현상을 알려준다. 즉, 돈이 없는 그들의 친구들은 그들에게 와서 어떻게 그 많은 돈을 벌었는지를 묻는 법이 없단다. 그들이 와서 묻는 것은 두 가지 가운데 하나이다. 즉, 돈을 빌리거나 일자리를 얻으려는 것이다.

경고: 가난하거나 두려워하는 사람들의 말을 듣지 말라. 나에게는 그런 친구들이 있으며, 나는 그들을 아주 좋아한다. 하지만 그들은 삶의 〈꼬마 병아리들〉이다. 그들은 돈에 대해서는, 특히 투자에 대해서는 〈하늘이 늘 무너지고 있다〉고 생각한다. 그들은 당신에게 왜 어떤 것이 작용하지 않는지 얘기할 수 있다. 문제는 사람들이 그들의 말을 듣는다는 것이다. 세상이 무너지는 얘기를 무심코 받아들이는 사람들 역시 〈꼬마 병아리들〉이다. 옛말에도 있듯이, 〈깃털이 같은 병아리는 서로 모인다〉.

투자 전문가들 사이에서도 종종 논쟁이 벌어진다. 어떤 전문가는 시장이 무너질 것이라고 얘기하며, 다른 전문가는 시장이 호황일 것이라고 얘기한다. 당신이 똑똑한 사람이라면 두 의견 모두를 잘 들어야 한다. 자신의 마음을 열어야 한다. 둘 모두에 나름대로 일리가 있기 때문이다. 아쉽게도 대부분의 가난한 사람들은 〈꼬마 병아리〉의 말을 듣는다.

내 친구들 가운데는 나에게 어떤 거래나 투자에서 발을 빼도록 촉구하는 친구들이 더 많았다. 몇 년 전에 어떤 친구는 자신이 6%

짜리 예탁 증서를 발견해서 기분이 좋다는 말을 했다. 그 친구에게 나는 정부 채권에서 16%를 번다고 얘기했다. 다음날 그 친구는 나에게 내 투자가 얼마나 위험한지를 보여주는 기사를 보내왔다. 하지만 나는 지금까지 몇 년 동안 16%를 받았는데, 그 친구는 아직도 6%를 받는다.

내가 볼 때 재산 모으기의 가장 힘든 것 중 하나는 자신에게 솔직하고, 대중과 함께 가지 않는 것이다. 시장에서는 대개 대중이 가장 늦게 나타나 피해를 보기 때문이다. 멋진 거래가 머릿기사에 오를 때는 대개의 경우 너무 늦은 것이다. 새로운 거래를 찾아라. 파도타기를 하는 우리들이 곧잘 얘기하듯이 〈늘 또다른 파도가 있다〉. 서두르면서 제일 나중에 파도를 잡는 사람들은 대개 휩쓸려 가게 마련이다.

영리한 투자가들은 시간에 쫓기지 않는다. 그들은 하나의 파도를 놓칠 때 다음 파도를 기다리고 제대로 포지션을 잡는다. 대부분의 투자가들에게 이것이 어려운 이유는 인기 없는 것을 사는 것이 그들에게는 두렵기 때문이다. 소심한 투자가는 군중과 함께 가는 양떼와 같다. 혹은 그들이 욕심을 내서 시장으로 들어올 때 현명한 투자가들은 이미 이익을 달성하고 앞으로 나아가 있다. 현명한 투자가들은 인기가 없는 투자 상품을 산다. 그들은 이익의 달성이 팔 때가 아닌 살 때임을 잘 안다. 그들은 끈질기게 기다린다. 아까도 얘기했듯이, 그들은 시간에 쫓기지 않는다. 파도타기를 하는 사람처럼, 그들은 포지션을 잡고 다음번 큰 파도를 기다린다.

〈내부자 거래〉가 인구에 회자되고 있다. 내부자 거래에도 합법적인 것이 있고 불법적인 것이 있다. 하지만 두 가지 모두 내부자 거래이다. 유일한 차이는 당신이 내부자에게서 얼마나 멀리 있는가이다. 당신이 내부자에 가까운 부자 친구를 갖고 싶은 이유는 그곳에서 돈이 벌리기 때문이다. 정보가 돈을 벌어준다. 당신은 다음번 호황에 대해서 듣기를 원하고, 들어간 후에 다음번 불황 전에 나오고 싶어한다. 그렇다고 불법적으로 하라는 말은 아니다. 하지만 더 빨리 알수록 최소한의 위험으로 이득을 올릴 가능성은 더 높다. 친구란 게 그런 것 아닌가. 그리고 그 친구는 금융 지능을 갖고 있는 것이다.

네번째, 빠른 배움의 힘 : 하나의 방식을 숙지하고 다음에 새것을 배워라.

빵을 만들려면 요리법을 따라야만 한다. 돈을 버는 것도 마찬가지다.

우리는 이런 말을 알고 있다. 〈먹는 대로 된다.〉 나는 같은 말을 다르게 표현한다. 나는 이렇게 얘기한다. 〈공부하는 대로 된다.〉 바꿔 말하면, 무엇을 공부하고 배울지 세심하게 선택하라. 왜냐하면 우리의 마음은 아주 강력해서 머릿속에 넣는 대로 되기 때문이다. 예를 들어, 당신이 요리를 공부하면 요리를 하게 된다. 그리고 당신은 요리사가 된다. 당신이 요리사가 되기를 원치 않는다면 다른 것을 공부해야 한다. 예를 들면 학교 선생님이다. 가르치는 법을 공부하면 대개는 선생님이 된다. 따라서 무엇을 공부할지 세심하게 선택하라.

돈에 관해서 일반 대중은 대체로 학교에서 배운 한 가지 기본 방식을 갖고 있다. 그것은 돈을 위해 일하는 것이다. 내가 볼 때 세상에서 가장 흔한 방식은 매일 수많은 사람들이 자리에서 일어나 일터로 가고, 돈을 벌고, 청구서를 처리하고, 수지를 맞추고, 뮤추얼 펀드를 조금 사고 다시 일터로 가는 것이다. 이것이 기본 공식, 혹은 요리법이다.

당신이 지금 하는 일에 지쳤거나, 혹은 충분한 돈을 벌지 못한다면, 이제는 돈을 버는 공식을 바꿀 때가 되었다.

나는 스물여섯 살 때 다음과 같은 제목의 주말 강좌를 들었다. 〈경매 부동산을 사는 방법.〉 나는 하나의 방식을 배웠다. 다음 단계는 내가 배운 것을 실제로 실천하는 것이었다. 바로 이 단계에서 대부분의 사람들은 중단한다. 나는 제록스 사에서 근무하던 3년 동안 여유 시간에 경매 부동산 사는 법을 배웠다. 나는 그 방식으로 수백만 달러를 벌었다. 하지만 이제는 너무 늦었고 너무 많은 사람들이 그렇게 하고 있다.

그래서 나는 그 방식을 숙지한 후에 계속해서 다른 방식들을 배웠다. 많은 경우에 나는 배운 것을 그대로 사용하지 않고 늘 새로운 것을 배우려 했다.

나는 그 동안 파생 상품 거래만을 위한 강좌들에 참석했고 현물 옵션 거래 강좌에도 참석했다. 나는 전혀 다른 사람들과 자리를 함께 했다. 내가 있던 방에는 핵물리학과 우주 공학 박사들이 잔뜩 있었다. 하지만 나는 그 강좌들에서 많은 것을 배워 주식과 부동산 투자를 더 의미 있고 수지에 맞게 할 수 있었다.

그래서 나는 늘 더 빠른 방식을 찾는다. 이런 이유로 나는 많은 사람들이 평생 버는 것보다 더 많은 돈을 하루에 벌 때가 종종 있다.

빠르게 변하는 오늘날의 세상에서 자신이 아는 것은 그렇게 중요하지 않다. 왜냐하면 그것은 금방 낡은 것이 되기 때문이다. 문제는 얼마나 빨리 배우느냐에 있다. 이런 기술은 아주 소중한 것이다. 이런 기술은 더 빠른 방식을 찾는 데 아주 소중한 것이다. 돈을 위해 열심히 일하는 것은 동굴 시대에 탄생한 낡은 방식이다.

다섯번째, 자기 통제의 힘 : 먼저 자신에게 지불하라.

자신을 통제할 수 없다면 부자가 되려 하지 말라. 그런 경우에는 먼저 해병대나 종교 단체에 가입해서 자신을 통제하는 법을 배우는 것이 낫다. 그렇게 하지 않고 막바로 투자를 하는 것은 아무 의미도 없다. 돈을 벌어봤자 금방 잃기 때문이다. 대부분의 복권 당첨자가 많은 돈을 받은 후에 금방 알거지가 되는 것도 이와 같은 자기 통제가 부족하기 때문이다. 급여가 인상되면 즉시 밖에 나가 새 차를 사거나 해외 여행을 떠나는 것도 자기 통제가 부족하기 때문이다.

10가지 단계 중에서 어느 것이 가장 중요하다고 얘기하기는 어렵다. 하지만 그 모든 단계 중에서 이 단계를 습득하는 것이 가장 중요할 것이다. 나는 개인적인 자기 통제의 부족이 부자와 가난한 사람, 그리고 중산층을 구분 짓는 가장 중요한 요인이라고 생각한다.

간단히 말해서, 자부심이 낮고 금전적 압력에 대한 저항력이 낮은 사람은 절대로 부자가 될 수 없다. 이미 얘기했듯이, 내가 부자 아버지에게서 배운 교훈은 〈세상이 나를 내두른다〉는 것이었다. 세상이 우리를 내두르는 것은 다른 사람들이 협박하기 때문이 아니라 각각의 개인에게 내적인 통제력이 부족하기 때문이다. 내적인 의지가 부족한 사람은 종종 자기 통제력이 있는 사람의 밥이 된다.

내가 가르치는 창업 강좌에서 나는 늘 사람들에게 제품이나 서비스에 초점을 맞추지 말고 관리 기술을 개발하는 데 초점을 맞추라고 강조한다. 자기 사업을 시작하는 데 필요한 가장 중요한 세 가지 관리 기술은 다음과 같다.

1 현금 흐름 관리
2 사람 관리
3 개인적 시간 관리

나는 이 세 가지를 관리하는 기술이 사업뿐 아니라 모든 것에 적용된다고 생각한다. 이 세 가지는 당신이 개인으로서, 혹은 가족이나 사업이나 자선 단체, 혹은 도시나 국가의 일원으로서 삶을 영위하는 데 중요한 것들이다.

이런 기술들은 각각 자기 통제력을 습득하면 강화된다. 나는 〈먼저 자신에게 지불하라〉는 말을 가볍게 여기지 않는다.

〈먼저 자신에게 지불하라〉는 말은 조지 클라센이 쓴 『바빌론의 최고 부자 *The Richest Man in Babylon*』라는 책에 나온다. 이 책은 그 동안 수백만 부가 팔렸다. 그러나 수백만의 사람들이 그 강력한 문구를 자유롭게 반복하지만, 그 충고를 따르는 사람은 거의 없다. 이미 얘기했듯이, 금융 지식이 있으면 숫자를 읽을 수 있고, 숫자는 이야기를 말해 준다. 나는 어떤 사람의 수입 계산서와 대차 대조표를 보면 〈먼저 자신에게 지불하라〉고 말하는 사람들이 실제로 그것을 실천하는지 금방 알 수 있다.

하나의 그림이 백 마디의 말보다 나을 것이다. 그래서 이번에도 먼저 자기에게 지불하는 사람들과 그렇지 않은 사람들의 금융 명세서를 아래 그림으로 요약했다.

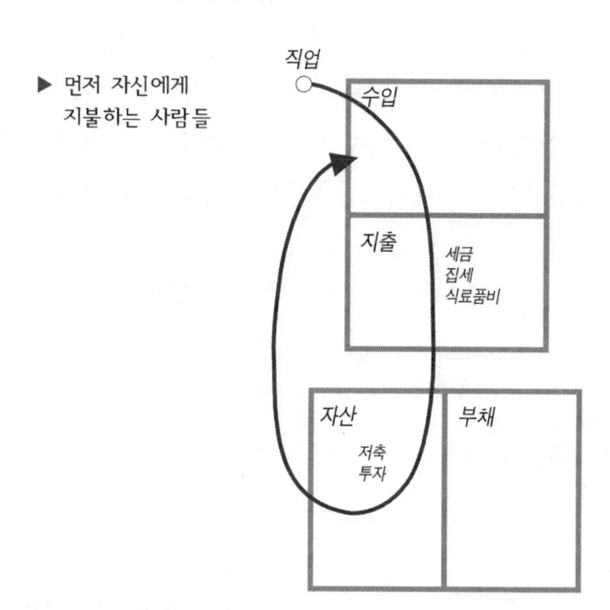

이 그림을 보면서 무언가 차이를 발견할 수 있는가. 이번에도 중요한 것은 현금 흐름을 이해하는 것이다. 그것이 이야기를 말해 준다. 대부분의 사람들은 숫자를 보면서 이야기를 놓친다. 당신이 정말로 현금 흐름의 힘을 이해할 수 있다면 다음 페이지의 그림이 왜 잘못된 것인지, 혹은 왜 대부분의 사람들이 평생 열심히 일하고도 나중에 사회 보장 같은 정부의 지원을 필요로 하는지 금방 알 것이다.

위의 그림은 먼저 자신에게 지불하는 사람들의 행동을 나타낸다. 이들은 매월 자산 부분에 돈을 할당한 후에 월간 지출을 지불한다.

수백만의 사람들이 클라센의 책을 읽었고 〈먼저 자신에게 지불하라〉는 말을 이해하지만, 실제로 그들은 맨 나중에 자신에게 지불한다.

이제 나는 자신의 청구서를 먼저 지불해야 한다고 신실하게 믿는 당신의 외침을 들을 수 있다. 그리고 나는 제때에 청구서를 지불하는 그 모든 〈책임 있는〉 사람들의 외침을 들을 수 있다. 그렇다고 무책임하거나 청구서를 지불하지 말라고 얘기하는 것은 아니다. 내가 말하는 것은 그 책이 얘기하는 〈먼저 자신에게 지불하라〉를 실천하라는 것뿐이다. 그리고 앞의 그림은 그런 행동을 정확하게 설명하는 그림이다. 하지만 아래의 그림은 그렇지 않다.

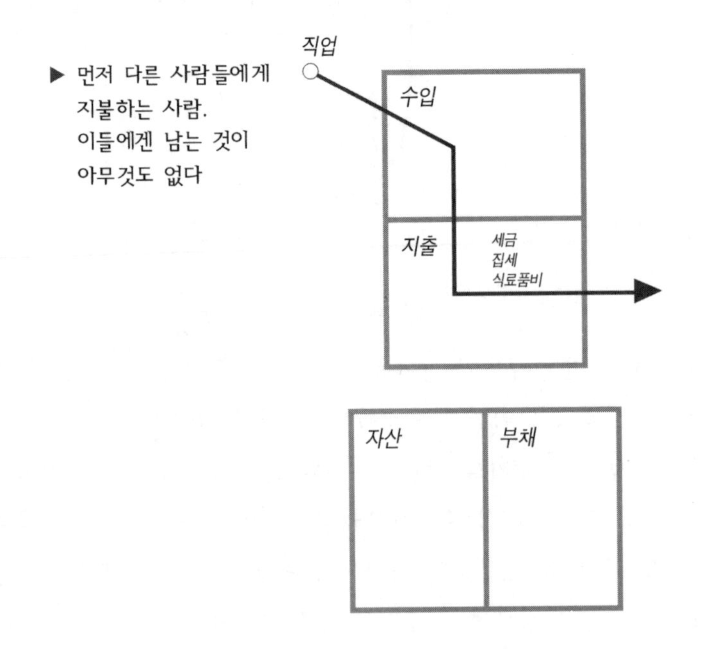

아내와 나는 〈먼저 자신에게 지불하라〉를 이런 식으로 보는 데 큰 문제를 갖고 있는 많은 회계사와 은행가들을 고용한 적이 있다.

이들 금융 전문가들도 일반 대중과 똑같이 행동하기 때문이다. 그러니까 맨 나중에 자신에게 지불하는 것이다. 이들은 먼저 다른 사람들에게 지불한다.

나도 살면서 어떤 이유에서건 현금 흐름의 양이 청구서 액수보다 훨씬 적었던 때가 있었다. 그래도 나는 먼저 나에게 지불했다. 내 회계사와 은행가는 소리를 지르며 경악했다. 〈그들이 당신을 잡으러 올 거예요. 국세청이 당신을 감옥에 넣을 거라구요〉, 〈당신은 신용 등급을 망치게 될 겁니다〉, 〈그들이 전기를 끊을 거라구요〉. 그래도 나는 먼저 나에게 지불했다.

〈왜 그렇게 했나요?〉 당신은 이렇게 물을 것이다. 왜냐하면 그것이 『바빌론의 최고 부자』에서 말하는 핵심 내용 즉, 자기 통제의 힘과 내적인 의지의 힘이기 때문이다. 덜 우아하게 표현하면 〈배짱〉이다. 내 부자 아버지가 내가 그분을 위해 일하던 첫 달에 가르쳤듯이, 대부분의 사람들은 세상이 자신을 내두르도록 허용한다. 청구서 처리인은 전화를 걸어 〈제때 지불하든지 아니면……〉이라고 말한다. 그러면 당신은 청구서 금액을 지불하고 자신에게는 지불하지 않는다. 배짱을 갖고 흐름에 맞서면서 부자가 되라. 당신은 약하지 않을 수도 있다. 하지만 돈에 대해서는 많은 사람들이 약한 측면을 보인다.

그렇다고 무책임하라는 말은 아니다. 나에게 신용 카드 빚과 부채가 많지 않은 이유는 먼저 자신에게 지불하고 싶기 때문이다. 내가 수입을 최소화하는 이유는 그것을 정부에 지불하고 싶지 않기 때문이다. 그래서 내 수입은 네바다에 있는 회사를 통해 내 자산 부분에서 나온다. 내가 돈을 위해 일하면 정부가 그것을 가져간다.

그래서 나는 청구서는 나중에 지불하지만 재정적으로 힘든 상황에 처하지는 않는다. 나는 소비자 대출을 좋아하지 않는다. 사실 나에게도 대부분의 사람들보다 많은 부채가 있다. 하지만 나는 그것을 지불하지 않는다. 내 부채는 다른 사람들이 지불한다. 그들은 임차인들이다. 따라서 먼저 자신에게 지불하는 첫번째 규칙은 애초에 빚을 지지 않는 것이다. 나는 청구서를 나중에 지불하지만 작고 중요하지 않은 청구서만 있게 만들고, 그것만을 지불하게 만든다.

가끔 내게도 수입이 부족할 때, 그때도 나는 먼저 나에게 지불한다. 나는 채권자들과 정부까지도 소리를 지르게 내버려둔다. 나는 그들이 거칠어지는 것을 좋아한다. 왜? 왜냐하면 그 사람들이 내게 호의를 베풀기 때문이다. 그들이 내게 밖에 나가서 더 많은 돈을 벌라고 자극한다. 그래서 나는 먼저 나에게 지불하고, 돈을 투자하고, 채권자들이 소리치게 내버려둔다. 어쨌든 나는 대체로 그들에게 즉시 지불한다. 아내와 나에게는 높은 신용 등급이 있다. 다만 우리는 압력에 굴복해서 저축을 지출하거나 주식을 팔아 소비자 대출을 갚지 않을 뿐이다. 그것은 재정적으로 현명한 일이 아니다.

따라서 해답은 다음과 같다.

1 많은 빚을 지지 말라. 지출을 낮은 수준으로 유지하라. 먼저 자산을 구축하라. 그런 후에 큰 집이나 좋은 차를 사라. 쥐 경주에 빠지는 것은 현명하지 못하다.
2 수입이 부족할 때에는 지불 압력이 높아지도록 그냥 내버려두고, 저축한 돈이나 투자한 돈에는 손대지 말라. 그런 압력을 이용해 천재성을 고취시켜 돈을 더 버는 새로운 방법들을 찾아내고 그런 후에

청구서를 지불하라. 그렇게 하면 돈을 버는 능력도 더 높아지고 금융 지능도 더 높아질 것이다.

나는 그 동안 재정적으로 곤경에 처한 적이 아주 많았다. 그때마다 나는 머리를 사용해 더 많은 돈을 벌었고, 그러면서 자산을 끈질기게 방어했다.

가난한 사람에게는 가난한 습관이 있다. 그중 한 가지 나쁜 습관은 〈저축한 돈에 손을 대는〉 것이다. 부자들은 저축한 돈은 돈을 더 버는 데만 사용되고 청구서 지불에는 사용되지 않음을 잘 안다.

이것이 힘든 소리임을 나도 잘 안다. 하지만 이미 얘기했듯이, 힘든 것을 극복하지 않으면 세상이 당신을 내두르고 만다.

이런 압력이 마음에 들지 않으면 나름대로 맞는 방식을 개발하라. 한 가지 좋은 방식은 지출을 줄이고, 돈을 은행에 넣고, 자신의 적절한 몫보다 많은 세금을 내고, 안전한 뮤추얼 펀드를 사고, 평균적인 사람이 되는 것이다. 하지만 이 방식은 〈먼저 자신에게 지불하라〉는 규칙에 위배된다.

이 규칙은 자기 희생이나 재정상의 금욕을 권장하지 않는다. 그것은 먼저 자기에게 지불하고 굶어죽으라는 뜻이 아니다. 그것은 인생은 즐기기 위한 것이다. 당신이 금융 천재성을 불러일으키면 즐겁게 살 수 있고, 부자가 될 수도 있고, 청구서를 처리하면서도 즐거운 삶을 희생할 필요가 없다. 이것이 금융 지능이다.

여섯번째, 좋은 조언의 힘 : 중개인들에게 잘 지불하라.

나는 종종 사람들이 자기 집 앞에 이런 표식을 붙이는 것을 본다. 〈주인이 직접 팝니다.〉 혹은 TV에서 많은 사람들이 자신들이 〈할인 중개인〉이라고 주장하는 것을 본다.

내 부자 아버지는 그와 반대되는 방식을 가르쳤다. 그분은 전문가들에게 잘 지불해야 한다고 생각했고, 나 역시 그런 생각을 받아들였다. 현재 나에게는 수임료가 비싼 변호사, 회계사, 부동산 중개인, 그리고 주식 중개인들이 있다. 왜냐하면 그들이 정말로 전문가라면 나에게 돈을 벌어주기 때문이다. 그리고 그들이 더 많은 돈을 벌수록 나도 더 많은 돈을 번다.

우리는 정보화 시대에 살고 있다. 정보는 소중한 것이다. 좋은 중개인은 정보도 제공하고 시간을 내서 교육도 시켜준다. 나에게는 그런 일을 기꺼이 해줄 몇몇 중개인들이 있다. 그중에서 일부는 나에게 돈이 거의 없을 때 나를 가르쳤다. 그리고 나는 지금도 그들과 함께 있다.

내가 중개인에게 지불하는 액수는 그들이 제공하는 정보 때문에 내가 벌게 되는 돈에 비하면 아주 작은 것이다. 나는 내 부동산 중개인이나 주식 중개인이 많은 돈을 버는 것을 좋아한다. 왜냐하면 그것은 대개 나도 많은 돈을 벌었음을 의미하기 때문이다.

좋은 중개인은 내 시간을 절약해 주고 돈도 벌게 해준다. 가령 나는 어떤 빈 집터를 9천 달러에 사서 즉시 2만 5천 달러에 넘긴 적이 있다. 그래서 나는 포르셰를 더 빨리 살 수 있었다.

중개인은 시장에 대한 우리의 눈과 귀이다. 그들이 매일 시장에 있기 때문에 나는 그곳에 있을 필요가 없다. 그 시간에 나는 골프를 친다.

그리고 자기 집을 직접 파는 사람들은 시간을 중요하게 생각하지 않는 사람들이다. 그 시간에 더 많은 돈을 벌거나 내가 좋아하는 일을 할 수 있는데 왜 몇 달러를 아끼려 하는가? 내가 웃기게 생각하는 것은 너무도 많은 가난한 사람들과 중산층 사람들이 식당 종업원에게는 서비스가 나빠도 15 내지 20%의 팁을 주면서 중개인에게는 3 내지 7%의 수수료를 주는 것을 아까워한다는 점이다. 그들은 지출 부분에 있는 사람들에게 팁을 주는 것과, 자산 부분에 있는 사람들에게 인색한 것을 즐긴다. 이것은 현명한 것이 아니다.

모든 중개인이 동등한 것은 아니다. 아쉽게도 대부분의 중개인은 세일즈맨에 불과하다. 나는 부동산 세일즈맨들이 최악이라고 생각한다. 그들은 부동산을 팔지만 자신들은 부동산이 거의 없다. 그리고 금융 전문가임을 자처하는 주식, 채권, 뮤추얼 펀드, 혹은 보험 중개인들도 마찬가지이다. 동화 속의 얘기처럼 아주 많은 개구리에게 키스를 해야 왕자를 찾을 수 있다. 다음과 같은 경구를 기억하라. 〈백과사전 세일즈맨에게 당신에게 백과사전이 필요한지 절대 묻지 말라.〉

나는 내가 급여를 지불하는 전문 중개인들을 면접할 때 그들이 개인적으로 얼마나 많은 부동산이나 주식을 갖고 있는지, 그리고 세금으로는 몇 퍼센트를 내는지 먼저 묻는다. 이것은 내 세금 변호사와 회계사에게도 적용된다. 내 회계사 가운데 한 사람은 자신의 사업체를 갖고 있다. 그녀의 직업은 회계사이지만 부동산을 사업으로 활용하고 있다. 예전에 있던 회계사는 부동산을 전혀 갖고 있지 않았다. 나는 우리가 같은 사업을 좋아하지 않았기 때문에 그를 다른 사람으로 바꿨다.

자신의 이익을 가장 잘 대변할 수 있는 중개인을 찾아라. 많은 중개인들은 시간을 내서 당신을 교육시켜 줄 것이며, 그들은 당신이 찾을 수 있는 최상의 자산이다. 공평하게 대하면 그들도 공평하게 대할 것이다. 그렇지 않고 수수료를 깎으려고만 들면, 그들이 왜 당신 곁에 있으려 하겠는가? 그것은 아주 간단한 논리이다.

앞서 얘기했듯이, 관리 기술의 한 가지는 사람의 관리이다. 많은 사람들이 자신들보다 덜 똑똑한, 그리고 자신들이 통제할 수 있는 사람들만 관리한다. 이를테면 부하 직원 같은 사람들이다. 많은 중간 관리자들이 중간 관리자에 머물면서 승진이 안 되는 이유는 밑에 있는 사람들과 일하는 법만 알았지 위에 있는 사람들과 일하는 법은 모르기 때문이다. 진짜 기술은 일부 기술적인 분야에서 당신보다 똑똑한 사람들을 관리하고 그들에게 정당한 대가를 지불하는 것이다. 이런 이유로 기업에는 이사회가 있다. 당신도 이사회를 두어야 한다. 이것 역시 금융 지능이다.

일곱번째, 공짜로 무언가를 얻는 힘 : 〈인디언식 주기〉를 하라.

최초의 백인 정착민들이 미국에 왔을 때, 그들은 일부 미국 인디언들의 문화적 관습에 깜짝 놀랐다. 예를 들어, 백인 정착민이 감기가 들면, 인디언은 그 사람에게 담요를 주었다. 그것을 선물로 착각한 정착민은 종종 인디언이 그것을 돌려달라고 할 때 기분이 상했다.

인디언들 역시 정착민들이 그것을 돌려주지 않으려 하자 기분이 상했다. 이런 연유로 〈인디언식 주기〉라는 말이 나왔다. 그것은 문화적인 오해에서 비롯된 것이다.

〈자산 부분〉의 세계에서는 인디언식 주기가 재산 형성에 필수적이다. 현명한 투자가의 첫번째 질문은 〈내가 얼마나 빨리 돈을 되찾을 수 있을까?〉이다. 그들은 또 공짜로 얻을 수 있는 것이 무엇인지도 알고 싶어한다.

예를 들어, 나는 내가 사는 곳 근처에서 경매 대상인 작은 아파트를 발견했다. 은행은 6만 달러를 요구했고, 나는 5만 달러를 써냈다. 은행이 그것을 받아들인 이유는 내가 5만 달러짜리 현금 수표를 냈기 때문이다. 그들은 내가 진지하다고 생각했다. 대부분의 투자가들은 이렇게 말할 것이다. 〈그렇게 하면 많은 현금이 묶이지 않습니까? 그보다는 대출을 받는 것이 낫지 않을까요?〉 그 답은 이 경우에는 아니라는 것이다. 내 투자 회사는 그 아파트를 겨울 시즌에 휴가용 임대 아파트로 사용하고 있다. 그리고 임대료는 일년에 4개월 동안 월 2천5백 달러이다. 비수기 때는 임대료가 월 1천 달러에 불과하다. 나는 3년쯤 후에 내 돈을 되찾았다. 이제 나는 그 자산을 갖고 있고, 그것이 나에게 돈을 벌어준다.

주식에서도 같은 일을 한 적이 있다. 내 중개인이 내게 자주 전화를 해서 상당한 액수의 돈을 자신이 보기에 주가가 오를 것 같은 움직임이 있는 (이를테면 신제품을 발표하려는) 회사에 넣도록 권유한다. 나는 일주일이나 한달 동안 돈을 넣고 주가가 오르기를 기다린다. 그런 후에 나는 원래의 액수를 빼내고 시장의 요동에 대해서는 걱정하지 않는다. 왜냐하면 원래의 돈은 되찾았기 때문이다. 그리고 나는 다른 자산으로 옮겨간다. 그래서 내 돈은 들어갔다 나오고, 나는 기술적으로 자유로운 자산을 소유한다.

물론 나도 돈을 잃은 적이 여러 차례 있다. 하지만 나는 잃어도 괜찮은 돈으로 게임을 한다. 나는 평균적으로 열 번의 투자를 하면 두 번이나 세 번은 홈런을 치고 대여섯 번은 아무 소득도 얻지 못한다. 그리고 두 번이나 세 번은 돈을 잃는다. 하지만 나는 그때 갖고 있는 돈으로만 손실을 제한한다.

위험성을 싫어하는 사람들은 돈을 은행에 넣는다. 장기적으로 저축은 아예 저축을 하지 않는 것보다는 낫다. 하지만 돈을 되찾는 데는 많은 시간이 걸리며, 대개의 경우에는 공짜로 얻는 것이 전혀 없다. 전에는 토스터를 주기도 했지만, 요즘에는 그런 선물도 거의 없다.

나는 투자를 할 때마다 무언가 신나는 것, 공짜인 것을 바란다. 아파트, 작은 창고, 한 조각의 빈 집터, 주택, 주식, 혹은 사무실 건물 등. 그리고 위험성은 제한적이거나 낮아야만 한다. 맥도널드의 레이 크록이 햄버거 체인점을 판 것은 햄버거를 좋아해서가 아니라 그렇게 해서 얻어지는 공짜 부동산을 원했기 때문이다.

그래서 현명한 투자가는 투자 회수율 이상의 것을 기대한다. 즉, 일단 돈을 되찾은 후에 공짜로 얻게 되는 자산 말이다. 이것 역시 금융 지능이다.

여덟번째, 초점의 힘 : 자산이 사치품을 산다.

내 친구의 아이가 주머니에 불로 구멍을 내는 괴상한 습관을 갖기 시작했다. 막 열여섯 살이 된 그 아이는 당연히 자기 자동차를 원했다. 그 녀석이 댄 구실은 〈자기 친구 부모들은 모두 아이들에게 자동차를 사주었다〉는 것이다. 그 아이는 저금을 빼내서 자동차 계약금으로 사용하려 했다. 바로 그때 그 아이의 아버지가 내게 전화를 했다.

「그렇게 하도록 놔둬야 하나, 아니면 다른 부모들처럼 그 녀석에게 차를 사줘야 하나?」

그 말에 나는 이렇게 대답했다. 「그것은 자동차를 사달라는 압력을 단기적으로 줄일 수도 있네. 하지만 장기적으로 그 녀석에게 무엇을 가르치겠나? 차를 갖고 싶어하는 그 욕망을 이용해 자네 아들이 무언가를 배우도록 하는 게 어떻겠나?」 갑자기 밝은 빛이 들어왔고, 그 친구는 급히 전화를 끊었다.

두 달 후에 그 친구를 다시 만나게 되었다. 「자네 아들이 새 차를 구했나?」 내가 물었다.

「아니, 그렇지는 않아. 하지만 내가 녀석에게 3천 달러를 주었네. 내가 그 녀석에게 대학 등록금 대신으로 내 돈을 사용하라고 말했지」

「음, 아주 너그러운 행동이군」 내가 말했다.

「그렇지도 않아. 그 돈에는 조건이 따랐지. 내가 차를 사겠다는 그 녀석의 강한 욕망을 이용해 녀석이 무언가를 배우도록 하라는 자네의 충고를 받아들였지」

「그럼, 그 조건이 무엇이었나?」 내가 물었다.

「음, 먼저 우리는 자네의 그 게임 〈캐시플로〉를 다시 열었어. 우리는 그 게임을 한 후에 오랫동안 돈의 현명한 사용에 대해 의논했지. 그런 후에 내가 녀석에게 《월 스트리트 저널》의 구독권을 주었지. 그리고 주식 시장에 관한 책도 몇 권 주었지」

「그런 후에는?」 내가 물었다. 「어떻게 하라고 얘기했나?」

「내가 녀석에게 그 3천 달러는 네 것이다, 하지만 그것으로 바로 차를 살 수는 없다고 말했지. 그 돈으로 주식을 사고 팔거나 주식 중개인을 찾을 수는 있다, 그리고 그 3천 달러로 6천 달러를 만들면, 그 돈은 차를 사는 데 써도 좋다. 그리고 나머지 3천 달러는 대학 등록금으로 써야 한다, 그렇게 말했지」

「그래서 결과는 어떻게 되었는데?」 내가 물었다.

「음, 처음에는 거래에서 운이 좋았지. 하지만 며칠 후에 얻은 것을 모두 잃고 말았지. 그런 후에 녀석은 정말로 흥미를 갖게 되었어. 아마 2천 달러는 잃었을 거야. 하지만 흥미는 아주 높아졌지. 녀석은 내가 사준 책을 모두 읽었고 더 읽기 위해 도서관에 다니더군. 《월 스트리트 저널》도 열심히 읽고, 주가 지수를 관찰하고, MTV 대신에 경제 뉴스를 시청하지. 이제는 1천 달러밖에 안 남았지만, 녀석의 관심과 배움은 아주 높아. 녀석은 그 돈마저 잃으면 2년은 더 걸어 다녀야 한다는 것을 잘 알고 있지. 하지만 그 점에는 상관하지 않는 것 같애. 심지어 이제는 차를 사는 데도 관심이 없는 것 같더라구. 더 재미있는 게임을 발견했기 때문이지」

「녀석이 그 돈을 모두 잃으면 어떻게 되나?」 내가 물었다.

「그건 그때 가봐야 알지. 차라리 지금 모두를 잃는 것이 우리 나이가 되어서 모두를 잃는 것보다 더 낫지. 게다가 그 3천 달러는 내가 녀석의 교육에 썼던 그 어떤 돈보다 더 소중하다구. 녀석이 지금 배우는 것은 평생 도움이 될 것이고, 녀석은 이미 돈의 힘에 대해 새로운 관점을 얻은 것 같애. 이제는 불로 주머니에 구멍을 내는 일도 안 할 거야」

내가 〈먼저 자신에게 지불하라〉는 장에서 얘기했듯이, 어떤 사람이 자기 통제의 힘을 습득할 수 없다면, 부자가 되려고 하지 않는 것이 최선이다. 자산 부분에서 현금 흐름을 만드는 절차는 이론적으론 쉽지만, 돈을 관리하는 정신적 의지는 힘들기 때문이다. 오늘날의 외적인 소비 사회는 지출에 대한 유혹이 많기 때문에 지출 부분을 늘리는 것이 훨씬 더 쉽다. 약한 정신적 의지 때문에 그 돈은 최소 저항의 길로 접어든다. 이것이 가난과 금전적 고생의 원인이다.

나는 다음과 같은 금융 지능의 숫자적 예를 제시했다. 이 경우에는 돈을 관리해서 더 많은 돈을 버는 능력이다.

우리가 100명에게 연초에 1만 달러를 주면, 나는 연말에 다음과 같은 결과를 예측한다.

— 80명은 남은 것이 전혀 없을 것이다. 사실 많은 사람들이 새 차나 냉장고, TV, VCR 구입비 혹은 휴가 비용에 현금을 지출해서 더 많은 빚을 지게 될 것이다.

— 16명은 그 1만 달러를 5 내지 10% 정도 늘릴 것이다.

— 4명은 그것을 2만 달러 혹은 수백만 달러로 늘릴 것이다.

우리는 학교에 가서 전문 지식을 배워 돈을 위해 일한다. 내가 보기에는 돈이 자신을 위해 일하게 하는 법을 배우는 것도 중요하다.

나도 누구 못지않게 사치품을 좋아한다. 차이가 있다면, 다른 사람들은 외상으로 사치품을 산다는 것이다. 그것은 유행을 좇는 함정에 빠지는 것이다. 내가 포르셰를 사고자 했을 때, 가장 쉬운 길은 내 은행에 전화를 걸어 대출을 받는 것이었다. 하지만 나는 부채 부분을 늘리지 않고 자산 부분에 초점을 맞추었다.

하나의 습관으로서 나는 소비하고 싶은 욕망을 이용해 내 금융 투자의 천재성을 고취시키고 자극한다.

오늘날에는 너무 많은 사람들이 돈을 빌려 자신이 원하는 것을 얻으려 한다. 사람들은 돈을 만드는 데 초점을 맞추지 않는다. 전자는 단기적으로는 더 쉽지만 장기적으로는 더 어렵다. 그것은 우리가 개인으로서, 또 하나의 국가로서 갖게 되는 나쁜 습관이다. 쉬운 길은 종종 어려워지고 어려운 길은 종종 쉬워짐을 기억하라.

당신이 자신과 자신이 사랑하는 사람들을 훈련시켜 더 빨리 돈의 달인이 될수록 더 좋다. 돈은 강력한 힘이다. 아쉽게도 사람들은 돈의 힘을 불리하게 사용한다. 당신의 금융 지능이 낮다면 돈에 짓눌리게 된다. 돈이 당신보다 더 영리하게 군다. 돈이 당신보다 더 영리하면 평생 돈을 위해 일하게 된다.

〈돈의 달인〉이 되려면 돈보다 더 영리해야 한다. 그러면 돈은 지시받는 대로 일을 한다. 돈은 당신에게 복종하게 된다. 당신은 돈의 노예가 되는 대신 돈의 주인이 된다. 이것은 금융 지능이다.

아홉번째, 신화의 힘 : 영웅의 필요성.

어렸을 때 나는 윌리 메이즈, 행크 아론, 요기 베라를 아주 존경했다. 그들은 내 영웅이었다. 동네 야구를 하는 꼬마였던 나는 그들처럼 되고 싶었다. 나는 그들의 야구 카드를 보물처럼 여겼다. 나는 그들에 대해 모든 것을 알고 싶었다. 나는 그들의 타율, 진루율, 도루율, 연봉, 그리고 경기 성적을 잘 알고 있었다. 나는 그들처럼 되고 싶었기 때문에 모든 것을 알고 싶었다.

당시 열 살 안팎이었던 나는 타석에 서거나 1루를 보거나 포수를 할 때, 나는 내가 아니었다. 나는 요기나 행크였다. 이것은 우리가 배우는 가장 강력한 방식 가운데 하나이며, 우리는 종종 어른이 된 후에 이것을 잃는다. 우리는 영웅을 잃는다. 우리는 순진함을 잃는다.

요즘 나는 어린 꼬마들이 내 집 근처에서 농구하는 것을 지켜본다. 코트에 있는 그 아이들은 마이클 조던, 데니스 로드맨, 혹은 샤킬 오닐이다. 영웅을 모방하거나 흉내내는 것은 정말로 강력한 배움의 방식이다. 그리고 그렇기 때문에 O.J. 심슨이 살인범으로 지목되었을 때 그렇게도 법석이 일어난 것이다.

문제는 법정의 재판만이 아니다. 중요한 것은 영웅의 몰락이다. 사람들이 함께 자라고, 존경하고, 닮고 싶어했던 누군가의 몰락이다. 갑자기 우리는 우리에게서 그 사람을 없애야만 한다.

나에게는 나이가 들면서 새로운 영웅들이 생겼다. 골프에서는 피터 재콥슨, 프레드 커플즈, 그리고 타이거 우즈가 영웅이다. 나는 그들의 스윙을 흉내내면서 내가 알 수 있는 모든 것을 알려고 노력한다. 또다른 영웅으로는 도널드 트럼프, 워런 버핏, 피터 린치, 조지 소로스, 그리고 짐 로저스가 있다. 나는 어렸을 때 야구 영웅들의 타율과 진루율을 알았던 것처럼 그들의 실적을 잘 알고 있다. 나는 워런 버핏이 투자하는 것을 쫓아가며, 시장을 보는 그 사람의 관점에 대해서 모든 것을 알려 한다. 나는 피터 린치의 책을 읽고 그 사람이 어떻게 주식을 고르는지 배운다. 그리고 도널드 트럼프에 대해 읽으면서 그 사람이 어떻게 협상하고 거래를 성사시키는지 알려고 애쓴다.

내가 타석에 들어설 때 내가 아니었듯이, 나는 시장에 있거나 어떤 거래를 협상할 때 잠재적으로 트럼프의 용기를 흉내낸다. 혹은 어떤 흐름을 분석할 때, 나는 피터 린치가 그 일을 하는 양 그것을 살펴본다. 우리에게 영웅이 있으면 엄청난 천재성의 힘을 빌려올 수 있다.

하지만 영웅은 단순히 자극을 주는 이상의 역할을 한다. 영웅은 상황이 쉽게 보이도록 만든다. 상황이 그렇게 쉽게 보이면 우리는 확신을 갖고 그들처럼 행동하려 한다. 〈그들이 할 수 있다면 나도 할 수 있다.〉

투자에 관해서 너무 많은 사람들이 상황을 어렵게 만든다. 그러지 말고 그것이 쉽게 보이도록 만드는 영웅을 찾아라.

열번째, 주는 것의 힘 : 가르치면 받으리라.

내 두 분의 아버지는 모두 교사였다. 내 부자 아버지는 내가 평생토록 따라간 교훈을 가르쳤다. 그리고 그것은 자비로움, 혹은 주는 것의 필요성이었다. 공부를 많이 한 내 아버지는 시간과 지식의 측면에서 많은 것을 주었다. 하지만 돈을 준 적은 거의 없었다. 이미 얘기했듯이, 그분은 대개 돈이 더 생기면 주겠다고 얘기했다. 물론 돈이 더 생기는 경우는 거의 없었다.

내 부자 아버지는 돈과 함께 배움도 주었다. 그분은 십일조를 굳게 믿었다. 「무언가를 원한다면 먼저 주어야 한다」 그분은 늘 그렇게 얘기했다. 그분은 오히려 돈이 부족할 때 교회나 자선 단체에 돈을 주었다.

내가 여러분에게 줄 수 있는 교훈이 하나 있다면 바로 그것이다. 무언가가 부족하거나 필요하다고 느낄 때마다 먼저 원하는 것을 주어라. 그러면 그것이 푸짐하게 돌아올 것이다. 이것은 돈과 미소, 사랑, 그리고 우정에 대해서도 같다. 이것은 종종 사람들이 원하지 않는 것임을 나도 안다. 하지만 내 경우에는 늘 효과가 있었다. 나는 호혜의 원칙이 진실임을 굳게 믿으며, 그래서 내가 원하는 것을 준다. 나는 돈을 원하기 때문에 돈을 준다. 그러면 돈이 푸짐하게 돌아온다. 나는 판매를 원하기 때문에 다른 사람이 무언가를 팔도록 돕는다. 그러면 내게도 기회가 온다. 나는 계약을 원하기 때문에 다른 사람이 계약을 할 수 있도록 돕는다. 그러면 마술같이 계약할 수 있는 기회가 내게도 온다. 나는 이전에 다음과 같은 얘기를 들은 적이 있다. 〈신에게는 받을 필요가 없지만, 인간에게는 줄 필요가 있다.〉

내 부자 아버지는 종종 이렇게 얘기했다. 「가난한 사람들이 부자들보다 더 욕심이 많다」 그분은 이렇게 설명했다. 어떤 사람이 부자이면, 그 사람은 다른 사람들이 원하는 무언가를 제공한다. 나는 지금까지 살아오면서 궁핍하거나 돈이 부족하거나 도움이 필요할 때마다 그냥 밖에 나가거나 내가 원하는 것을 내 마음속에서 찾았다. 그러고는 먼저 그것을 주기로 결심했다. 그리고 내가 주었을 때, 그것은 늘 내게 돌아왔다.

생각나는 이야기가 하나 있다. 어떤 사람이 어느 추운 겨울밤에 장작을 한아름 안고 앉아 있다. 그리고 그 사람은 배불뚝이 난로에게 이렇게 소리친다. 「네가 내게 열기를 주면 장작을 넣겠다」 그것은 돈, 사랑, 행복, 세일즈, 혹은 계약에 있어서도 마찬가지다. 우리가 알아야 할 것은 자신이 원하는 것을 먼저 주는 것이다. 그러면 그것이 뭉텅이로 돌아온다. 많은 경우에 내가 원하는 것을 생각하고 그것을 어떻게 다른 사람에게 줄 수 있는지 생각하는 과정만으로도 상당한 보상이 나타난다. 나는 사람들이 내게 미소 짓지 않는다고 느낄 때마다 먼저 미소를 지으면서 인사를 한다. 그러면 마술처럼 갑자기 더 많은 사람들이 주위에서 미소를 짓는다. 우리의 세상은 우리의 거울에 불과하다는 말은 진실이다.

그래서 나는 이렇게 얘기한다. 〈가르치면 받으리라.〉 나는 그 동안 배움을 원하는 사람들을 신실하게 가르칠수록 나도 배움을 얻는다는 사실을 발견했다. 돈에 대해서 배움을 얻고 싶다면 다른 사람에게 그것을 가르쳐라. 그러면 엄청나게 많은 아이디어와 더 뚜렷한 대가가 찾아올 것이다.

때로는 내가 주어도 아무것도 돌아오지 않을 때도 있다. 혹은 내가 받는 것이 내가 원하는 것이 아닐 때도 있다. 하지만 더 자세히 관찰하고 진실을 탐구하면, 나는 종종 그런 경우에 주기 위해 주는 것이 아니라 받기 위해 주고 있었다.

우리 아버지는 교사들을 가르쳤으며 그래서 교사들의 교사가 되었다. 내 부자 아버지는 늘 젊은 사람들에게 자신의 사업 방식을 가르쳤다. 돌이켜보면 그분들은 아는 것을 너그럽게 주었기 때문에 더 똑똑해졌다. 이 세상에는 우리보다 훨씬 더 똑똑한 힘들이 많다.

우리가 그곳에 스스로 갈 수도 있지만, 그런 힘들의 도움을 받으면 더 쉽다. 우리에게 필요한 것은 자신에게 있는 것을 너그럽게 주는 것뿐이다. 그러면 그 힘들도 우리에게 너그러워질 것이다.

부자가 되기 위해 아직도 더 필요한 몇몇 요령

왜 소비자들은 늘 가난한가?
슈퍼마켓에서 화장지를 세일하면, 소비자들은 마구 산다.
주식 시세가 하락할 때, 대부분의 사람들은 붕괴나
조정을 예측하면서 그곳에서 도망을 친다.
슈퍼마켓에서 가격을 올리면, 소비자들은 다른 곳에서 쇼핑한다.
하지만 주식 시세가 상승할 때, 사람들은 사기 시작한다.

많은 사람들이 내가 말한 10가지 단계 혹은 10가지 힘에 만족하지 않을 수도 있다. 그것들은 행동이라기보다는 하나의 철학으로 보일 것이다. 나는 철학의 이해도 행동만큼이나 중요한 것이라고 생각한다. 생각이 아닌 행동을 원하는 사람들이 많이 있다. 그리고 생각만 하고 행동을 하지 않는 사람들도 있다. 나는 두 유형의 모두를 가진 사람이라고 말하고 싶다. 나는 새로운 아이디어를 좋아하며 행동을 좋아한다.

그래서 어떻게 시작해야 하는지 구체적인 요령을 원하는 사람들에게 내가 전해 줄 수 있는 몇 가지를 간략하게 소개하고자 한다.

— 지금 하는 것을 중단하라.

바꿔 말하면, 잠시 여유를 갖고 무엇이 되고 무엇이 안 되는지 평가하라. 같은 것을 하면서 다른 결과를 바라는 것은 미친 짓이다. 안 되는 것은 더 이상 하지 말고 새로운 것을 찾아라.

— 새로운 아이디어를 찾아라.

나는 새 투자 아이디어를 얻기 위해 책방에 가서 여러 가지 독특한 주제의 책들을 본다. 나는 그것들을 공식〔formula〕이라 부른다. 나는 내가 모르는 공식에 관한 소개서를 산다. 예를 들어, 나는 책방에서 조엘 모스코위츠가 쓴 『16%의 해결책 *16 Percent Solution*』을 발견했다. 나는 그 책을 사서 읽었다.

— 행동하라!

다음 목요일에 나는 『16%의 해결책』의 내용을 실천에 옮겼다. 한 단계 한 단계. 나는 그 책의 내용을 현실에서 실현하기 위해 변호사 사무실과 은행들에서 좋은 부동산 거래를 찾았다. 대부분의 사람들은 행동을 하지 않는다. 혹은 자신들이 공부하는 새로운 공식을 누군가가 비판하도록 내버려둔다. 내 이웃은 내게 16%가 왜 안 되는지 얘기했다. 나는 그 사람이 그것을 해본 적이 없기 때문에 귀기울이지 않았다.

— 당신이 하고 싶은 것을 먼저 한 사람을 찾아라.

그들을 점심에 초대하라. 그들에게 해당 분야에 대한 요령, 혹은 조언을 물어라. 나는 16% 세금 우대 증서를 위해 세무서에 가서 그곳에서 일하는 담당 공무원을 찾았다. 알고 보니 그 여자도 세금 우대 증서에 투자하고 있었다. 나는 즉시 그 여자를 점심에 초대했다. 그 여자는 아주 열심히 자신이 아는 모든 것과 그렇게 하는 방법을 설명했다. 점심 후에 그녀는 오후 내내 내게 많은 것을 보여주었다. 다음날 나는 그녀의 도움으로 아주 멋진 투자 대상을 찾았고 그 후 계속해서 16%의 이자를 받고 있다. 시간은 책을 읽는 데 하루, 행동하는 데 하루, 점심 먹는 데 한 시간, 그리고 멋진 투자 대상을 찾는 데 하루가 걸렸다.

── 강의를 듣고 테이프를 사라.

나는 신문에서 새롭고 흥미로운 강의들을 찾는다. 많은 강의들이 무료이거나 저렴하다. 나는 또 내가 배우고자 하는 주제에 관한 고급 세미나에도 참석해서 참가비를 지불한다. 내가 부자가 되어 일에서 자유롭게 된 것은 내가 들었던 강의들 때문이다. 그런 강의를 듣지 않은 친구들은 내가 돈을 낭비한다고 얘기했다. 하지만 그들은 아직도 같은 일을 하고 있다.

── 많은 제안을 하라.

나는 부동산을 사고 싶을 때 많은 물건을 보고 대개는 제안을 한다. 당신이 〈제안〉에 대해 모른다면, 나 역시 모른다. 그것은 부동산 중개인이 하는 일이다. 그들은 제안을 한다. 나는 가능한 한 적은 일만 한다.

어떤 친구가 내게 아파트를 사는 법을 알려달라고 했다. 그래서 어느 토요일에 그녀와 그녀의 중개인, 그리고 내가 나가서 여섯 채의 아파트를 보았다. 네 채는 그다지 좋지는 않았지만 두 채는 좋았다. 나는 그녀에게 여섯 채 모두에 대해 주인들이 원하는 가격의 절반을 제안하라고 얘기했다. 내 말에 그녀와 중개인은 거의 심장마비를 일으켰다. 그들은 그것이 무례한 짓이라고, 내가 결례를 하는 것이라고 생각했다. 하지만 나는 그 중개인이 게으름을 피운 것인지도 모른다고 생각한다. 어쨌든 그들은 아무것도 안 하고 계속해서 더 좋은 거래를 찾았다.

그 결과 어떤 제안도 이루어지지 않았다. 그리고 그 친구는 아직도 딱 맞는 가격의 〈딱 맞는〉 거래를 찾고 있다. 글쎄, 우리가 딱 맞는 가격을 알려면 거래를 원하는 상대방을 찾아야만 한다. 대부분의 판매자는 너무 많이 요구한다. 판매자는 자신이 팔려는 대상의 가치보다 낮은 가격을 요구하는 일은 거의 없다.

이 이야기의 핵심은 무엇일까? 제안을 하라는 것이다. 투자가가 아닌 사람들은 무엇을 팔려고 하는 것이 어떤 것인지 전혀 모른다. 나는 전에 어떤 부동산을 몇 달 동안 팔려고 애를 썼다. 그때 나는 무엇이든지 환영하고 싶었다. 아무리 낮은 가격이라도 상관하지 않았다. 사람들이 내게 돼지 열 마리를 제안했대도 나는 기쁘게 받아들였을 것이다. 제안에 기쁜 것이 아니라, 누군가 그 부동산에 관심이 있다는 사실만으로도 기뻤을 것이다. 물론 나는 돼지 열 마리가 아니라 돼지 농장과 바꾸자고 했을 것이다. 하지만 게임은 그런 식으로 일어난다. 사고 파는 게임은 재미있는 것이다. 그 점을 명심하라. 그것은 재미이며 게임일 뿐이다. 제안을 하라. 누군가 〈예스〉라고 말할지도 모른다.

그리고 나는 늘 단서 조항을 달아 제안을 한다. 나는 부동산에서 제안을 할 때 이런 말을 넣는다. 〈사업 파트너의 승인을 조건으로 함.〉 나는 내 사업 파트너가 누군인지 절대로 알려주지 않는다. 대부분의 사람들은 내 파트너가 내 고양이임을 모른다. 그들이 제안을 받아들이는 반면 내가 거래를 원치 않으면, 나는 집에 전화를 걸어 내 고양이에게 얘기한다. 내가 이 웃기는 얘기를 하는 것은 그 게임이 얼마나 쉽고 간단한지 보여주기 위해서다. 너무도 많은 사람들이 너무도 어렵게 거래하고 너무도 심각하게 진행한다.

좋은 거래나 딱 맞는 사업, 딱 맞는 사람, 딱 맞는 투자가, 혹은 그 밖에 어떤 것을 찾는 일은 데이트와 똑같다. 시장에 가서 많은 사람들과 얘기하고, 많은 제안을 하고, 협상을 하고, 거절을 하고, 받아들여야만 한다. 내가 아는 독신자들은 집에 앉아 전화벨이 울리기만 기다린다. 하지만 당신이 신디 크로포드나 톰 크루즈가 아니라면, 어떤 시장이건 시장에 가는 것이 최선책이다. 탐색하고, 제안하고, 거절하고, 협상하고, 받아들이는 것은 삶의 모든 것에서 과정의 일부이다.

— 한 달에 10분 정도 특정한 지역을 조깅하거나 걷거나 운전하라.

나는 그 동안 가장 멋진 부동산 투자의 일부를 조깅하다가 찾았다. 나는 특정한 지역을 일년 정도 조깅한다. 내가 찾는 것은 변화이다. 어떤 거래에서 이득이 있으려면 두 가지 요소가 필요하다. 즉, 좋은 거래와 변화이다. 좋은 거래는 많지만, 어떤 거래를 이득이 있는 기회로 바꾸는 것은 변화이다. 그래서 나는 조깅할 때 내가 투자할 수도 있는 지역을 조깅한다. 그렇게 반복해서 하다 보면 약간의 차이를 감지하게 된다. 나는 오랫동안 걸려 있는 부동산 표식을 감지한다. 그것은 판매자가 더 쉽게 거래에 응할 수도 있음을 의미한다. 나는 이사 트럭들이 들어오고 나가는 것을 지켜본다. 그리고 걸음을 멈추고 운전사들과 얘기를 나는다. 또 우편 배달부에게도 말을 건다. 그들은 특정 지역에 대해 아주 많은 정보를 갖고 있다.

나는 나쁜 지역을 찾는다. 특히 모든 사람들이 소식을 듣고 놀라 달아난 지역을 찾는다. 나는 때때로 그곳을 지나가며 무언가 더 좋은 것으로의 변화를 나타내는 표시를 기다린다. 그리고 구입자들에게 물어본다. 특히 새로운 구입자들에게 물어본다. 그리고 그들이 왜 이사를 왔는지 알아낸다. 그런 일에 드는 시간은 한 달이면 몇 분에 불과하다. 그리고 나는 무언가 다른 일을 하면서 그런 일을 한다. 이를테면 운동을 하거나 가게에 왔다갔다하는 동안에 한다.

나는 주식에 대해서는 피터 린치의 『월가를 무찌르다 *Beating the Street*』라는 책을 좋아한다. 그 책에는 가치〔value〕가 성장하는 주식을 고른다는 피터 린치의 공식이 들어 있다. 알고 보니 가치를 찾는 원칙은 모두 같은 것이었다. 부동산, 주식, 뮤추얼 펀드, 새 회사, 새 애완 동물, 새집, 새 배우자, 혹은 세제를 사는 일에도 적용된다.

그 과정은 늘 똑같다. 우리가 알아야 할 것은 무엇을 찾고 있는지이다. 그리고 그런 후에 그것을 찾아가는 것이다!

왜 소비자들은 늘 가난한가? 가령 슈퍼마켓에서 화장지를 세일할 때, 소비자들은 달려가서 마구 산다. 주식 시장이 하락세를 보일 때, 대부분의 사람들은 종종 붕괴나 조정을 얘기하고, 소비자들은 그곳에서 도망을 친다. 슈퍼마켓이 제품 가격을 올릴 때, 소비자들은 다른 곳에서 쇼핑한다. 주식 시세가 올라갈 때, 소비자들은 사기 시작한다.

— 올바른 가격을 찾아라.

어떤 이웃이 10만 달러를 주고 아파트를 샀다. 나는 옆에 있는 똑같은 아파트를 5만 달러에 샀다. 그 사람은 내게 가격이 오르기를 기다리는 중이라고 얘기했다. 나는 그 사람에게 이득은 팔 때가 아닌 살 때 만들어진다고 얘기했다. 그 사람은 자신의 부동산은 전혀 없는 부동산 중개인과 함께 물건을 샀다. 나는 어떤 은행의 경매 부서에서 물건을 샀다. 나는 그렇게 하는 법에 관한 강의에 5백 달러를 지불했다. 내 이웃은 부동산 투자 강의에 지불한 5백 달러가 너무 비싸다고 생각했다. 그 사람은 그렇게 할 여유가 없다고, 자신에게는 그렇게 할 시간이 없다고 얘기했다. 그래서 그 사람은 가격이 올라가기를 기다리고 있다.

— 더 부자가 되고 싶다면 더 크게 생각하라.

나는 먼저 사고자 하는 사람들을 찾은 후에 팔고자 하는 사람을 찾는다. 어떤 친구가 빈 집터를 찾고 있었다. 그 친구는 돈은 있었지만 시간이 없었다. 나는 그 친구가 사고자 하는 것보다 더 넓은 집터를 찾았다. 그리고 그것을 옵션으로 묶은 후에 그 친구에게 전화를 해서 한 부분을 사겠느냐고 물었다. 그래서 나는 그 친구에게 그가 원하는 넓이만큼 팔고 그 땅을 샀다. 나는 아직도 남은 땅을 공짜로 갖고 있다. 이 이야기의 핵심은 무엇일까? 그것은 파이를 사서 조각으로 나누라는 것이다. 대부분의 사람들은 자신들이 살 수 있는 것만 찾는다. 그래서 그들은 너무 작아 보인다. 그들은 파이의 한 조각만 산다. 그래서 그들은 더 적은 것에 더 많이 지불하고 만다. 작게 생각하는 사람들은 큰 이득을 보지 못한다.

소매상들은 대량 할인을 해주는 것을 좋아한다. 대부분의 사업가들은 많이 지출하는 사람을 좋아하기 때문이다. 그래서 당신은 작더라도 늘 크게 생각할 수 있다. 내가 다니던 회사가 컴퓨터 시장에 진출했을 때, 나는 몇몇 친구들에게 전화해서 그들도 사겠느냐고 물었다. 그런 후에 우리는 여러 딜러들을 찾아가서 멋진 거래를 협상했다. 우리가 많은 물량을 사려 했기 때문이다. 나는 주식에서도 같은 일을 했다. 작은 사람들이 여전히 작은 이유는 작게 생각하기 때문이다. 그들은 혼자서 행동하거나 혹은 전혀 행동하지도 않는다.

—— 역사에서 배워라.

주식 시장에 상장된 큰 회사들은 모두 작은 회사들로 시작했다. 샌더스 대령이 부자가 된 것은 60대에 모든 것을 잃고 난 후였다. 빌 게이츠는 서른 살 전에 세상에서 최고 부자 가운데 한 사람이 되었다.

행동은 늘 아무 행동도 하지 않는 자를 이긴다.

이것들은 내가 기회를 감지하기 위해 지금까지 해왔고 계속해서 하는 몇 가지에 불과하다. 중요한 단어들은 〈했고〉와 〈하는〉이다. 이 책에서 여러 차례 반복했듯이, 행동을 해야만 금전적인 보상을 얻을 수 있다. 지금 행동하라!

글을 마치며

돈은 안전하게 굴리지 말고, 영리하게 굴리자

돈이 있어야 돈을 번다는 생각은
경제적으로 똑똑하지 못한 사람들의 생각이다.
그들은 단지 돈을 버는 과학을 배우지 않았을 뿐이다.
돈은 아이디어에 불과하다.
돈이 당신을 위해 열심히 일하게 만드는 법을 배워라.
이제는 안전하게 하지 말고 영리하게 하라.

이 책이 끝나가는 시점에서, 나는 마지막으로 한 가지 아이디어를 제공하고자 한다.

내가 이 책을 쓴 주요 목적은 금융 지능을 높이면 삶의 많은 문제들을 해결할 수 있음을 보여주기 위해서이다. 우리는 종종 돈에 관한 훈련이 없는 상태에서 학교에서 배운 표준적인 공식을 사용해 삶을 이끌어간다. 이를테면 열심히 일하고, 저축하고, 빌리고, 세금을 왕창 내는 것이다. 하지만 오늘날의 우리에게는 더 좋은 정보가 필요하다.

나는 다음의 이야기를 통해 오늘날 많은 젊은 가족들이 직면하고 있는 재정적 문제의 최종적 예를 제시한다. 어떻게 하면 아이들에게 좋은 교육을 제공하고 자신의 퇴직 이후를 준비할 수 있을까? 이 사례는 열심히 일하는 대신 금융 지능을 사용해 같은 목표를 달성하는 예이다.

내 친구 하나가 어느 날 고민을 하고 있었다. 아이들 넷의 대학 교육을 위해 저축하는 것이 얼마나 힘든가에 대한 고민이었다. 그 친구는 매달 3백 달러를 뮤추얼 펀드에 넣고 있었으며 그때까지 1만 2천 달러 가량을 비축했다. 그 친구는 40만 달러가 있어야 네 아이를 대학에 보낼 수 있다고 추산했다. 그는 그것을 위해 12년 동안 저축했는데, 당시 맏이는 여섯 살이었다.

그때는 1991년이었으며, 피닉스의 부동산 시장은 엉망이었다. 사람들은 모두 집을 팔았다. 내가 그 친구에게 뮤추얼 펀드에 있는 돈의 일부로 집을 하나 사도록 권유했다. 그 친구는 그런 아이디어에 흥미를 느꼈고, 우리는 그 가능성을 의논하기 시작했다. 그 친구의 가장 큰 걱정은 새로 집을 사는 데 필요한 은행 융자를 받을 수 없다는 것이었다. 이미 다른 융자를 받아서 신용이 제한되어 있기 때문이었다. 나는 그 친구에게 은행 말고 다른 방법으로도 부동산을 사는 방법이 있다고 얘기했다.

우리는 2주일 동안 집을 알아보았다. 다행히도 우리가 찾는 집은 많았으며, 그래서 그 일은 상당히 재미가 있었다. 마침내 우리는 깨끗한 동네에서 침실 세 개와 욕실 두 개짜리 집을 발견했다. 집주인은 정리 해고가 되어서 빨리 집을 팔아야만 했다. 가족과 함께 새 직장이 기다리는 캘리포니아로 이사를 가야 했기 때문이다.

집주인은 10만 2천 달러를 원했지만, 우리는 7만 9천 달러를 제안했다. 주인은 즉시 그 제안을 받아들였다. 그 집에는 소위 말하는 비자격 대출이 포함되어 있었다. 그러니까 직장이 없는 실직자라도 은행의 승인 없이 그 집을 살 수 있는 것이었다. 집주인은 7만 2천 달러를 빚지고 있었고, 그래서 내 친구는 7천 달러만 내면 되었다. 그 7천 달러는 집주인의 빚과 판매 가격의 차이였다. 주인이 이사를 가자마자, 내 친구가 그 집을 세놓았다. 융자금을 포함한 모든 지출을 제하고 난 후에, 그 친구는 매달 125달러 정도를 주머니에 넣었다.

그 친구의 계획은 그 집을 12년 동안 보유하면서 융자금을 더 빨리 갚는다는 것이었다. 그러니까 125달러의 월세로 매달 원금을 갚는다는 것이었다. 우리가 계산해 보니 12년 후에는 융자금의 상당 부분을 갚고 맏이가 대학에 갈 때쯤에는 매달 800달러의 순수입도 가능해 보였다. 그 친구는 집값이 오르면 그 집을 팔 수도 있었다.

1994년에 피닉스의 부동산 시장이 갑자기 변했고, 그 친구는 그 집에 살면서 그 집을 좋아하게 된 임차인으로부터 그 집을 15만 6천 달러에 사겠다는 제안을 받았다. 이번에도 그 친구는 내 생각을 물었다. 나는 당연히 팔라고 얘기했다.

갑자기 그 친구에게는 활용할 수 있는 8만 달러의 여유돈이 생겼다. 내가 텍사스 오스틴에 있는 친구에게 전화를 걸어 세금이 공제된 그 친구의 돈을 그녀가 만들고 있던 미니 창고 합자회사에 투자할 수 있도록 부탁했다. 그 친구는 3개월 만에 매월 1천 달러 가량의 수표를 받기 시작했고 그 돈을 다시 뮤추얼 펀드에 넣어서 전보다 훨씬 더 빠르게 자녀들의 대학 학비를 마련했다. 1996년에 그 미니 창고가 팔리면서 내 친구는 거의 33만 달러를 수표로 받았다. 그 돈은 다시 새로운 사업에 투자되었으며 이제는 그곳에서 나오는 매월 3천 달러 이상의 수입이 다시 아이들 대학 학비로 들어가고 있다. 그 친구는 이제 자신의 목표인 40만 달러가 쉽게 달성될 수 있다고 확신하고 있다. 그리고 그 모든 것은 겨우 7천 달러와 약간의 금융 지능으로 시작되었다. 그 친구의 아이들은 자신들이 원하는 교육을 받을 수 있게 될 것이며, 그 친구는 C라는 회사에 투자된 종자돈으로 자신의 은퇴 준비까지 할 것이다. 이 성공적인 투자 전략 때문에 그 친구는 일찍 은퇴할 수 있을 것이다.

이 책을 읽어준 독자들에게 감사한다. 이 책이 우리가 돈의 노예가 되지 않고, 돈이 우리를 위해 일하도록 만드는 방법을 터득하는데 도움이 되었으면 좋겠다. 오늘날 우리는 생존을 위해서라도 더 높은 금융 지능이 필요하다. 돈이 있어야 돈을 번다는 생각은 경제적으로 똑똑하지 못한 사람들의 생각이다. 그렇다고 그들이 지적이지 않다는 말은 아니다. 그들은 단지 돈을 버는 과학을 배우지 않았을 뿐이다.

돈은 아이디어에 불과하다. 당신이 더 많은 돈을 원한다면 먼저 생각을 바꾸어야 한다. 자수성가한 사람들은 누구나 작은 아이디어로 시작해서 그것을 무언가 큰 것으로 바꾸었다. 투자에 대해서도 마찬가지이다. 몇 달러만 있으면 시작할 수 있고 그것을 무언가 큰 것으로 만들 수 있다. 너무나도 많은 사람들이 평생 큰 건만 쫓거나 많은 돈을 모아서 큰 건에 뛰어들려 한다. 하지만 내가 볼 때 그것은 어리석은 일이다. 나는 똑똑하지 못한 투자가들이 그 많은 종자돈을 한 건에 넣고 금방 잃는 것을 보곤 했다. 그들은 일은 잘했는지 몰라도 투자는 잘하지 못했다.

돈에 대한 교육과 지혜가 중요하다. 일찍 시작하라. 책을 사라.

강연에 가라. 실천하라. 그리고 작게 시작하라. 내가 5천 달러의 현금을 백만 달러의 자산으로 키워 매달 5천 달러의 현금 흐름을 만드는 데는 6년도 걸리지 않았다. 하지만 나는 어렸을 때 공부를 시작했다. 나는 여러분도 배우고 공부할 것을 권유한다. 그것은 그렇게 어렵지 않다. 사실 그것은 일단 맛을 보면 쉽다고 할 수 있다.

내 이야기가 충분히 전달되었으리라 생각한다. 당신의 머리에 있는 것이 당신의 손에 있는 것을 결정한다. 돈은 아이디어에 불과하다. 『생각하라. 그러면 부자가 되리라 *Think and Grow Rich*』라는 멋진 책이 있다. 그 책의 제목은 〈열심히 일해서 부자가 되라〉가 아니다. 돈이 당신을 위해 열심히 일하게 만드는 법을 배워라. 그러면 당신의 삶은 더 쉽고 행복해질 것이다. 이제는 안전하게 하지 말고 영리하게 하라.

아이들이 세상을 준비할 수 있게 해줍시다

우리 모두는 두 가지 훌륭한 선물을 받았다. 즉 우리의 마음과 우리의 시간이다. 그 두 가지로 자신이 원하는 것을 하는 것은 자기 자신에게 달렸다. 당신의 손에 현금이 들어올 때마다 당신이, 그리고 당신만이 운명을 결정하는 힘을 갖게 된다. 그것을 어리석게 쓰면 가난을 선택하는 것이다. 그것을 부채에 쓰면 중산층에 합류하는 것이다. 그것을 마음에 투자하고 자산을 얻는 법을 배우면 부자가 되기를 선택하는 것이다. 선택은 당신의, 그리고 당신만의 것이다. 매일 돈이 생길 때마다 우리는 부자, 가난한 사람, 혹은 중산층이 될 것을 결심한다.

이런 지식을 아이들과 나누도록 선택하자. 그리고 아이들이 세상을 준비할 수 있도록 선택하자.

당신과 당신 아이들의 미래는 내일이 아닌 오늘 당신이 하는 선택으로 결정된다.

많은 재산과 풍만한 행복으로 삶이라는 이 멋진 선물을 즐기기를 바란다.

—로버트 기요사키, 샤론 레흐트

옮긴이의 말

번역을 할까 말까 한참 망설였다. 다소 묘한 책이었다. 어찌 보면 투기를 조장하는 것도 같고, 어찌 보면 투자를 권장하는 것도 같았다. 뒤쪽에 무게를 두었기 때문에 번역을 수락했다.

어떤 사람은 이렇게 말했다고 한다. 〈나는 일을 하다 죽고 싶다.〉 우리가 일하는 것이 돈만을 위해서일까? 반드시 그렇지는 않을 것이다. 우리가 일을 하는 데는 돈벌이 이상의 의미가 있다. 이를테면 자아 성취, 사회적 공헌, 혹은 노동의 보람 등이다. 그렇기는 해도 일에 매이지 않고 여유롭게 살고 싶은 것은 많은 사람들의 꿈일 것이다.

번역을 하면서 때로는 거부감도 느꼈다. 아마 나도 저자의 가난한 아버지와 비슷한 사람이었던 것 같다. 더구나 개인의 이익을 중요시하는 미국과 달리 사회적 책임감을 강조하는 한국에서 교육을 받았기 때문에 더욱 그랬을 것이다. 어쩌면 이제는 우리 사회도 변하고 있는지 모른다. 아니, 실제로 그렇게 변하고 있을 것이다.

무엇보다도, 돈을 헛되이 쓰지 말고 자산에 투자해서 불리라는 저자의 말은 가슴에 와닿았다. 사실 나는 지금까지 그러지를 못했다. 그리고 이런 책을 좀더 일찍 읽었더라면 하는 아쉬움도 느꼈다. 앞으로는 나도 변해야 할까?

2000년 2월

형선호

옮긴이 형선호

서울대학교 사회대학을 졸업했고 대우그룹과 현대그룹에서 근무했으며, 현재 전문 번역가로 활동하고 있다.
지금까지 20여 권의 책을 번역했으며, 대표작으로 『바이블 코드』, 『세계 자본주의의 위기』, 『인생과 자연을 바라보는 인디언의 지혜』 등이 있다.

부자 아빠, 가난한 아빠

1판 1쇄 펴냄 2000년 2월 10일
1판 9쇄 펴냄 2000년 3월 15일

지은이 로버트 기요사키 · 샤론 레흐트
옮긴이 형선호
펴낸이 박근섭
펴낸곳 **(주)황금가지**

출판등록 1996. 5. 3 (제16-1305호)
135-120 서울시 강남구 신사동 506 강남출판문화센터 6층
대표전화 3446-8773-4 / 팩시밀리 515-2007

ⓒ **(주)황금가지**, Printed in Seoul, Korea

ISBN 89-8273-236-5 03320

값 9,000원